Nuova Narrativa Newton

1229

Dello stesso autore:

La legione occulta dell'impero romano
Il templare nero
Il ritorno della Legione Occulta. Il re dei Giudei
La legione maledetta. Il generale dei dannati
La legione maledetta. La fortezza dei dannati
Il comandante della legione occulta
La legione maledetta. L'invasione dei dannati
I due imperatori. La saga della legione occulta
I Guardiani di Roma. La saga della Legione occulta

Prima edizione: febbraio 2022
© 2022 Newton Compton editori s.r.l., Roma

Copertina © Sebastiano Barcaroli

ISBN 978-88-227-4909-3

www.newtoncompton.com

Realizzazione a cura di Punto a Capo
Stampato nel febbraio 2022 da Puntoweb s.r.l., Ariccia (Roma)

Roberto Genovesi

Il leone di Svevia

Newton Compton editori

A Carlotta,
come Federico non ti stancare mai di credere
che ci sia ancora qualcosa da trarre dal buio

Florentium, Capitanata, Apulia Normanna, dicembre 1250 d.C.

Il cavallo nero nuotava in un immenso mare bianco. Avanzava a fatica, agitando le zampe sotto al peso dell'uomo ricurvo sulla sella. Le froge spalancate per lo sforzo, la bava abbarbicata al morso in forma di tante minuscole stalattiti, la coda trasformata in una biscia tramortita, appesantita dall'acqua che si era fatta ghiaccio. Doveva faticare non poco, quella povera bestia, per restare a galla. Per ogni movimento che faceva per avanzare, gliene serviva un altro di uguale vigore per risalire dal risucchio gelido che lo voleva trascinare giù.

L'animale nitrì per lo sforzo, e l'uomo che lo montava ebbe un sussulto. Sollevò lentamente il capo difeso da un pesante cappuccio di lana e mostrò all'algido sole del pomeriggio un volto dalla pelle scura come il grano arso. Gli occhi che parvero riprendere vita erano neri, così come nera sarebbe apparsa la lunga barba, se i fiocchi della recente nevicata non avessero deciso di farvi il nido, trasformandola in uno scomposto sudario che si adagiava su quel che il lungo mantello lasciava trapelare di una cotta di maglia ad anelli.

L'uomo aprì a fatica una delle mani guantate che stringevano le briglie e se la passò sugli occhi per liberare le sopracciglia dagli artigli del freddo. Poi si toccò la bocca, rendendosi conto dal dolore immediato che le crepe prodotte dal gelo non si erano rimarginate.

Mentre il cavallo continuava ad arrancare nella neve, l'uomo guardò avanti, cercando di destreggiarsi nella fitta foschia che sopraggiungeva sempre verso il tramonto sul Tavoliere. Ma stavolta, cosa assai inusuale per quei luoghi e per quella stagione, essa aveva trovato una nuova compagna di giochi. Improvvisamente, le nubi avevano deciso di vomitare sulla Capitanata tutta la neve che avevano trattenuto per decenni, trasformando la grande pianura che portava fino al mare in un bianco oceano dalle onde immobili.

Ed era in quel mare, silenzioso e deserto, che l'uomo arrancava in sella al suo cavallo nero. Era partito da Roca di buon mattino, quando la neve che aveva cominciato a scendere rada non faceva presagire nulla di ciò che avrebbe portato il resto del giorno. Verso mezzodì la nevicata si era intensificata, cogliendo di sorpresa il viaggiatore nei suoi inadeguati indumenti. Avrebbe potuto tornare indietro per sostituirli con qualcosa di più consono al brusco calo della temperatura, avrebbe potuto coprire il suo cavallo con una spessa gualdrappa ma tutto ciò gli avrebbe fatto perdere del tempo prezioso. Il messaggio che lo aveva fatto partire, pur se vergato su una leggera pergamena di pelle di capra, recava una notizia pesantissima per il regno e per il suo cuore, e qualunque indugio si sarebbe rivelato fatale.

L'uomo a cavallo strinse gli occhi e accarezzò fugacemente la criniera dell'animale. Poi, con un gesto quasi insensato, provò a scacciare la nebbia solida che gli obnubilava la vista. A lungo la tempesta di neve che lo aveva colto per la strada gli aveva impedito di capire se stesse seguendo la direzione giusta. Si era lasciato guidare dall'istinto, dai pochi riferimenti naturali che la neve aveva risparmiato e da qualche stella che aveva imparato a riconoscere aggrappato alla tunica dell'astrologo arabo che viveva nel quartiere di Palermo in cui era nato. Ma il timore di essersi perso gli stava avvelenando il cuore.

Poi, lentamente, la foschia si diradò, lasciando spazio a un paio di piccole luci giallastre. Gli occhi lontani di una figura di pietra adagiata su un lungo sperone di roccia.

L'uomo a cavallo trattenne il respiro. Altri occhi si aprirono. Sorretti da fiaccole. Strette nelle mani di soldati affacciati da una torre di guardia.

I contorni di pietra della città piazzaforte di Florentium cominciarono a palesarsi. Era oltre quelle mura, costruite dai bizantini per dominare la vallata e guardarsi dalle incursioni degli arabi e dei longobardi, che l'imperatore Federico stava trascorrendo i giorni dell'agonia. Ma prima di morire aveva chiesto di poter salutare il suo migliore amico.

L'uomo a cavallo pregò Allah di essere ancora in tempo. Non si sarebbe mai perdonato di mancare a quell'ultimo appuntamento. In virtù di un giuramento fatto tra le pozzanghere di un quartiere malfamato in una città decadente. A un bambino di quattro anni.

ATTO PRIMO
IL RE BAMBINO

Palermo, Regno di Sicilia, novembre 1198 d.C.

Il Cassaro era una cittadella fortezza, divisa dagli altri quartieri di Palermo da alte mura e due fiumi che parevano stringerla in un gigantesco abbraccio. Il palazzo reale sembrava un gioiello incastonato in quel grande anello quadrangolare, isolato dal resto della città da un ponte levatoio di modeste proporzioni ma immerso nei suoi odori, nelle sue multiformi voci dialettali e raggiunto da tutte le sue strade, su cui transitavano ogni giorno senza soluzione di continuità i carri diretti al mercato di porta Patitelli.

Il bambino che abitava in quel castello amava trascorrere molto tempo a guardare quel traffico di animali, barche, colori e umori. Ruote cigolanti, bestie nervose, remi affaticati. Il suo mondo, che andava ben oltre i confini di quella piccola stanza appollaiata sulla torre occidentale, lontana dai movimenti di palazzo ma dall'alto della quale le mura che difendevano la dimora dei normanni di Sicilia non avevano più segreti. Avvisato ogni mattina dall'afrore delle bestie portato dal vento, si precipitava ad affacciarsi in punta di piedi dalla bifora che correva sul balconcino rivolto al mare, sicuro che di lì a poco avrebbe scorto in lontananza la lenta colonna degli armenti e i carri piegati dal peso degli enormi barili di spezie e del ferro degli armaioli, seguiti da una lunga coda multicolore di stoffe dai pigmenti pregiati, che da lontano facevano sembrare quell'insieme di uomini, bestie e merci un gigantesco pappagallo assonnato. Palermo apriva i cancelli ogni mattina a quel mondo, e diventava per buona parte della giornata il cuore pulsante del commercio siciliano. Ma c'erano dei giorni speciali, quelli in cui i

13

precettori non assillavano il bambino con il disegno o l'abecedario. In quelle rare occasioni il piccolo, con la complicità di grate troppo strette per un soldato e cunicoli troppo angusti per un servo, sfuggiva al controllo delle guardie e delle dame di corte e si gettava nella mischia. Diventava così uno dei tanti orfani vestiti di stracci di cui brulicavano le strade della città. Incurante dei pericoli, armato solo della buona sorte che sovente accompagna i cuccioli e della spavalderia di chi ancora non conosce davvero il mondo, il bambino aveva imparato a memoria la strada per uscire dal palazzo reale. Ma anche quella per arrivare nel più breve tempo possibile alla sua destinazione preferita: la Kalsa, il malfamato e decaduto quartiere musulmano dove lo aspettavano ogni volta gli altri piccoli cavalieri dell'indigenza.

Quel giorno, la pioggia fina ma incessante non aveva dissuaso la processione di mercanti dall'adempiere al loro rito quotidiano, e anzi aveva potenziato gli odori che si portavano dietro, eccitando ancor di più l'immaginazione del bambino che, pur di uscire presto, aveva deciso di sfidare i tempi delle ronde. Tuttavia, non trovò gli ostacoli che si sarebbe aspettato a quell'ora. Tutte le dame di corte e gran parte della popolazione del castello si alternavano ormai da giorni al capezzale di sua madre. Costanza stava male e non accennava a migliorare. Nessun medico, per quanti ne fossero stati cercati e convocati, era riuscito a venirne a capo. E in quel periodo di confusione nessuno aveva più badato al bambino che, indisturbato, continuava a rispettare il suo rito quotidiano.

Così, Federico uscì ancora una volta dalla fortezza senza che nessuno glielo impedisse. Ma non prima di aver ficcato in un sacco il suo nuovo copricapo. Il capo di una banda deve portare un segno di riconoscimento, e quale miglior oggetto poteva fare al caso suo se non la corona di re di Sicilia che gli avevano messo in testa solo una settimana prima?

Florentium, Capitanata, Apulia Normanna, dicembre 1250 d.C.

«Aprite! Presto!», urlò l'uomo a cavallo minacciando i battenti serrati del fortilizio. Nonostante la distanza segnata dal fossato che circondava la cittadella, la sua voce giunse forte e chiara ai soldati che sostavano sulla torre di guardia.

«Chi sei? Cosa ti porta fin qui al calar del sole? Non è orario da gentiluomini, questo!», osò rispondere uno di essi, sporgendosi dal parapetto per guardare meglio.

Uno scapaccione che quasi gli fece volar via dalla testa l'elmo lo raggiunse ancor prima che il lontano cavaliere gli vomitasse addosso tutti gli improperi possibili.

«Stupido!», disse la voce del capo delle guardie. «Non vedi che è Ahmed Addid!». Poi si piegò in avanti e urlò verso il basso. «Abbassate il ponte! Immediatamente!».

Con un sonoro cigolio di catene, il ponte levatoio cominciò a calare. Quando toccò terra con un tonfo, il cavallo nero si impennò per scaricare tutta la sua impazienza e poi si tuffò al galoppo nella fortezza, lasciandosi alle spalle l'ennesima sferzata gelida. Quando ebbe superato le mura perimetrali piantò gli zoccoli anteriori a terra sollevando una nuvola di neve. L'uomo in sella non ebbe nemmeno il tempo di apprezzare l'immediato aumento della temperatura prodotto dai numerosi fuochi che i soldati avevano acceso lungo i camminamenti. Si guardò intorno più volte, e finalmente vide sopraggiungere trafelato il capo delle guardie che lo aveva fatto entrare.

«Dove si trova l'imperatore?», chiese cercando lontano nella semioscurità.

Il capo delle guardie indicò una sagoma lontana che si stagliava come una picca spuntata su un orizzonte violaceo.

«Come sta?», chiese tirando le redini del destriero impaziente. La risposta che lesse nello sguardo del soldato lo spinse a conficcare i talloni nei fianchi dell'animale fino a farlo nitrire di dolore.

Ahmed Addid attraversò la cittadella a testa bassa. Una lunga via longitudinale portava direttamente dall'accesso meridionale alla *domus solaciorum* che Federico si era fatto costruire sulle rovine di un precedente castello. Ma per arrivarci, bisognava attraversare tutto il sobborgo tempestato di viuzze perpendicolari che di giorno ospitavano il viavai di commercianti, artigiani e clienti di giudici e notai. Florentium era una cittadella laboriosa ma isolata nel contesto della Capitanata che perfino la Chiesa aveva scelto come buon ritiro, edificando al suo interno una cattedrale e almeno altre sei chiese, gestite da pochi canonici.

A quell'ora, quando anche il sole aveva deciso di trovare requie, quelle stradine erano deserte e silenziose, e il rumore forsennato degli zoccoli del cavallo nero che le attraversava di gran carriera somigliava al monologo di un tamburo da battaglia.

Quando anche l'ultimo degli edifici gli sfilò accanto, Addid vide la sagoma del castello normanno fare capolino oltre l'inclinarsi della via. Trattenne il suo cavallo appena in tempo per non travolgere una processione di frati che stava uscendo dall'edificio principale, guidata dalla luce di alcune candele. Il consueto viatico dei moribondi.

Addid saltò giù dal cavallo e lanciò solo uno sguardo a uno stalliere che gli stava venendo incontro. Afferrò per il cappuccio il primo dei frati che gli capitò a tiro.

«Ditemi che è ancora vivo».

Il frate lo guardò per un attimo senza interrompere subito la litania che stava recitando. Poi socchiuse le palpebre. «Non lo sarà ancora per molto, ma… sì, egli vive ancora».

Addid sollevò lo sguardo al cielo. Una fioca luce arancione si intravedeva tra le grate dell'ultimo piano in cima alla torre più alta. «Allah sia ringraziato», sussurrò prima di precipitarsi dentro.

I suoi stivali appesantiti dalla neve lasciarono enormi chiazze di ghiaccio sulle mattonelle disposte in opus spicatus che portavano alla scala a chiocciola che saliva ai piani superiori. Tutti coloro che si trovavano all'interno della domus si fecero silenziosamente da parte per lasciarlo passare. Guardie impettite, signorotti locali ancora disposti all'ossequio, nobiluomini di corte pronti a farsi riconoscere. A nessuno di loro Addid regalò uno sguardo o un cenno. Affrontò i gradini di pietra, e contandoli uno a uno arrivò in cima in un tempo che gli parve infinito.

All'ultimo piano lo accolsero tre porte identiche e chiuse. L'uomo esitò, ma alla fine una di esse si aprì per lasciare uscire un'ancella, che portava tra le braccia una pila di panni che trasudavano ancora calore. Alle sue spalle, nello spazio tra la porta e lo stipite, quella stessa luce arancione che aveva visto dal basso lo spinse a entrare.

Ad accoglierlo fu un intenso tanfo di feci, con un fastidioso retrogusto di incenso. Addid tossì rumorosamente per nascondere il conato di vomito che gli stava salendo in gola. Chinò il capo per portarsi una mano davanti alla bocca. Quando riuscì a risollevare gli occhi, si ritrovò a guardare un uomo, seduto su un trono di legno vicino a un materasso di lana di pecora, che un baldacchino spartano sollevava di mezza spada dal pavimento di marmo rosa. Intorno al letto, alcune giovani monache stavano recitando il rosario a bassa voce. Le loro ombre distorte venivano gettate sulle pareti dalla luce arsa dei bracieri. L'uomo sul trono aveva gli occhi chiusi, unico dettaglio riconoscibile su un volto nascosto da una folta chioma riccioluta, che un tempo era stata rossa come il rame ma che adesso annaspava nel colore di un'alba asfittica. Un servo aveva appena finito di tagliargli la barba e ora se ne stava in un angolo a fissare il vuoto, con in grembo un piatto d'argento pieno di peli. La foresta arrugginita che gli aveva lasciato in faccia declinava sulle guance, senza riuscire a nascondere il dimagrimento incipiente a cui la malattia aveva sottoposto l'uomo assopito.

Addid si avvicinò lentamente alla poltrona di legno, maledicendo lo scricchiolio dei suoi stivali di cuoio provati dal freddo. Un lenzuolo di lino candido appena cambiato era adagiato sul corpo di Federico e ne disegnava con maniacale precisione le forme ossute. I vestiti dell'imperatore giacevano invece su una panca nei pressi della finestra che si affacciava sui giardini della tenuta. Una lunga veste di broccato blu e un giustacuore di cuoio martellato rinforzato da fibule d'argento. Addid provò una stretta al cuore. Ma a provocarla non fu la vista di quell'uomo magro e indifeso. Non fu la vista di occhi infossati nelle orbite o il movimento appena accennato del torace. Non fu l'espressione di generale rassegnazione che poteva leggere sui volti di tutti coloro che si trovavano nella camera da letto dell'imperatore. A trafiggergli il petto come uno stilo ardente fu vedere che la servitù aveva già preparato gli abiti migliori dell'imperatore. Quelli necessari per presentarsi al cospetto di Dio.

Palermo, Regno di Sicilia, novembre 1198 d.C.

Tre città, rinchiuse in mura costruite per contenerne solo una. Questa era Palermo. Strabordante di odori, colori e voci che fluivano come sangue sulle tre vie principali che dichiaravano la distanza ma al contempo la annullavano. Culture e dèi che si guardavano in cagnesco dal tramonto all'alba quando, con il favore delle tenebre, ritrovavano le ragioni dell'odio alimentato dalle diversità. Cristiani, musulmani, ebrei contrattavano invece gomito a gomito per tutto il giorno lungo la via Marmorea del commercio. Il tintinnare delle monete e la lussuria delle mercanzie facevano dimenticare ogni volta ciò che divideva, lasciando spazio a ciò che univa. E così giovani e vecchi, uomini e donne, adulti e bambini si mescolavano tra loro in una promiscua pozione di sapori che aveva il solo scopo di sconfiggere la fame e la povertà.

I normanni avevano scacciato la comunità musulmana dal cuore della città, lasciando che arretrasse nella Halisah, la città fortificata che era diventata la residenza sicura degli emiri. Per raggiungerla bisognava lasciarsi alle spalle il Cassaro, attraversare tutte le strade del mercato, superare il ponte che sorvolava il fiume che tracciava un solco d'acqua tra cristiani ed ebrei e poi lasciarsi accogliere da un altro mondo. Un mondo fatto di quella violenza che sconvolgeva ormai da molti anni i bassifondi di una città lasciata per troppo tempo senza una vera corte. La Kalsa, dove vivevano i musulmani, era un quartiere povero, malsano, dimora di una popolazione perseguitata e smembrata, delimitata da una terra di ignoti in cui nessuno doveva pagare dazio e dove tutto era possibile. Il territorio delle bande, l'arena dei ladri e dei tagliagole, il campo dove osavano arare monaci e preti in cerca di anime da redimere o, più spesso, di giovani corpi da violare. Un campo di battaglia senza regole d'ingaggio dove, all'insaputa di tutti, anche quel giorno trotterellava a piedi nudi quel bambino con in spalla un sacco che custodiva una corona.

Il ragazzino non poteva avere più di quattro o cinque anni. Magrolino, bianchiccio di pelle, una testa un po' troppo grossa per il corpicino mingherlino e tentennante e resa ancor più grande da un casco di capelli rossi. Pareva come se quel bimbetto si fosse calato sul capo una enorme mezza zucca sventrata, calcata sulla fronte fino agli occhi che saettavano tutt'intorno come lucertole nervose. Il ragazzino si fermò nei pressi di un vicolo. Dall'interno arrivava una intensa zaffata di feci e urine, sovrastata a tratti dal lezzo di qualche animale morto in modo non meglio precisato. Per tutti gli abitanti di Palermo quel posto era *la cloaca*, la discarica a cielo aperto dove la città ricca gettava i rifiuti, che i fiumi non riuscivano più a trasportare fino al mare, e dove la città povera raccoglieva i suoi tesori, se sapeva rovistare bene tra le carcasse e le deiezioni.

Ma per quel ragazzino dalla zazzera rossa e per molti suoi simili, quel posto rappresentava molto di più. Il luogo dove l'altezza aveva sempre la meglio sul colore della pelle, la velocità batteva inesorabilmente la ricchezza e i muscoli guardavano con sfrontatezza le deità che tenevano per i testicoli gli adulti. L'arena delle bande, il campo di battaglia di chi voleva farsi le ossa da delinquente prima di diventare grande. E per questo era riconosciuto come *la terra dei tanti re*. Dove il più piccolo e il più ignaro da quel giorno lo era davvero.

«L'hai portata?».

Un sussurro balbettato tra pochi denti che proveniva direttamente dal buio fece voltare di scatto il ragazzino. Per tutta risposta, egli sollevò il sacco che si era trascinato dietro da quando aveva scavalcato le mura della reggia. Lo agitò un paio di volte come se fosse una campanella.

«L'hai portata davvero?».

Stavolta la domanda fu seguita dalla comparsa di un volto. Sporco, pieno di lentiggini, scavato dalla fame ma impreziosito comunque da due grandi occhi verdi e curiosi. Un bambino di un paio d'anni più grande di quello con la zucca in testa comparve in strada. Guardò a destra e a sinistra con teatrale circospezione e poi fece cenno al piccoletto di avvicinarsi.

«Fa' vedere. Non ci credo», disse prima di afferrare il sacco che fino a un momento prima aveva dondolato tra le mani del piccoletto. Lo aprì con sguardo vorace e ci ficcò dentro gli occhi con tale furore che per un momento il piccoletto credette che gli potessero schizzare dalle orbite.

Una mano incerta sparì attraverso il collo del sacco. Rovistò a lungo e alla fine si bloccò. Sulla bocca del ragazzino più grande si dipinse un sorrisetto sornione. «Accidenti, Rico. Ci sei riuscito», disse ritirando il braccio. Nonostante la poca luce, i gioielli incastonati nella piccola corona cominciarono a raccogliere tutti i riflessi del piccolo mondo circostante.

«Certo che ci sono riuscito», rispose Rico tirando su con il naso. «È mia».

Il vicolo buio rivelò altre facce, altri occhi, altre forme e si riempì di bambini. Decine e decine di occhi incuriositi nei quali si specchiavano le perle, i lapislazzuli, i brillanti che disegnavano la circonferenza della cuffia di stoffa rigida broccata stretta tra le mani di chi l'aveva tirata fuori dal sacco.

«Ci d…devi ra…raccontare tutto, Ri…Rico», disse una voce dall'accento normanno.

«Già. Per filo e per segno», disse un'altra voce dal retrogusto mediterraneo.

«Tua madre com'era vestita?»

«C'erano i soldati? Quanti erano? Erano a cavallo o a piedi?»

«E le spade? Ti hanno dato una spada?»

«Ci fai risentire la formula del giuramento? Te la ricordi? L'hai imparata a memoria?»

«Te l'hanno fatto un regalo per festeggiare?»

«Aspettate. State calmi». Rico si tappò le orecchie e strinse gli occhi. «Così non ci capisco niente». «E ridatemi la mia corona», aggiunse strappando dalle mani dell'altro bambino l'oggetto della curiosità di tutti. La rimise con delicatezza nel sacco e strinse la corda. «Se me la perdo mi busco di sicuro qualche frustata».

«Impossibile», rispose una delle voci dal vicolo. «Non possono frustare un re».

La constatazione fu seguita da un concerto di risate gradasse.

«Semmai rischieresti qualche sganassone da parte di tua madre».

«Già. La madre del re può picchiare il re», riconobbe un'altra tra le voci. Nuova risata collettiva.

Ma Rico non rise. «Mia madre sta male. Non me la fanno vedere».

Le risate si smorzarono immediatamente. Mentre lo sguardo di Rico cercava nel buio del vicolo, quelli degli altri caddero a terra per non incontrarlo.

Poi una voce osò ciò che nessuno avrebbe dovuto osare.

«Credi che tua madre morirà?», domandò la vincitrice dell'ultima battaglia per bocca di qualcuno.

Florentium, Capitanata, Apulia Normanna, dicembre 1250 d.C.

«Sì. È solo questione di ore. Forse giorni, ma non glielo auguro. I dolori devono essere terribili».

L'unico uomo presente nella camera da letto di Federico annuì sommessamente, evitando di guardare negli occhi colui che gli aveva sussurrato la domanda. Era un frate, che indossava un saio di tela stretto in vita da un rozzo cilicio. L'unica concessione che aveva fatto al solito abbigliamento spartano della sua regola erano un collo di pelliccia di pecora legato da un nodo malfermo e frettolose fasce di lana per i piedi, difesi da improbabili calzari aperti. Le circostanze lo avevano improvvisato barbiere, ma saggiamente non si era spinto oltre qualche lieve ritocco. «Anzi, è un miracolo che non sia già avvenuto. Probabilmente», aggiunse alzando finalmente gli occhi dalle forbici che stringeva tra le dita come un topo appena catturato pronto a sfuggirgli «aspettava voi, comandante».

Addid annuì. «Uscite. Tutti».

Il frate barbiere chinò la testa, e con un semplice cenno della mano richiamò le suore che stavano recitando il rosario. In pochi attimi la stanza si svuotò. E Ahmed Addid rimase da solo con l'imperatore, ad ascoltare il respiro lento e nervoso che faceva a gara con i battiti del cuore in tempesta. A guardare i lampi che a tratti illuminavano d'argento le tende di seta distese a nascondere la notte del tavoliere. Senza avere il coraggio di voltarsi verso il trono di legno.

«Ti ho sentito, sai? Lo so che sei qui». La voce di Federico prese il sopravvento tra i rumori della stanza.

Addid girò di scatto la testa. Una sciabolata di lunghi capelli corvini fendette l'aria viziata dal silenzio e dalla malattia. Le palpebre si serrarono, le pupille si dilatarono, il respiro si fece più lento e il cuore prese a battere all'impazzata. L'uomo si precipitò al cospetto del moribondo e cadde in ginocchio. La sua bocca a poca distanza da quella che lo aveva richiamato.

«Mio imperatore...», sussurrò.

Federico sbuffò. Sollevò il capo. Lentamente. Per permettere a due occhiaie viola di raccogliere la luce delle candele. «Piantiamola con queste formalità». La sua voce appena un sussurro. «Non le ho mai sopportate. Risparmiamele almeno in punto di morte».

«Come ti senti?», chiese Addid pentendosi immediatamente della domanda.

«Come uno che sta per andarsene».

«Le medicine non fanno niente?»

«Oh, sì. Le medicine fanno molto. Se non ci fossero quei benedetti frati con le loro pozioni, mi sentirebbero urlare tutta la notte dal dolore. Morirò senza soffrire troppo, mentono». Accennò una risata che si arrestò in gola con un sussulto. «Sto per morire ma ci sento ancora benissimo, come hai potuto constatare, e sento tutto quello che si dicono quando vengono nella mia stanza. Dalle preghiere ai commenti su chi si dovrà spartire il regno alla mia dipartita. È tutto molto divertente. Se Dio mi concedesse di osservare per qualche ora la scena prima di chiamarmi a sé, sono sicuro che assisterei a uno spettacolo imperdibile».

Federico fece appena in tempo a terminare la frase. Le ultime parole furono sottolineate dal rumore di feci liquide che precipitavano in un recipiente nascosto sotto alla seduta, in cui era stato praticato un grosso foro all'altezza delle natiche. «Non si ferma mai. Non si ferma più da giorni», disse come per giustificarsi, «e hanno dovuto inventarsi questa improbabile poltrona per evitare di farmi fare avanti e indietro dal letto alla latrina. All'inizio riuscivo a trattenermi, ma poi non ce l'ho fatta più e le lenzuola sono finite». L'ultima constatazione lo fece ridere come se avesse fatto una battuta. Poi indicò una brocca d'argento poggiata su un comodino accanto al letto. «Devo bere spesso, altrimenti rischio di svenire. Puoi…?».

Addid si alzò di scatto e andò al comodino. Afferrò la brocca con tale impeto da far traboccare l'acqua di cui era stata riempita. Riprese il controllo dell'oggetto e versò del liquido in una coppa d'argento. La portò all'imperatore, che la raccolse tra le mani con la difficoltà che un tempo avrebbe avuto nel prendere un cucciolo di falcone. Le dita tremanti, bianche, ossute. Quelle abituate a stringere else bagnate nell'oro o scolpite nel corno di elefanti o rinoceronti.

«Hai visto la fine che ha fatto il tuo imperatore, Ahmed? Adesso il papa sarà finalmente soddisfatto. Perfino l'ultimo dei suoi servi sarà migliore di me, al confronto».

«Per quanto si sforzeranno di farlo, nessuno riuscirà a eguagliarti, mio signore. Potranno succederti, ma non potranno imitarti».

«Può darsi. Ma nulla è per sempre. Anche lo *stupor mundi*».

Ahmed Addid chinò il capo. Strinse i denti per trattenere un singhiozzo, ma lo sforzo non gli permise di trattenere anche una lacrima, che cominciò a scendere silenziosa dall'occhio sinistro, disegnando un solco trasparente sulla guancia scura prima di perdersi pudicamente nella foresta della barba.

Federico contrasse i muscoli del volto. Le fitte che partivano dalla bocca dello stomaco e si diffondevano nelle viscere erano ormai continue. E sempre più forti. Da far mancare il respiro nonostante gli intrugli che i frati gli facevano ingurgitare di continuo. Fece appena in tempo a consegnare la coppa all'amico. Una nuova scarica avvelenò l'aria.

Come Addid avrebbe saputo più tardi, all'inizio del mese di dicembre, mentre soggiornava nella sua *domus* invernale di Foggia, l'imperatore Federico aveva deciso di ammazzare il tempo con una battuta di caccia, a cui aveva invitato, come sua solita cortesia, molti dei signorotti locali e gli amici di corte. Federico era un valente cacciatore e le sue battute spesso si protraevano per giorni, nei quali usava spingersi fin nel promontorio garganico, ricco di boschi ma soprattutto di daini. Ma stavolta non aveva fatto in tempo. Durante la seconda notte di caccia, mentre riposava nella sua tenda, era stato colto da un fortissimo attacco di dissenteria che aveva convinto il suo seguito a mandare di gran carriera un messo a Foggia per richiamare Giovanni da Procida, il suo medico personale. Ma i dolori nel corso della notte, lungi dal volersi acquietare, erano aumentati. Il sovrano stava talmente male da convincere il suo seguito che non avrebbe visto l'alba se fosse rimasto in quelle condizioni di precarietà. Così, qualcuno aveva deciso di tagliare la testa al toro e, senza attendere l'arrivo del suo medico, Federico era stato trasportato in gran fretta nella più vicina città, dove se non altro avrebbe trovato un letto confortevole e del cibo caldo in attesa dell'arrivo delle cure.

Per Federico quegli episodi di colite non erano cosa nuova. Ci era abituato da anni, ma con il tempo erano diventati sempre più frequenti e sempre più dolorosi. E a nulla sembravano servire le soluzioni curative proposte dai numerosi medici che aveva consultato. Stavolta l'attacco era stato devastante, il sovrano aveva perso i sensi e quando si era ridestato era apparso confuso come un bambino impaurito che ha perso la memoria di ciò che lo ha terrorizzato.

«Quando hai ricevuto il mio messaggio, immagino che non avrai esitato nel metterti in viaggio».

«Come avrei potuto fare altrimenti, mio signore? Non offendermi».

Federico aprì per la prima volta gli occhi. Due pozzi bianchi in cui galleggiavano minuscole macchie scure, che un tempo erano stati i destrieri su cui cavalcava lo sguardo di un re. «Stai tranquillo, amico mio. Non ho intenzione di mettere in dubbio la tua fedeltà. Non saresti qui, altrimenti. Ma c'è un motivo per cui ti ho fatto venire, e non è quello che immagini».

«Sono il comandante delle tue guardie. Quando tu non...», si interruppe per riformulare il pensiero. «Voglio dire...».

«So quello che vuoi dire. Ma taci adesso», gli rispose l'imperatore con tono bonario. «E aiutami a distendere il collo. Se dovessi malauguratamente migliorare, resterei paralizzato a forza di stare in questa maldestra posizione».

Addid si guardò intorno nella stanza vuota. Era certo che i frati stessero dall'altra parte della porta, a origliare. Pronti a entrare al primo grido di dolore. «Non credo che sia una buona idea».

«Avanti, amico mio. Cosa potrà accadermi più di quanto è ormai deciso dal destino?».

Addid annuì con riluttanza. Si guardò intorno per cercare qualcosa di utile allo scopo e alla fine afferrò uno dei cuscini colorati che erano stati sparpagliati intorno al letto come inginocchiatoi di fortuna per le suore. Prese il sovrano per le spalle. Un peso inerte, ormai tutto pelle e ossa, che si lasciò sollevare come un bimbo. Lo lasciò scivolare verso il cuscino che sistemò in modo che la testa arrivasse a guardare verso l'uscio. L'imperatore accompagnò l'operazione con un ghigno di dolore dipinto sul volto.

Quando l'operazione fu terminata, il soldato si ritrasse come se avesse appena gettato nel fuoco qualcosa di prezioso morso dal pentimento. «Non avrei dovuto...».

«Oh sì, invece. Non hai mai disatteso un mio ordine. Ci mancherebbe che accadesse proprio ora».

Addid annuì passandosi il dorso della mano guantata sul volto, in modo che l'altro non si accorgesse che stava piangendo.

«Certamente ti aspettano giorni difficili», cominciò l'imperatore. «Giorni difficili per tutto il mio popolo, ma non ti ho chiamato per darti gli ultimi ordini. Per come ti conosco, sono certo che saprai cosa fare e di chi fidarti per farlo. Se sei qui è perché in verità sei una persona speciale».

Mosse la testa per indicare la coppa che la sua guardia aveva rimesso a posto. Addid la riempì di nuovo, e stavolta prese anche la brocca, che depositò ai piedi del trono di legno.

«Dicono che devo bere ogni volta che arriva una scarica. Ma io ho sempre pensato che l'acqua serva per lavarsi e la sete vada mitigata con il buon vino. Soprattutto quello dell'uva che cresce in queste meravigliose terre del sud». Mosse appena gli occhi. Per guardare qualcosa alle spalle del soldato.

Addid si voltò, e vide una bottiglia di vetro molato riempita per più della metà di un liquido color magenta. «Non credo che il male sappia riconoscere la differenza tra l'acqua e il vino», ammiccò blandamente Federico.

Addid scosse la testa. «Non dovresti…».

«Andiamo, amico mio».

Addid si alzò e attraversò la stanza. Ma giunto davanti alla bottiglia si fermò esitando.

«Stare fermi tutto il giorno a fissare il soffitto permette di riflettere molto», riprese l'imperatore. «E tra le tante cose che mi sono saltate alla mente ce n'è una a cui non avevo mai pensato. In realtà, tu sei la persona che mi conosce meglio di chiunque altro. Ho avuto tante mogli, ho visto nascere tanti figli, ma se devo dire, nessuno ha vissuto la mia vita più a lungo di te. Tu sai di me cose che tutti gli altri non sanno. Se fosse ancora viva mia madre, le cose sarebbero diverse, e lo stesso dicasi per quel sant'uomo che fu papa quando ero ancora infante. Ma se si escludono i morti, tra i vivi sei rimasto solo tu».

L'imperatore tacque. Forse per l'ennesimo accesso di dolore, forse per permettere all'altro di riflettere su quelle parole.

«Hai ragione, mio signore. Tuttavia…».

«Non comprendi ancora, vero?».

Addid scosse la testa.

«Voglio che mi racconti, Ahmed».

«Cosa…cosa vuoi che ti racconti?»

«La mia vita. Voglio che tu mi racconti la mia vita. Quanti proveranno a farlo in futuro? Quanti mentiranno? Quanti esagereranno? Quanti inventeranno? Io voglio sentire la mia vita raccontata da chi l'ha vissuta più di ogni altro e per questo ha il diritto di poterla narrare. Come è stata. Davvero».

«Vuoi che ti racconti la vita dell'imperatore Federico? Chiedi al mondo, forse».

«No, Ahmed. Voglio che mi racconti la vita di Costantino Federico, figlio di una sposa normanna e di questa meravigliosa terra che mi ha accolto. Voglio che mi racconti di un ragazzino, di un sognatore, di un condottiero e di un sovrano. Magari qualche volta di un pavido e di un vigliacco. Ma che sia attraverso gli occhi del suo migliore amico. Voglio capire se la vita che hai visto tu è la stessa che ho vissuto io. Voglio che tu non mi conceda niente. Voglio capire se sia davvero valsa la pena di vivere ciò in cui ho creduto. Insomma, voglio sapere in anticipo se andrò in paradiso oppure se brucerò nelle fiamme dell'inferno. Sappi che se mi dovessi mentire, quando sarò…altrove, lo verrò a sapere e tornerò nei tuoi sogni per chiedertene conto».

«Mio signore, io non credo… non so…».

«Addid, avanti. Scherzavo. Ma fammi quest'ultimo regalo. O, se preferisci, obbedisci all'ultimo ordine».

Il soldato esitò. Poi annuì. «Va bene, ci proverò. Probabilmente sbaglierò qualche data o addirittura qualche nome».

«Può darsi, ma se accadesse non te lo farò notare. Ma solo se mi dimostrerai di non aver dimenticato come mi chiamavi da bambino».

Il soldato chinò la testa. Strinse lentamente le palpebre che divennero improvvisamente umide.

Palermo, Regno di Sicilia, novembre 1198 d.C.

«Rico!».

Il ragazzino più grande gli mise una mano sulla spalla. Anzi, si aggrappò alla sua spalla come un corvo che ha scelto il ramo da battezzare come dimora.

Il piccoletto con la sacca tra le mani sussultò. «Ahi! Mi fai male!».

«È un'ora che ti chiamo. Gli altri sono già andati via. Ci aspettano nel vicolo dell'impiccato», protestò il ragazzino più grande, l'unico rimasto della banda che si era improvvisamente volatilizzata. «Se manchiamo all'appuntamento diranno che siamo dei vigliacchi».

Rico piegò la testa ma non si mosse. La sua attenzione era concentrata tutta sulla gabbia che aveva di fronte. Alta quattro volte un uomo e larga almeno dieci. I due cavalli che la trascinavano avrebbero dovuto portarla fin dentro la piazza più frequentata del mercato di Palermo, ma uno dei semiassi delle ruote di ferro e legno si era piegato per il peso e lo zingaro aveva smesso di frustare i cavalli per cercare di capire se poteva tirarsi fuori d'impaccio senza chiedere aiuto. Nel frattempo la gabbia si era fermata in una stradina della Kalsa, seminando il vuoto intorno.

Il bimbo con la sacca in spalla fece ancora un passo. Se avesse allungato un braccio avrebbe potuto toccare le sbarre.

Il gatto nella gabbia era enorme. Forse grande come un cavallo. Era disteso su un fianco. Magro, il pelo sporco e malcurato. Lo sguardo affaticato. Perso. Tra le sue zampe posteriori qualcosa si muoveva piano in cerca delle mammelle. Era ciò che stava attraendo irresistibilmente l'attenzione di Rico, che non aveva mai visto un gatto così enorme.

«Di solito per guardare si paga», protestò lo zingaro chinato su una delle ruote. «Ma visto che ci siete, se mi date una mano vi lascerò fare».

Rico distolse per la prima volta lo sguardo dalla gabbia. Non sapeva che i gatti potessero crescere così tanto. Ma quello che lo affascinava di più era il suo cucciolo.

«Allora? Che aspettate? Venite qua». Lo zingaro allungò un braccio. «Tu che sei più piccolo, infilati sotto al carro e reggimi l'asta, così ci posso infilare la ruota».

Rico annuì. Abbandonò la sacca vicino al compagno più grande e sgattaiolò sotto al carro, seguito dal suo sguardo preoccupato. Dopo aver armeggiato un po' con gli attrezzi, lo zingaro si ritrasse e si rialzò. «Adesso dovrebbe funzionare di nuovo», disse pulendosi le mani sulla lunga veste colorata che gli arrivava ai piedi.

Rico uscì da sotto al carro e recuperò la sua sacca, ma poi tornò a guardare la gabbia. «Dove l'hai trovato un gatto così grande?», chiese sporgendosi fino a infilare il naso tra le sbarre.

«Questo non è un gatto. È un leone. Anzi, una leonessa», rispose lo zingaro. Poi lo afferrò per la collottola e lo tirò indietro. «E non ti consiglio di stare così vicino. Anche se il parto l'ha stremata, con una zampata potrebbe staccarti la faccia».

«Una leonessa», ripeté Rico stupito. «Che cos'è una leonessa?»

«Mi ha fatto fare parecchi soldi, questa sgualdrina», rise lo zingaro. «Siamo andati in giro per anni, e ne abbiamo superate tante insieme. Ma non credo che supereremo anche questa. Il parto l'ha provata e sta morendo, nonostante non voglia darla a intendere al suo cucciolo».

«È una femmina?», chiese ancora Rico.

«Già. E anche piuttosto vecchia», Lo zingaro scosse il capo. «Ho pensato che se fosse rimasta incinta avrei potuto mettere le basi per il futuro, ma è stata una pessima idea. Avrei dovuto immaginarlo che un animale così vecchio non avrebbe potuto produrre il latte sufficiente a sfamare il suo piccolo». Si voltò a guardare il ragazzino. «Non bisognerebbe mai diventare madri in età avanzata. È un rischio». Provò a far muovere i cavalli e il carro rispose alle sollecitazioni dei tiranti come si aspettava. Accennò un ghigno di soddisfazione. «C'è sempre la possibilità di lasciare un orfano prima del tempo», concluse.

«Andiamo, Rico. Non lo ascoltare», fece il ragazzo più grande.

Lo zingaro si voltò di scatto. «Che c'è? Ho detto qualcosa che non va?».

Il ragazzino più grande tirò Rico per la blusa. Ma il piccoletto restò piantato a terra.

«Che ne sarà del cucciolo se la mamma dovesse morire?», chiese alla fine d'un fiato.

Lo zingaro soppesò le parole del piccoletto e poi scoppiò in una fragorosa risata. «Senza il latte della madre è destinato a morire in pochi giorni. Non posso nemmeno venderlo. Chiunque lo comprasse, tornerebbe indietro per tagliarmi la gola. Occorre tempo per lo svezzamento».

«Quanti giorni ci vorrebbero?», Rico strinse le palpebre.

Lo zingaro assunse un'espressione pensierosa e incuriosita. «Giorni? Settimane vorrai dire», disse spostando l'attenzione sul più grande quasi per trovare una improbabile complicità. «E adesso fatevi da parte o mi finirete sotto le ruote».

«E se volessi comprarlo io?». Rico portò un pugno al fianco assumendo l'involontaria postura di un guerriero. Una caricatura ridicola di un guerriero.

Lo zingaro sospirò. «Ti ho già detto che non è in vendita. Senza la madre, è da considerare morto».

Rico lasciò cadere il sacco a terra e lo aprì. Ci infilò una mano dentro e tirò fuori la corona. «Questa ti basta?».

Lo zingaro esaminò il prezioso copricapo con sguardo sospettoso. «Che diamine è quella…?»

«La mia corona».

Lo zingaro restò muto per lunghi istanti. Guardò prima la corona, poi il ragazzo più grande, poi ancora la corona e infine il piccoletto. «Dove l'avete presa?», chiese con un tono improvvisamente preoccupato. «Sembra identica a quella che hanno calato sulla testa del ragazzino di Svevia. La riconosco perché nei giorni precedenti è stata in ostensione nella piazza del mercato, togliendomi decine di clienti».

Rico non rispose.

«L'avete rubata?», riprese lo zingaro. «Se l'avete rubata, levatevi subito di torno. Io non voglio guai con i capoccioni di questa città».

Rico non rispose ancora una volta.

Lo zingaro scosse la testa, e quando capì come stavano davvero le cose, sputò una risata nervosa. «Ma tu guarda cosa mi doveva capitare oggi. Avevo sentito delle storie sul tuo conto. Che te ne vai in giro per i quartieri malfamati come un mendicante, ma non credevo che fosse tutto vero». Si fermò e lanciò un'occhiata alla gabbia. «Dimentica questa leonessa. Fra qualche tempo avrai pensieri più importanti che ti passeranno per la testa. E ti dimenticherai sia di lei che del suo cucciolo».

«Come faccio a sapere quando morirà?»

«Sei un tipo tignoso», commentò lo zingaro scuotendo il capo. Ci pensò per qualche istante prima di rispondere. «Quando a Palermo muore una madre, te ne accorgi sempre».

Lo zingaro strattonò le briglie dei cavalli e la gabbia su ruote si mosse lentamente. Rico rimase a guardarla diventare sempre più piccola. Fino a scomparire oltre un vicolo. Richiuse il suo sacco e se lo mise di nuovo in spalla.

«Per colpa di un animale in gabbia arriveremo in ritardo al luogo della sfida. Se la prenderanno con me perché ho voluto portarti», protestò il ragazzino più grande.

Rico scrollò la sacca. «Un re si fa aspettare».

«E meno male, *mizzeca*». Il ragazzino dai capelli corvini si stagliava controluce su una montagna di rifiuti. Circondato da una mezza dozzina di sodali pressappoco della stessa età, armati di bastoni e sassi. Alla vista della banda di Rico portò le mani ai fianchi con fare altezzoso.

Nel vicolo dell'appuntamento il sole non riusciva ad arrivare, frenato da costruzioni alte e prive di sfogo. Oltre alla luce, non filtrava nemmeno la puzza, che ristagnava sotto forma di nube mefitica, trasformando i piccoli guerrieri in figure indistinte che si riconoscevano a malapena tra loro.

Rico e i suoi compagni si erano disposti a semicerchio con le spalle all'unica uscita. Il piccoletto con la sacca era nelle retrovie, celato dai compagni più alti.

«Siete pronti all'ennesima sconfitta?», chiese il ragazzino sul cumulo di rifiuti.

«Siamo pronti a batterci», rispose l'accompagnatore di Rico facendo un passo avanti. Scrutava nella foschia purulenta come un orbo nella nebbia. «E stavolta ci riprenderemo il territorio che ci avete sottratto con l'inganno».

«Non vi abbiamo sottratto nulla. Sono due anni che perdete la sfida con campioni che non sarebbero capaci di impensierire il più tappo dei miei scudieri».

I suoi compagni sghignazzarono. Gli altri protestarono con un prolungato brusio.

«Sai bene come è andata negli ultimi due anni. Chi vince la sfida dell'anno prima ha diritto a scegliere il campione avversario ma voi, in barba a ogni regola d'onore, indicate sempre il più debole, che fate confrontare con il vostro più forte».

«Le regole sono regole. E vanno rispettate. Del resto le abbiamo accettate tutti. O sbaglio?».

Il compagno di Rico chinò il capo e sputò a terra. «Non sbagli», sussurrò.

«Non ho sentito».

«Non sbagli».

«Bene. Dunque, non perdiamo tempo». Scese dal cumulo di rifiuti con incedere pomposo. «Vediamo cosa offre il mercato», disse avvicinandosi al manipolo di avversari. Cominciò a scrutarli uno per uno come farebbe un commerciante di bestiame. Ogni tanto si fermava per esaminare meglio corporatura, muscoli e piedi, poi cominciò a farsi largo tra le prime file. Per trovarsi improvvisamente proprio davanti a Rico.

«Scelgo lui», disse.

I compagni del piccoletto con la sacca protestarono con veemenza.

«Non puoi farlo», disse il capobanda avversario. «Non ha ancora compiuto sei anni e non è eleggibile come campione».

«E come faccio a sapere che non ha ancora sei anni?». Il ragazzino dai capelli corvini lanciò un'occhiata alla sacca e portò le mani ai fianchi. «Dove sta scritto?»

«Anche se fosse scritto da qualche parte per te farebbe lo stesso. Non sai leggere», esclamò a quel punto Rico in barba al cerimoniale che voleva che solo i capi delle bande parlassero tra loro.

Il ragazzino dai capelli corvini si voltò verso il capo avversario. «Ha la risposta pronta, peldicarota. Secondo me ha certamente sei anni».

«Ne ha quattro».

«Come ho già detto, non sta scritto da nessuna parte».

«Non lo riconosci? È il figlio degli Svevi. La città non fa che parlare da giorni del bambino diventato re a quattro anni».

«Lo riconosco benissimo. Per questo dico che se ha avuto l'età per diventare re, allora avrà anche l'età per battersi come campione della tua banda».

Il compagno di Rico chinò lo sguardo imbarazzato. I suoi compagni si scambiarono sguardi preoccupati.

«Questo silenzio mi dice che ho ragione?»

«No. Le nostre regole non sono quelle dei ricconi di Svevia. Sotto i sei anni non…».

«Va bene. Mi batterò», intervenne Rico inginocchiandosi sulla sacca. Trasse la corona e se la mise in testa. «Non ho paura di te. Io sono il re».

Il ragazzino dai capelli corvini scoppiò a ridere imitato dai suoi compagni. In effetti Rico, con quel cappello di lustrini in testa e quella zazzera rossa a fare da contorno alla fronte, appariva un po' ridicolo. Piccolo, tozzo e sbrilluccicante.

«Bene», disse alla fine il ragazzino, domando le ultime risa. «Se… il re è d'accordo, non vedo problemi».

Rico annuì soddisfatto. Il ragazzino più grande gli si avvicinò e gli sussurrò qualcosa nell'orecchio. Ricevendo in cambio una poderosa scrollata di testa. Così si rivolse al capo della banda avversaria.

«Il campione ha diritto a uno scudiero e a scegliere l'arma della sfida».

«Certo. Spada o fionda?».

Il ragazzino grande fece per rispondere.

«No, deve dirlo lui», lo interruppe l'altro indicando Rico.

«Spada», fece il piccoletto con la corona in testa. «Un re usa la spada».

Il suo avversario annuì sornione. Fece schioccare le dita e comparve dal nulla un ragazzino secco come uno stecco, con in mano due spade di legno. Egli ne scelse una e lasciò che il nuovo venuto desse all'altro quella rimasta.

«Ma la sua è più corta», protestò il compagno di Rico.

«Bambino piccolo, spada piccola», rise l'altro. «E adesso gli scudieri». Fece una pausa teatrale. «Romulo», chiamò.

Dalla nebbia emerse una specie di piccolo gorilla dalla pelle bianca come la neve e i capelli biondi. Al buio si sarebbe potuto scambiare certamente per un adulto, per quanto era alto.

«Ricordo che il campione può chiedere in ogni momento al suo scudiero di intervenire in sua vece», declamò il ragazzino dai capelli corvini. «Ma non si può combattere in coppia». Lanciò un'occhiata a Rico. «Scegli il tuo scudiero, ma facciamo presto. Non ho intenzione di passare tutta la mattina in mezzo a questa puzza».

Rico distese un braccio e indicò il suo amico più grande ma questi non fece in tempo ad accettare.

«Sarò io lo scudiero del piccoletto», disse una voce che proveniva da qualche parte del vicolo.

Tutti si voltarono nella direzione da cui era arrivata, e videro un ragazzino che se li guardava tutti con le mani ai fianchi. Scuro di pelle, alto e magro. Indossava una corta tunica che un tempo era stata bianca, e non sembrava provare alcun fastidio nello stare a piedi nudi in mezzo all'immondizia.

«E tu chi saresti?», fece l'avversario di Rico.

«Mi chiamo Ahmed Addid e sono il capo di questo rione, ma soprattutto mi sono stufato che voialtri abbiate preso il mio territorio per il vostro campo di battaglia. Questa è terra musulmana, e voi gentili dovete andare fuori dai piedi».

L'avversario di Rico soppesò le parole del nuovo arrivato e si passò una mano sul mento. «Non puoi scegliere tu. Deve decidere il campione, e il campione mi pare che volesse scegliere qualcun altro». Si voltò dalla parte del piccoletto con la corona in testa. «Non è vero, peldicarota?».

Rico rimase a guardare il ragazzino musulmano senza dire una parola, per un tempo che parve a tutti infinito. Non lo aveva mai visto prima e non aveva alcuna ragione di fidarsi di lui. Ma quello sguardo sicuro e profondo lo colpiva. Il taglio degli occhi gli ricordava quello dei mercanti orientali, ma il magma nero che disegnavano sembrava il fondo del mare in tempesta di notte. Sorrideva. Parlava ma non smetteva di sorridere. Ma non per colpa di una paresi facciale o per il nervosismo che spesso coglie in certe circostanze. Quello spilungone che si era offerto di difenderlo sorrideva di spavalderia e sicurezza.

Rico, senza staccargli gli occhi di dosso, decise.

«Va bene. Scelgo lui».

Addid sfoderò un ghigno. Fece quattro balzi e si ritrovò vicino al piccolo campione, mentre tutti gli altri si facevano da parte per lasciare il centro del vicolo alle due coppie di sfidanti. Rico lo guardò dal basso verso l'alto.

«Fai quello che ti dico e quando lo dico io, intesi?», disse il musulmano.

Rico annuì. Sembrava letteralmente ipnotizzato dalla vista del suo nuovo scudiero.

«Ma devi promettermi che se vinceremo, tu e i tuoi amici lascerete il mio rione».

Rico annuì ancora.

«Giura», fece Addid.

«Giuro», ripeté Rico.

«Bene. Adesso possiamo farli a pezzi». E il vicolo si riempì di sagome dalla pelle scura che bloccarono tutte le uscite.

Rico si accorse che era tutto finito quando vide l'ultimo dei ragazzini della banda avversaria scivolare goffamente tra i rifiuti nel tentativo di sfuggire ai compagni del suo scudiero musulmano, che lo inseguivano con i bastoni. Dopo che Addid si era schierato dalla sua parte, gli altri erano comparsi dal nulla come spettri neri. Pelle scura, occhi scuri, capelli scuri. Confusi nell'ombra, avevano circondato tutto ciò che respirava e senza fare un fiato si erano dati da fare con sassi, pezzi di legno marcio, vecchie ciabatte e cianfrusaglie varie raccolte tra gli scarti della città. Ciò che Palermo aveva rifiutato nel tempo, era diventato rapidamente strumento del loro gioco.

«Però hai barato», commentò Rico sollevando un sopracciglio. «Dovevamo essere in due e invece ti sei fatto aiutare. Non hai rispettato le regole della sfida».

Addid fece una risatina compiaciuta. «Le regole della sfida? Le stesse regole con cui vi avevano ridicolizzato fino a oggi?». Portò le mani ai fianchi. «Una cosa l'ho imparata da quando vivo in questo immondezzaio: con certa gente le regole non valgono. Le applicano quando fanno loro comodo e le ignorano quando servono agli altri. Quindi non mi sento in colpa. Del resto avevamo un conto aperto con quei ragazzini. Era da tempo che bighellonavano da queste parti pensando di farla da padroni. E chiunque osi profanare la Kalsa è nostro nemico».

«Allora dovresti avercela anche con noi. La sfida era per la conquista del territorio», ribatté Rico.

Addid voltò la testa e lo squadrò dal basso verso l'alto. Poi lanciò uno sguardo distratto ai suoi compagni. «Con tutto il rispetto, ragazzino. Ma non credo che voi possiate mai diventare un nostro problema».

Rico abbassò la testa a fissare il suo sacco. Sarebbe stato peggio se gli avessero rifilato un calcio in faccia.

Addid gli diede una pacca amichevole sulle spalle. «Non prendertela. Crescendo imparerai ad apprezzare di più chi ti dice la verità ferendoti, piuttosto che chi ti mente per adularti. Non so chi tu sia e da dove arrivi, ma questa regola vale per il nobile quanto per il ciabattino. Con tutto il rispetto per il ciabattino, s'intende, che ritengo molto più meritevole di un nobile». Il ragazzino musulmano si interruppe. Guardò anch'egli la sacca. «A proposito. Posso sapere adesso chi ho aiutato? Peldicarota ha un nome?»

«Mi chiamo Rico».

«E da dove vieni, Rico? O, piuttosto, dovrei dire dove te ne tornerai senza più fare ritorno?», aggiunse strizzando un occhio.

«Dal castello».

«Il castello? Quello dei normanni? Dicono che siano così idioti da aver incoronato re un ragazzino di quattro anni. È vero?».

Rico annuì, cercando di non ricambiare lo sguardo del suo interlocutore.

«Sì, è vero».

«E tu che ci fai al castello? Sguattero? Stalliere? O sei il figlio di qualche servo?».

Rico scosse la testa. Il suo compagno più grande cercò di intervenire ma egli gli fece un cenno. «Stai indietro. Me la cavo da solo».

Si piegò sulle ginocchia e aprì il sacco. Ne estrasse la corona e la mostrò alla penombra del vicolo.

Addid fece un fischio. I suoi compagni produssero un brusio indistinto di approvazione.

«Accidenti. Hai rubato la corona del re bambino? Sei un grande».

«Non l'ho rubata».

«Non l'hai rubata?»

«No. È mia».

Florentium, Capitanata, Apulia Normanna, dicembre 1250 d.C.

«Deve essere ancora qui. Da qualche parte». Federico riuscì ad alzare un braccio per indicare indistintamente qualcosa, disegnando un invisibile semicerchio nell'aria. «L'ho conservata per tutto questo tempo con l'intenzione di regalartela il giorno in cui…».

«Taci», intimò Ahmed Addid.

«Te la meriti, amico mio. Probabilmente, se non avessi potuto contare su di te fin dall'inizio, difficilmente avrei…», una improvvisa fitta di dolore lo fece interrompere. L'imperatore strinse i denti e serrò gli occhi.

Il soldato si chinò su di lui prendendogli un polso. «Chiamo qualcuno?».

Federico respirò affannosamente un paio di volte. Poi scosse la testa. «No, è passato. Ormai mi sto abituando al dolore. È un ottimo esercizio per un soldato, anche se so che quando mi sarò abituato del tutto sarà solo perché non sarà più necessario». Riuscì perfino a sorridere. Poi inghiottì, senza riuscire a reprimere la bava che gli usciva dalla bocca.

Addid provò ad asciugargli le labbra.

«Lascia perdere. È inutile», disse Federico girando la testa di lato per negargli il volto. «Le monache lo fanno centinaia di volte al giorno. Piuttosto, prendila e portala qui. Dovrebbe esserci un baule, da qualche parte in questa putrida stanza».

Addid sollevò il capo e si guardò intorno. La camera da letto dove giaceva Federico era tutto fuorché un luogo putrido. Marmi raffinati sul pavimento, intonaco dipinto con i migliori pigmenti d'oriente, tendaggi di seta che avevano navigato per mesi per giungere da quelle parti, perfino il legno del letto dimostrava di essere stato intagliato e levigato da provetti falegnami. Eppure, non riusciva a dare torto all'amico. Quella stanza era malsana. Perché attendeva la morte.

Il soldato si alzò. Non ebbe difficoltà a individuare ciò che Federico gli aveva descritto. Il baule giaceva silenzioso proprio accanto alla finestra. Legno scuro e anima di ferro. Quando lo raggiunse, Addid riuscì a gettare uno sguardo di fuori. Non aveva smesso di nevicare, ma tre individui incappucciati stavano armeggiando in circolo con degli oggetti luccicanti. Non erano frati, perché le stoffe dei loro abiti erano troppo sgargianti e al posto dei sandali della sofferenza cristiana portavano ai piedi ben più comodi stivali di cuoio. Guardavano in alto, sperando che la nevicata cessasse per permettere loro di osservare le stelle. E quegli oggetti lucenti che agitavano nel buio altro non erano che astrolabi. Scene del genere le aveva viste decine di volte alla corte di Federico. L'imperatore amava circondarsi di maghi, astrologi, matematici, filosofi. A ognuno di loro chiedeva sempre le stesse cose: le risposte alle domande che non potevano averne. Eppure lui insisteva, continuava a insistere, aveva sempre insistito. A quanto pareva, perfino quando la morte si era messa ad aspettare paziente dietro all'uscio della sua camera da letto.

Cercando di fare meno rumore possibile, Addid sollevò la fibula della serratura per sfilarne il perno, poi sollevò il coperchio. C'erano molte cose dentro. Alcune le riconobbe subito. Abiti, un pugnale intarsiato frutto di una intensa avventura in Terra Santa e poi, quasi nascosta tra i drappi, eccola. La corona del re bambino. Quando la trasse fuori dal baule per mostrarla alla luce delle candele, si accorse che tutto sommato il tempo non le aveva fatto torto. A parte qualche pietra preziosa sfuggita da qualche parte per colpa degli anni, era rimasta quella che aveva visto la prima volta. Quella che...

Palermo, Regno di Sicilia, novembre 1198 d.C.

«Puoi metterla, se vuoi», disse Rico.

Addid rigirò tra le mani la corona. Dall'espressione stupita che si era dipinta sui suoi lineamenti, si capiva lontano un miglio che non aveva mai visto una cosa del genere.

«Davvero?», chiese quasi intimorito.

«Davvero», rispose Rico facendo un gesto semplice con la mano. «Te lo sei meritato per avermi aiutato».

Addid annuì, poco convinto, ma fece come il piccoletto gli aveva suggerito. Strinse la corona tra le mani che tremavano un po' e poi se la mise in testa con gesto lento.

I suoi compagni risero in coro. Gli andava stretta. Era stata concepita per una testa più piccola, e gli stava più come quel copricapo a forma di coppa rovesciata che vedeva in testa agli ebrei.

«È meglio se te la metti tu», disse poi porgendola nuovamente a Rico.

Il piccoletto dai capelli rossi la prese, ma la rimise nel sacco senza esitare. «Non ci penso nemmeno. Da qualche giorno sono costretto a portarla ovunque, anche quando mangio. Ci mancherebbe solo che mi obbligassero a tenerla in capo anche quando dormo».

«Ma allora perché te la porti dietro?»

«Perché è mia, e ho paura che me la rubino».

«Ma come fanno a rubare la corona di un re? Chi potrebbe comprarla o indossarla senza farsi scoprire?».

Rico si guardò la punta dei piedi scalzi. «Hai ragione. Non ci avevo pensato».

Addid gli si avvicinò e gli mise una mano sulla spalla. Peldicarota gli arrivava a malapena al petto. «Adesso però devi mantenere la promessa. Ve ne dovete andare. E non dovete tornare mai più».

Rico alzò la testa. Annuì. «Va bene. Le promesse vanno mantenute. Ma prima ti va di venire con me a vedere una cosa?»

«Dipende. Di cosa si tratta?»

«Ti assicuro che ne vale la pena».

«E perché vuoi che venga con te? Non puoi andare da solo?»

«Il posto dove si trova questa cosa è pieno di adulti che non vedono l'ora di farla a un bambino come me, e da solo non ci sono mai andato. Di solito mi scortano le guardie, quando ci passo».

«Dunque vuoi che ti scorti io stavolta?»

«Sei grande e grosso, e hai dimostrato di sapercela fare con i bastoni più delle mie guardie. Potresti essere la mia scorta personale, per questa volta».

Addid soppesò le ultime parole dette da peldicarota. «Possono venire anche loro?», aggiunse indicando i suoi compagni.

«Certo».

«La scorta personale del re di Sicilia. Non suona male, anche se non ho mai visto una scorta di un sovrano fatta di saraceni. Che ne dite ragazzi?».

I compagni di Ahmed Addid si lasciarono andare a reazioni

di esultanza. Batterono le mani e i bastoni su qualunque cosa potesse fare rumore.

Il ragazzo musulmano tornò a guardare Rico. «Adesso però devi dirmi di che si tratta».

«Un gatto. Ma più grosso di un gatto».

«Un gatto? E hai bisogno di una scorta per andare a vedere un gatto?»

«Non è un gatto come gli altri. L'uomo che lo possiede lo ha chiamato in un altro modo... aspetta». Si fermò a pensare. «Non mi viene in mente, ma quando lo vedrai ti renderai conto che è il più grosso gatto che tu abbia mai incontrato».

«Una leonessa. Te l'ho già detto».

I ragazzini della banda di Rico e quelli della banda di Addid si erano schierati in fila davanti alla gabbia che lo zingaro aveva trascinato nella piazza del mercato. Avevano attraversato insieme tutti i vicoli che conducevano alle strade del commercio, sotto lo sguardo stupito di chi non aveva mai visto cuccioli normanni e cuccioli musulmani così attaccati tra loro. Avevano marciato in silenzio, come un piccolo esercito, orgogliosi di coloro che avevano a fianco e impavidi per il numero. Piccoli ma temerari. Avevano terminato la marcia solo quando si erano trovati di fronte alla gabbia dello zingaro. Per avvicinarsi di più l'uomo chiedeva alla gente una moneta. Per questo tutti i bambini se ne stavano a debita distanza. Ma ciò non impediva loro di ammirare l'animale sdraiato nella paglia. E Addid era il più alto di tutti e ci vedeva bene.

«Come hai detto che si chiama?», chiese Rico.

«È la femmina del leone. Non vedi il cucciolo che ha attaccato alle mammelle?», fece il ragazzo musulmano facendo un passo avanti. Lo zingaro gli lanciò un'occhiata intimidatoria, e Addid si fermò lì. «Il maschio è diverso però. Adesso lo vedi così, ma quando crescerà avrà una cresta enorme che gli gira tutta intorno al muso. Come... ecco, proprio come una corona».

Rico batté gli occhi più volte. Era davvero estasiato dalla presenza di quell'animale che non aveva mai visto. I suoi precettori gli stavano insegnando a leggere e a scrivere, non con poca fatica a dire il vero, facendosi aiutare con i disegni che raffiguravano gli animali da cortile. Dopo aver fatto indigestione di cani, gatti, topi e caprette, Rico non immaginava che potessero esistere da qualche parte animali così diversi, così affascinanti.

«E questo è niente. Dovresti vedere gli elefanti e le giraffe», riprese il ragazzo musulmano.

«Tu come fai a conoscere tutti questi animali? Dove li hai visti?»

«Nei libri che raccontano le gesta dei nostri avi. Ci sono tantissime figure. Conosco anche i serpenti. Pensa che non hanno zampe e strisciano a terra come se li sospingesse il vento».

«Mi piacerebbe vedere questi libri». Rise. «Per le figure. Io non so leggere. Ancora».

«Potrei insegnarti io».

«Ci sta già provando il mio precettore».

«Ma i libri di cui parlo sono scritti in una lingua diversa dalla tua. Così potresti imparare a leggere in due modi diversi. Noi lo facciamo al contrario rispetto a voi». Disegnò uno svolazzo invisibile da destra verso sinistra.

«Ci sto. Ma voglio prima vedere le figure. Gli animali delle vostre storie. Quelli che tenete nei vostri castelli come noi facciamo con le pecore e le mucche».

«Scherzi? Molti di loro sono pericolosissimi e fanno bene a starsene in gabbia. Come questa leonessa», disse Addid. «Se non fosse dietro le sbarre ti staccherebbe un braccio con una zampata».

Rico lo spinse da parte e si fece avanti. «No che non lo farebbe. Ne sono sicuro», superò la barriera che lo zingaro aveva costruito con stracci e corde per delimitare la fila e si ritrovò proprio davanti alla gabbia dove era distesa la leonessa.

Lo zingaro si accorse troppo tardi del movimento del bambino, e quando gli fu addosso, Rico era già molto vicino alla gabbia.

«Attento, è pericoloso!», gli gridò cercando di tirarlo via.

Ma Rico non lo ascoltò. Aveva addirittura messo le mani sulle sbarre e le stringeva fino al punto di farsi venire bianche le nocche. Per strapparlo via dalla gabbia ci sarebbero voluti almeno due uomini. I suoi occhi erano rapiti dall'animale immobile e dal cucciolo che scavava sul suo addome alla ricerca del latte.

«Non mi farà niente. Sta dormendo», protestò divincolandosi. «E poi mi hai promesso che avrei potuto vederlo senza pagare».

Lo zingaro si preoccupò per qualche altro momento del bambino, ma poi la sua attenzione fu attratta dalla leonessa. Aveva ragione Rico. Aveva gli occhi chiusi e sembrava dormisse, come estasiata dal lieve massaggio che i piccoli artigli del cucciolo producevano sulla sua pancia per fare uscire il latte.

Lo zingaro sollevò un sopracciglio e poi sospirò. Ai movimenti del cucciolo non corrispondevano i sussulti dell'animale adulto.

«Non respira», sussurrò l'uomo. «Lo avevo detto che non ce l'avrebbe fatta».

Rico si voltò a guardarlo. «Che significa? Perché non respira?»

«Perché è morta, ragazzino. La leonessa è morta». Lo zingaro si voltò verso la piazza. «Forza gente, circolare. La leonessa è morta. Non c'è più nulla da vedere, stamane».

Rico restò senza parole. La folla che si era radunata davanti alla gabbia, sentendo le parole dello zingaro, si diradò lentamente, lasciando la fila che si era formata per pagare il biglietto.

«E adesso?», fece Rico spostando lo sguardo dallo zingaro al cucciolo che con voleva saperne di fermarsi. «Adesso chi gli darà da mangiare?»

Lo zingaro fece spallucce. «Nessuno. Come ti avevo detto, morirà anche lui in capo a qualche giorno. Dovrò cercarmi un altro animale da scorrazzare per le piazze dei villaggi, o morirò di fame anche io».

«Ma non puoi allattarlo tu?»

«Scherzi? Ogni animale prende il latte della sua mamma. Solo l'uomo è così idiota da rubare quello degli altri».

«E non si può trovare un'altra leonessa che lo allatti?».

Lo zingaro scosse la testa. «Le leonesse con le mammelle piene di latte non si trovano come le margherite, ragazzino».

Rico tornò a guardare il cucciolo. Gli occhi gli si annebbiarono. La mano di Addid sulla spalla gli impedì di singhiozzare.

«Andiamo, Rico», fece questi scuotendolo. «È stato bello comunque».

«No che non è stato bello. La mamma di quel cucciolo è morta».

Una mezza dozzina di cavalli bardati irruppe nella piazza del mercato facendosi largo tra la folla a suon di nitriti e spadate regalate al vento.

Rico e i suoi amici si voltarono di scatto verso la fonte dell'improvviso rumore. Cavalieri normanni.

Il loro comandante si fermò proprio davanti a Rico con sguardo minaccioso.

Molti dei ragazzini se la diedero a gambe, ma non Addid, che rimase al fianco del piccolo amico. Sfoderò il fedele bastone. Ma l'altro gli strinse il polso.

«Stai tranquillo. Non mi faranno del male. Sono i soldati della scorta di mia madre», disse Rico sospirando. «Probabilmente mi ha mandato a cercare, e anche oggi dovrò sorbirmi la solita punizione per essere scappato dal palazzo».

«Maestà, dovete venire immediatamente con noi», gli intimò il cavaliere.

Rico annuì e si avvicinò al cavallo per farsi raccogliere. Sollevò le braccia. «Sono curioso di scoprire che punizione ha pensato stavolta il maestro».

«Vostra madre è morta. Per questo siamo venuti a cercarvi», fu la risposta lapidaria del cavaliere. Tese il braccio. Il ragazzino lo afferrò prima che lo ritraesse. Con un solo, ampio movimento, fece in modo che Rico si mettesse a cavalcioni della sella davanti a lui. «E voi tornatevene alle vostre stamberghe», disse senza distinguere tra fazioni.

Addid raccolse il sacco in cui Rico nascondeva la sua corona e fece per darlo a uno degli altri cavalieri della scorta. Ma fu immobilizzato dalla reazione del bambino dai capelli rossi.

«Viene anche lui», disse senza esitazione.

«Oggi non avrete altro tempo per giocare, maestà», rispose il capo delle guardie facendo girare il cavallo. «E a palazzo non abbiamo bisogno di altri sguatteri».

«Ho detto che lui viene con noi», insistette Rico.

«Maestà, tutta la corte sta piangendo la dipartita di vostra madre, e adesso più che mai voi siete il re».

«Io sono il re. E lui è il mio migliore amico. E quindi viene con me». Lo sguardo di Rico vagò incontrollato mentre pronunciava quelle parole. Mentre i pensieri si accavallavano per trovare un appiglio sulle pareti ripide e scivolose del pianto. Pareti senza rifugio, dove l'unica luce era rimasta quella degli occhi di un ragazzino musulmano.

Era ormai notte fonda a palazzo.

Rico aveva portato Ahmed sui camminamenti delle mura che si affacciavano sulla città. Il piccolo re aveva l'abitudine di stare lì in silenzio, ogni sera, a guardare le luci che facevano capolino tra i vicoli lontani. Le memorizzava tutte per poi vederle sparire una a una, fino a quando tutto restava nel buio e il silenzio la faceva da padrone. E il piccolo re restava zitto ad ascoltare gli ultimi richiami degli animali nelle stalle e il cigolio dei carretti che rientravano dopo aver salutato la prima luna.

Ma quella sera era tutto diverso. Il silenzio era stato sostituito dalle litanie delle monache che vegliavano sul cadavere di sua madre, e decine di torce erano state accese lungo il perimetro del castello per accompagnare la preghiera dei sudditi e il viaggio che la madre di Rico si apprestava a intraprendere.

Rico e Ahmed se ne stavano uno vicino all'altro, seduti tra i merli con le gambe penzoloni mentre le guardie passavano alle loro spalle, indifferenti, nei loro percorsi di ronda.

«Non è stata la giornata migliore per conoscerci», disse il ragazzino musulmano facendo oscillare le gambe per l'ennesima volta.

Rico annuì distrattamente continuando a fissare qualcosa lontano.

Ahmed abbassò la testa per fissarsi i piedi nudi. Le unghie delle dita erano coperte della sporcizia di una giornata di vagabondaggio. «Dicono che tua madre era molto bella e molto buona. Le volevano tutti bene».

«Sì, con me era molto buona», si decise finalmente a parlare peldicarota. «Ogni volta che facevo qualche marachella mi assegnava una punizione, ma all'ultimo momento la ritirava con qualche scusa». Si fermò per cercare lo sguardo dell'amico. «Ma non stavo pensando a lei».

«E a cosa pensavi?»

«Da quando siamo tornati a palazzo mi girano intorno adulti che non ho mai visto. Si inchinano, mi sorridono, mi chiedono se ho bisogno di qualcosa. Mi domando perché non lo abbiano fatto prima. Perché abbiano aspettato fino a oggi».

«Perché oggi è morta tua madre e oggi tu sei il re. È facile».

«Anche ieri ero il re. E anche l'altroieri. Del re ho solo una corona, ma a comandare sono sempre gli altri e continueranno a farlo».

«Ma da oggi tu potresti opporti, e allora ti allisciano il pelo come si fa con un puledro recalcitrante».

«Recalciche?»

«Recalcitrante. Un cavallo che non vuole la sella».

Rico rise. «Io non ci so nemmeno andare, a cavallo. Mi stanno insegnando a leggere, a contare, ma non sono ancora riusciti a farmi andare a cavallo».

«È facile. Più facile di contare o leggere. Almeno per me è stato così». Stavolta rise anche il ragazzino musulmano.

«Allora puoi insegnarmelo tu».

Ahmed annuì con decisione. «Certo. Ti insegnerò a leggere la mia lingua e a cavalcare. Anche a tirare con l'arco, se ti va».

Rico si voltò a guardare la ronda che per l'ennesima volta gli passava alle spalle. Un graduato seguito da due armigeri armati di picche.

«Non mi è rimasto più nessuno. L'unica persona di cui mi fidavo è morta oggi», disse socchiudendo gli occhi velati di pianto. «Non lo so come si fa il re. Non so cosa fa un re. Avrebbe dovuto insegnarmelo mia madre».

«Ci sarà pure qualcuno di cui puoi fidarti. Un precettore, uno dei vostri preti, un parente…».

«Di me non importa niente a nessuno. Solo mia madre mi voleva bene. Tutti gli altri vogliono solo ciò che è mio e che io non so usare».

«A me importa di te. Siamo amici, no? Quando ti sentirai stanco di fare il re potrai venirmi a trovare e giocheremo tutto il giorno insieme».

Rico smise di piangere e ricambiò l'occhiata ammiccante di Ahmed. «E se invece ti chiedessi di restare con me?»

«In che senso?»

«Qui. A palazzo. Potrei farti dare una stanza confortevole e cibo e acqua tutti i giorni. Così potresti vegliare su di me».

«Io? Vegliare su di te? Con una spada di legno?», Ahmed rise.

«Non sto scherzando», lo interruppe Rico.

Ahmed si rimise in piedi. Oscillò pericolosamente sul limite del muro di cinta del castello e si aggrappò a uno dei merli per non cadere. «Lo vedi? Non so badare nemmeno a me stesso. Figurati se posso badare a te».

«Ti prego».

«Ma io ho la mia casa. Il mio quartiere. I miei amici». Si fermò. «In realtà non è una casa ma una stalla dove aiuto a mungere le vacche, perché i miei genitori sono morti quando…».

«Ti prego».

«Mi hai conosciuto solo oggi. Potrei essere un ladruncolo, un malandrino, un…».

«Ti prego».

«Ci devo pensare. Ma tu smettila di ripetere quella cosa. Mi stai dando ai nervi».

«Credi di riuscire a finire di pensarci entro domani mattina?». Ahmed sospirò e fece spallucce. «Non lo so. Io…».

«Maestà. Un uomo chiede di voi. Al cancello principale del castello».

Rico e Ahmed si voltarono di scatto. Non si erano accorti che la ronda si era fermata alle loro spalle. Il comandante delle guardie, dopo aver annunciato la visita, attendeva con lo sguardo celato dall'elmo una risposta.

«Un uomo? A quest'ora?», chiese Ahmed.

Il capo delle guardie sollevò un sopracciglio e fece una smorfia.

«Puoi rispondergli. È il nuovo comandante della mia guardia personale», fece Rico indicando l'amico musulmano.

Il capo delle guardie squadrò Ahmed dalla folta capigliatura piena di pidocchi alla punta dei piedi nascosti dalla fuliggine. «Già. Lo vedo», rispose mentre gli armigeri alle sue spalle soffocavano una risata.

«Allora?», insistette Ahmed forte del sostegno di peldicarota.

Il capo delle guardie sbuffò. «Non lo so. Non lo ha detto. È solo. È a cavallo di un mulo e non sembra pericoloso. Dovete aspettarvi che la gente si palesi per farvi le condoglianze per la morte di vostra madre. La tradizione vuole che la cortesia venga ricambiata con l'elemosina. Nessuno fa nulla per nulla ed evidentemente quest'uomo ha visto bene di anticipare i tempi per evitare di rimanere a secco». Man mano che procedeva, il tono del capo delle guardie si faceva sempre più sarcastico. «Ma se volete posso farlo cacciare via».

«Sì, mandatelo via. In questo momento Rico... voglio dire, il re non è in grado di...».

«No, ci vado. Non posso mandare via chi ha avuto un pensiero per mia madre», disse Rico alzandosi. Superò le guardie seguito da Ahmed e si diresse verso la scala che scendeva nel cortile interno.

«Maestà», lo fermò il capo delle guardie.

Rico si voltò e scorse nella mano del soldato un sacchetto di cuoio. L'uomo lo fece saltare nel pugno diffondendo un lieve tintinnio. «In questa città, i buoni pensieri per uno svevo morto hanno un prezzo».

Le guardie aspettarono l'arrivo del piccolo re per aprire i portali del castello. Rico e Ahmed osservarono in silenzio i battenti schiudersi sulla semioscurità. Ma ad attendere non c'era nessuno.

«Chiunque fosse, se n'è andato», commentò il capo delle guardie facendo saltare nel palmo a coppa il sacchetto delle monete che aveva mostrato al re sugli spalti. «Meglio così». Con un cenno vago ordinò alle guardie di richiudere il portale e si girò per tornare alla ronda.

«Aspettate», fece Ahmed. «Vedo qualcosa», disse indicando un punto fuori dalla fortezza sveva. I battenti del portale si fermarono lasciando solo una lingua di buio. Appena sufficiente a far passare un bambino.

Ahmed vi si intrufolò e uscì. Rico lo seguì. Così il capo delle guardie fu costretto a chiedere ai soldati di riaprire.

Il ragazzo musulmano avanzò di qualche passo e poi si fermò. «Avevo visto bene».

Rico trotterellò fino ad arrivargli alle spalle. «Che hai visto?»

«Questa», fece Ahmed indicando una forma arrotondata ai suoi piedi.

Una cesta di vimini. Di quelle che al mercato servivano per contenere il pane o la frutta da esposizione. Ma qualunque cosa vi fosse contenuto, era coperto da un panno di lana ingiallita.

Rico prese coraggio e allungò una mano.

«Fermo. Potrebbe essere pericoloso», disse Ahmed fermandogli il gesto afferrandolo per il polso.

«Il ragazzo ha ragione», disse il capo delle guardie che nel frattempo li aveva raggiunti. «Potrebbe essere una trappola». Con lo sguardo ordinò ai suoi uomini di perlustrare i dintorni, mentre dall'alto delle torri gli arcieri tenevano d'occhio la situazione.

«Una trappola? In un cesto per la frutta?», protestò Rico.

«Sì, soprattutto se la frutta si muove», disse Ahmed.

Qualunque cosa ci fosse nel cesto, si stava muovendo sotto al panno di lana.

«State lontani», disse il capo delle guardie sfoderando la spada. Rico e Ahmed indietreggiarono mentre l'uomo affondava la lama in modo da trafiggere un lembo della coperta. Poi tirò verso l'alto e finalmente il contenuto della cesta si guardò intorno. Sbatté un paio di volte gli occhi e poi emise un suono strano. Una sorta di miagolio ma più grave.

«È il cucciolo di gatto gigante! Quello che è morto», esclamò Rico cominciando a saltellare sul posto per la gioia. «Lo zingaro me lo aveva promesso, che me lo avrebbe dato!».

Il cucciolo di leone aveva gli occhi socchiusi. Cisposi e sporchi, non sentivano più da tempo il calore della lingua della madre. Nonostante la temperatura mite di quella notte, tremava per il freddo. E certamente anche per la fame. Era così piccolo che perfino un gatto avrebbe potuto farne un boccone. Ma aveva un pelo bellissimo, del colore del bronzo chiaro su cui i raggi della luna si riflettevano come neve d'argento.

«Bel regalo, ti ha fatto», commentò il capo delle guardie. «Devi sapere che un cucciolo...».

«Sì, lo sappiamo. Senza il latte della mamma è destinato a morire», lo interruppe Ahmed. «Ma sta di fatto che non è ancora morto, e fino a quel momento è vivo».

«Dobbiamo fare qualche cosa per aiutarlo», disse Rico. «Possiamo provare con il latte di mucca o con quello di pecora. Ne abbiamo tante di femmine che hanno appena sgravato, nel castello».

«Il latte diverso da quello della sua specie non va bene. Morirà lo stesso».

«Allora ha ragione lui», ribatté Rico indicando il capo delle guardie.

L'uomo inarcò le spalle e mostrò un'espressione sorniona sul volto. «È meglio che lo lasciate qui. Datemi retta. Questo animale non ha speranze».

«Me ne occuperò io», disse Ahmed d'impeto. Poi si ricompose. «Sempre che il re sia d'accordo», aggiunse all'indirizzo di peldicarota.

Rico ci pensò qualche istante. «Che vuoi fare?»

«Conosco qualcuno nel quartiere ebraico. Non è la prima volta che riesce a risolvere problemi di questo tipo. Gli ebrei conoscono delle pozioni che...».

«Allora andiamo». Rico afferrò la cesta per il manico.

«Non se ne parla. Non ho intenzione di lasciare che un re di quattro anni giri di notte per le strade di Palermo», disse il capo delle guardie.

«Andrò io, Rico. Voglio dire, maestà», fece Ahmed sfilando gentilmente dalle mani dell'amico la cesta. «Vedrai che troveremo un modo».

Rico guardò prima il leoncino e poi l'amico. E infine annuì. «Portami buone notizie. Stanotte pregherò per te e per lui», disse accarezzando un'ultima volta il leoncino.

«Se ti sentisse il precettore», ridacchiò il capo delle guardie. «Pregare Dio per un musulmano e per una bestia».

Rico si voltò di scatto dalla sua parte. «Se Dio esiste è lo stesso per tutti. Cristiani e musulmani. Uomini e bestie. Oppure non esiste. Me lo ha detto una volta proprio uno dei miei precettori».

«Davvero?»

«Sì. Quello che poi hanno mandato via».

Ahmed raccolse la cesta e si voltò. Mentre si allontanava con il leoncino tra le mani, sorrideva di gusto.

Florentium, Capitanata, Apulia Normanna, dicembre 1250 d.C.

«Le cose non andarono proprio così», sentenziò Ahmed Addid posandosi con timore la corona sulla testa.

Federico accennò una risata che però gli morì in gola con un colpo di tosse. «Se adesso entrasse qualcuno, ci faresti un figurone».

Il saraceno afferrò di scatto la corona e la rimise nel baule, lo sguardo timoroso che roteava nella stanza. «Hai ragione. Ma mi fai fare certe cose che…».

«Perché dici che le cose non andarono come le ho raccontate?», insistette allora l'imperatore.

Addid si avvicinò di nuovo al trono bucato dove sedeva l'amico sofferente. «Perché nei ricordi dell'infanzia tendiamo sempre a rammentare solo le cose belle e a dimenticare tutte le altre».

«Vuoi dire che la storia del leone non è mai avvenuta?»

«Al contrario. È tutto il resto che…».

«Per questo ci sei tu, no? Allora racconta. Come andò davvero?».

Addid si rimise a sedere. La punta del fodero della spada segnò il pavimento, stridendo del rumore dell'acciaio. «Da quel giorno passammo molto tempo insieme nei vicoli di Palermo».

«Sì», sorrise Federico. «Andavamo a cercare nella spazzatura i cenci scartati dai ricchi e aspettavamo che i carretti portassero via i banchi del mercato per vedere cosa si erano dimenticati».

«Per i bambini della Vucciria. Eri fissato con quella storia che i ricchi dovessero provvedere ai poveri e non farne schiavi».

«Non è forse il compito di chi ha la fortuna di nascere ricco e potente? La fortuna ti capita, non te la guadagni. È giusto dividerla con gli altri».

«Sei sempre stato un folle visionario», scosse la testa Addid. «Per questo non ho mai smesso di esserti amico».

«Non divagare. Non c'è bisogno di compiacermi in punto di morte. Non serve più».

Addid chinò il capo incassando il colpo.

«Scherzavo, amico mio. Scherzavo. Lo so che mi vuoi bene davvero», fece Federico tentando di allungare un braccio per raggiungere il saraceno. Ma le forze lo abbandonarono a metà strada. «Continua, però. Stavi dicendo qualcosa a proposito dei miei ricordi di bambino».

Addid deglutì. «Ricordi che passavamo tutto il tempo in mezzo alla spazzatura ma non ricordi il perché».

«Perché mi piaceva?»

«No. Perché ci eri costretto. Nonostante la corona, non contavi niente e dopo la morte di tua madre ancor di meno. A farla da padrone nel palazzo che avrebbe dovuto essere il tuo c'erano i tuoi parenti e i loro sgherri tedeschi, e tu ogni mattina venivi spinto con il rispetto regale di una pedata nel deretano fuori dai cancelli, nella speranza che la sera non facessi più ritorno».

«È davvero ciò che accadeva? Il mio ricordo di quel tempo è vago, ma non brutto. Rammento le sfide tra bande, i giochi pericolosi per violare gli spazi degli adulti, le ruberie al mercato…».

«Ce lo potevamo permettere perché ogni volta che ci scoprivano potevi dire che eri il re e ci lasciavano andare. Alla fine non ci fermavano nemmeno più, e perfino i mercanti stavano al gioco lasciando in bella vista i loro scarti sapendo che saremmo passati noi a... rubarli».

«E io che credevo che fossimo dei piccoli e scaltri delinquentelli».

«Lo siamo stati, ma mai più di quanto non lo fossero coloro che tentarono di usurparti il trono». Stavolta Addid pronunciò quelle parole digrignando i denti. «Ti trattarono in modo ignobile».

«Per valutare gli episodi della vita bisogna affidarsi alla prova del tempo».

«Che vuoi dire?».

«Se non mi avessero costretto a vivere quasi tutto il giorno fuori dal palazzo, probabilmente non avrei conosciuto te e non avrei conosciuto tutti quei compagni di giochi dei quali all'inizio non capivo una parola. Imparare la lingua ebraica e la tua a un certo punto divenne una questione di... tattica militare. Chi avrebbe mai detto che mi sarebbe servito così tanto, da grande?».

Addid annuì sorridendo. «Già. Formavamo le bande senza badare alla lingua o alla religione come invece facevano gli adulti. Cristiani, ebrei, musulmani. Con un bastone in mano e un cappellaccio in testa ogni differenza spariva. Bastava che sapessimo tutti correre veloci, menare le mani...».

«E scassinare le serrature».

Entrambi scoppiarono a ridere. Ma la risata del saraceno durò molto più a lungo di quella dell'imperatore. Tanto da costringere il capo delle guardie di Federico a fermarsi imbarazzato.

«Continua. Continua pure a ridere. Mi piace il suono di una risata. Non ne ho sentite molte negli ultimi tempi. Invece di portare il ricordo dei pianti bisognerebbe serbare quello delle risate. Le intermittenze della sofferenza umana sono un po' come le fiammelle che si accendono nel buio. Anche se piccole, riescono a illuminare tutta l'oscurità che incombe».

Addid si passò il rovescio della mano sulla bocca. «Hai ragione. Infatti c'è una risata che ricordo più delle altre. Quella che morì in bocca a quel bastardo quella volta in cui provò ad affrontarti...».

Palermo, Regno di Sicilia, 1201 d.C.

«Devo andarmene. Quando arriverà, non deve trovarmi».

«Rico, il tuo piano è molto rischioso. Se ci prendono, non te la caverai anche stavolta con un giorno di isolamento nei tuoi alloggi senza acqua e cibo. Stavolta ci vado di mezzo anche io, e con me non saranno teneri».

Federico si fermò per voltarsi a guardare l'amico che lo seguiva nello stretto corridoio sotterraneo che immetteva nelle fognature. La fiamma della torcia tremò per qualche attimo di fronte ai lineamenti di un bambino piccolissimo ma dallo sguardo troppo adulto. «Ma non capisci che le cose sono cambiate? Gli uomini di Marcovaldo non sono come le guardie tedesche dei miei parenti. Se mi trovano non si limiteranno a cacciarmi dal palazzo. Quel bastardo vuole togliermi di mezzo. Le mie badanti ne parlavano stamattina a bassa voce per non farsi sentire da me. Quando lo scorso autunno Marcovaldo è sbarcato a Trapani con l'intento di prendersi la Sicilia, nessuno si è preoccupato di opporsi. La scomunica del papa gli ha fatto l'effetto dell'acqua fresca. E adesso quel vigliacco di Gualtiero gli ha aperto le porte di Palermo. E cosa credi che vogliano i suoi uomini, se non la mia testa? Dicono che stia arrivando. Si sta lasciando alle spalle una scia di morti lunga miglia, e qualcuno dice che impali i cadaveri lungo la strada per segnare il suo cammino e scoraggiare possibili avversari. Io sono l'ultimo ostacolo formale prima potersi prendere il Regno che mia madre gli aveva sfilato dalle grinfie. Ha annientato in poche settimane l'esercito del papa e dei suoi alleati. Quanto pensi che ci metterebbe a liberarsi di un bambino?». Federico si fermò per riprendere fiato dopo il lungo monologo. Addid non pareva convinto.

«Se pensi di non potercela fare, dimmelo adesso», riprese allora il piccolo re. «Proseguirò da solo e me ne farò una ragione, del fatto che il mio migliore amico mi ha abbandonato nel momento del maggiore bisogno».

«Rico, non sto dicendo questo». Ahmed Addid sbuffò. La sua torcia disegnò una traccia di luce irregolare nel buio, un piccolo serpente di fiamma che apparve con la stessa velocità con cui poi fu di nuovo divorato dall'oscurità. «Il fatto è che se avessi scelto le ore del giorno per questa bravata, probabilmente avremmo avuto più tempo. Sono abituati a vederti sparire alle prime luci dell'alba. Ma adesso perfino il tuo precettore ti starà cercando, perché passa ogni ora nella tua stanza per controllare se dormi e secondo i miei calcoli deve aver già scoperto che non ci sei e dato l'allarme».

«Scusami tanto, Ahmed. La prossima volta che qualcuno mi cerca per ammazzarmi, gli dirò di farlo in un orario più comodo per tutti». Rico riprese ad avanzare. Un topo gli passò davanti squittendo e scomparve tra i liquami che avevano cominciato a segnare il passo dei due ragazzini. «Io me ne voglio andare. Non ce la faccio più a sopportare quegli sguardi, quei toni e quelle ridicole imposizioni. Sono un re, e mi trattano come uno sguattero. E per giunta sta per arrivare qualcuno che vuole perfino uccidermi».

Addid allungò il passo e superò il piccolo amico. «Lascia che faccia strada io. Conosco molto meglio di te questi posti. Ma sappi una cosa», aggiunse menando la torcia come se fosse un bastone, «se hai una sola possibilità di farti ignorare da Marcovaldo, con questa decisione te la stai giocando. Se ci trovano ti consegnerai a lui su un piatto d'argento».

«Il piatto d'argento lo hanno già preparato. E adesso basta chiacchiere. Muoviti o vattene». Rico gesticolò indicando qualcosa di invisibile lungo il sentiero davanti al loro sguardo.

Il ragazzino saraceno annuì e riprese a camminare. «Fai presto a dire vattene. E dove ormai? Se adesso torno a casa, mi tratteranno peggio della capra di famiglia. E io non so neppure fare il latte».

«Bene, discorso chiuso allora».

«Però non mi hai ancora detto come pensi di lasciare Palermo una volta usciti dalle fogne». Addid sputò a terra e per poco non colpì un altro ratto, che aveva osato uscire dal suo nascondiglio per curiosare sull'insolito rumore di passi.

«Meno cose sai e meno cose potrai rivelare se ti dovessero torturare».

Addid avrebbe potuto cogliere in quella risposta una nota di incertezza e confusione. Invece era certo che Federico avesse un piano.

I tunnel sotterranei che collegavano il castello dei normanni alle fognature della città si stavano facendo sempre più stretti e angusti, man mano che i due ragazzini proseguivano nella loro fuga. L'indizio che la strada che stavano percorrendo era quella giusta era dato dal fetore sempre più pungente che li accompagnava. Il piano era quello di attraversare tutta la città sottoterra e sbucare dalle parti del porto. C'erano sempre tante piccole imbarcazioni senza lavoro attraccate al molo secondario. Le loro ciurme erano composte da ex galeotti, piccoli delinquenti o gaglioffi, comunque con un conto aperto con la giustizia. Messe in piedi con quattro spicci e capaci per quattro spicci di accettare qualunque tipo di viaggio o commissione. Senza mai chiedere spiegazioni o particolari. E di gente che aveva bisogno di lasciare Palermo in fretta ce n'era sempre parecchia. Gente disposta a pagare ma non a spiegare. Una storia quotidiana nella città siciliana. La gente in fuga era sempre di più di quella che arrivava. E non c'era età che determinasse quella necessità. Si poteva diventare santi o delinquenti anche in fasce a Palermo, di quei tempi.

Dunque non sarebbe stato difficile trovare una barca disposta a far viaggiare due ragazzini. Considerando l'incontestabile eloquenza del prestito sostanzioso che Federico aveva ottenuto sull'oro di corte. Prestito che aveva accumulato attraverso piccoli e invisibili prelievi quotidiani e per il quale aveva chiesto la concessione al re in persona. Guardandosi allo specchio.

Un piano ingegnoso del quale Federico non aveva parlato con anima viva. Ma glielo si leggeva nello sguardo.

«Sei sempre stato ottimista», commentò il ragazzo saraceno.

«Vorrà dire che mi fiderò ancora una volta del tuo ottimismo».

«Non sono né ottimista e né pessimista. Sono un pragmatico. Se ci prendono, prima ci torturano e poi ci uccidono».

«E magari dopo danno anche fuoco ai nostri cadaveri e spargono le ceneri nel golfo. E in ogni caso, quando cominci a tirare fuori le ultime parole difficili che ti hanno insegnato mi mandi in confusione».

«Non sto scherzando».

Addid non rispose. Però si fermò e fece cenno a Rico di fare altrettanto.

«Che c'è adesso?», chiese peldicarota sospirando.

«Ho sentito un rumore».

«Topi? Acqua? Vento?»

«Passi. E voci. Stai zitto».

«Saranno i pezzenti che dormono nelle fogne. Dovresti saperlo, se frequentavi questi posti».

«I passi dei pezzenti non tintinnano».

Il ragazzino saraceno si fermò, gettò a terra la torcia e la calpestò fino a farla spegnere. Poi strappò dalle mani di Rico l'altra e ripeté l'operazione. Infine afferrò per la spalla l'amico e lo trascinò in una rientranza del tunnel. «Adesso zitto e fermo. Non parlare e non respirare».

Federico annuì.

Passarono lunghi istanti senza che nessuno dei due proferisse verbo. Poi un'ombra sfilò improvvisamente davanti a loro. Seguita da altre due.

Armature, munite di spade e torce. Quelle di tre guardie.

«Non può essere andato troppo lontano», disse una delle guardie con spiccato accento tedesco. «Il precettore ha detto che quando lo ha cercato nella sua stanza il letto era ancora caldo».

«Fate attenzione», aggiunse un'altra «potrebbe essere con quel suo amico musulmano».

«Meglio», aggiunse la terza guardia. «Ho sempre avuto in antipatia quel moccioso miscredente, che se ne va in giro nel palazzo come se fosse il padrone e si siede a mangiare alla stessa tavola dei buoni cristiani. Prenderemo due volpi con una sola trappola».

«Non parlerei troppo di volpi», riprese la prima guardia, «solo due idioti potrebbero ficcarsi nelle fogne di notte. Il rischio di finire in pasto ai topi o di farsi sgozzare da qualche ladruncolo è molto alto».

«Ma ti rendi conto dell'occasione che ci si presenta? Marcovaldo sta facendo una marcia trionfale. Chiunque incontri sul suo cammino o muore o si arrende. Quando arriverà qui, passerà per le armi tutti coloro che hanno tenuto la veste di quella sgualdrina di Altavilla. Servi, badanti, soldati, stallieri, maniscalchi, perfino i frati della cappella reale non se la passeranno liscia».

«Dunque siamo spacciati? Perché stiamo facendo tutta questa fatica invece di darcela a gambe?»

«Perché il nostro comandante è più furbo di te e di me messi insieme. Immagina quando Marcovaldo entrerà a Palazzo seguito dalla sua scorta e si ritroverà noi davanti al cancello con la testa di quell'orfano come omaggio di benvenuto. Non solo ci salveremo la pelle, ma entreremo anche a far parte del suo cerchio di fidati».

«State zitti, imbecilli», fece un'altra voce. Dal tono più autorevole delle precedenti.

Silenzio. Lunghi momenti di silenzio. Interminabili.

Addid portò un dito alle labbra. Federico annuì inghiottendo saliva solida.

«Non so se si sono accorti che siamo qui», fece alla fine la prima voce, «ma di certo noi ci siamo accorti che ci sono loro». Il volto arcigno del capo delle guardie comparve improvvisamente davanti alla nicchia del tunnel dove Federico e Ahmed si erano nascosti. La torcia accese un ghigno di soddisfazione.

«La prossima volta, se volete spegnere una fiamma gettatela nell'acqua. In qualunque altro modo, l'odore del fumo dirà a chi vi insegue dove siete. Ah, già», concluse la guardia, «non ci sarà una prossima volta».

Federico e Ahmed indietreggiarono contro il muro. Come due gatti in trappola circondati da cani.

Sopraggiunse anche il capo delle guardie. «Facciamo presto», si limitò a dire.

Il soldato che aveva trovato i due ragazzini sollevò un sopracciglio. «Vuoi davvero…? Qui? Adesso?»

«Parlo arabo? Qui e adesso. Certamente».

La guardia allungò un braccio per afferrare Federico. «Avanti, ragazzino. Fatti prendere senza storie».

Ma uno strano rumore alle sue spalle gli fece rallentare il movimento. Sollevò un sopracciglio. Passi felpati, respiro sibilante, stridio di denti, sciabordio di lingua, danza di coda.

La guardia si voltò. «Avete sentito anche voi?».

Di nuovo quel rumore articolato. Stavolta più vicino.

La guardia strinse le palpebre e agitò la fiamma sopra alla testa. Nel buio quasi totale, la luce della torcia si rifletté in due piccole sfere gialle. Il soldato piegò la testa. L'ultima cosa che riuscì a fare nella sua vita terrena.

Una sagoma dalle fattezze allungate si mosse nella semioscurità. Senza fare alcun rumore. Rapida e letale. Nel passaggio sotterraneo si udì il suono strozzato dell'acciaio che si piegava. Grida. Il sospiro concitato dell'aria che faceva luogo a sagome incontrollate. Singulti di dolore. Un lungo martirio muto. Poi più nulla. E alla fine il felino si mostrò alla luce delle torce che giacevano a terra singhiozzando la fiamma. Sul pelo chiazze di sangue. Ma non il suo.

«Ombra!», esclamò Rico.

«Ombra!?», esclamò allora Addid. «Ma come è possibile? Chi può aver aperto la gabbia?»

«Veramente la decisione è stata la mia».

Rico seguì il movimento del guinzaglio di cuoio che tendeva verso la zona più buia del tunnel. Dove sostava una figura incappucciata.

«Ero sicuro che avresti deciso di scappare», disse l'uomo abbassando il cappuccio sulla nuca, «così come ero sicuro che non te lo avrebbero lasciato fare. Così ho pensato che forse avrei potuto insegnarti qualche altra cosa, prima di non vederti più».

«Guglielmo…».

«Potrai diventare anche cardinale o imperatore ma per te sarò sempre *Mastro Guglielmo*».

«Scusa, maestro. Hai ragione».

«Ma ragione di cosa?», si intromise Addid. «Stiamo con le gambe immerse fino alle ginocchia nella merda di Palermo e voi pensate ancora alle formalità».

«Come ho sempre cercato di insegnare a sua maestà», disse Guglielmo Francesco, tirando leggermente il guinzaglio di Ombra in modo che il leone si mettesse seduto, «i modi distinguono sempre l'uomo. Anche nelle condizioni critiche».

«Va bene, ma adesso che facciamo? Ce ne saranno altri qua in giro».

«Di tornare indietro non se ne parla. Le notizie che porto non sono buone», spiegò il precettore di Federico indicando vagamente il frastuono e le grida che la volta del tunnel sotterraneo lasciava traspirare attutiti. «Purtroppo i ribelli sono già entrati nella Reggia. L'ultima cosa che ho visto prima di imboccare i sotterranei è stata il vessillo dei D'Annweiler. Un dettaglio non trascurabile, che ci fa intendere che è sconsigliabile tornare indietro almeno quanto andare avanti».

«Dunque?», insistette Addid.

Guglielmo Francesco si guardò intorno. Poi annuì. «Credo che l'unico modo per uscire da questa situazione è di lasciarci guidare dai rifiuti organici fino al mare».

«Io ho un piano che ci porterà via da questa città maledetta», ammise Federico.

«Non lo metto in dubbio, ma io ho detto un'altra cosa», fece il precettore con una smorfia.

«In che modo le feci ci dovrebbero guidare?». Il ragazzo musulmano era perplesso.

«Forse ho sbagliato verbo. Sarebbe più giusto dire… sostenere».

«Ci stai dicendo che dovremo proseguire nella corrente di melma?»

«Immagino che sia l'unica strada che ci consenta di non incontrare gli uomini di Marcovaldo che invece credo vi aspettino al porto, dove sono certo abbiate pensato di pagare qualche marinaio senza scrupoli per farvi portare via da Palermo».

Il precettore fissò Addid. Che a sua volta spostò lo sguardo su Federico.

Il piccolo re annuì. «È il piano di cui parlavo». Chinò lo sguardo.

«Un piano a cui davvero nessuno penserebbe», commentò sarcastico il precettore del re. «In questo momento, ci saranno più soldati al porto di quanti non se ne possano trovare in un campo di battaglia». Guglielmo Francesco osservò la corrente di melma e alla fine vi immerse una gamba, sollevando elegantemente un lembo della lunga veste di broccato. «Non credo che vi siano alternative. Un tempo non lontano, tutto questo era carne allo spiedo, frutta sontuosa, vino dal profumo inebriante. Siete dei bambini, no? Usate la fantasia».

«Certamente non ci converrà usare l'olfatto», fece Addid seguendo il precettore nel fiume di melma. Poi fu la volta di Ombra, che parve perfino divertito da quell'opportunità, e alla fine a convincersi fu anche il piccolo re.

I tre avanzarono a fatica tra i rifiuti e gli escrementi, senza tenere in conto il trascorrere del tempo, mentre i topi nuotavano a decine intorno alle loro gambe. Solo lo sventolare delle torce e le zampate di Ombra, che li aveva scambiati per piccole prede, riusciva a tenerli lontani.

La tortura dei sensi non fu molto lunga. Presto apparve in vista la luce argentea.

«La luce della luna. L'uscita è vicina», fece il ragazzino musulmano. «Un ultimo sforzo».

«Sto sforzando qualunque cosa, ma fra un po' vomito», rispose Federico.

«Meglio, così sarai più leggero e potrai correre di più quando saremo fuori».

La battuta fece scoppiare a ridere il piccolo re e il suo amico musulmano gli andò dietro.

«Non credo che ci sia molto da ridere, purtroppo», fece il precettore.

«Camminiamo nella merda da ore», protestò Addid. «Almeno facci ridere un po'».

«Guglielmo è un inguaribile pessimista. Ormai ci sono abituato», aggiunse Federico.

«Quella luce... non è la luna», si limitò a dire il precettore. Poi fu il sibilo delle frecce a parlare per tutti.

Il ruggito di Ombra fu prima stizzito e poi di dolore. L'animale, colpito da un paio di dardi arrivati dal nulla, si piegò incredulo sulle zampe posteriori. Poi con un ultimo sforzo si riprese e si trascinò lontano dalla contesa per andare a fare ciò che sovente fanno i grandi predatori feriti.

«Ombra!», urlò Federico allungando un braccio verso l'animale. Ma non riuscì a raggiungerlo. Qualcosa lo trattenne. La stretta possente di una mano avvolta da un guanto a scaglie.

Addid minacciò gli spettri con il suo coltellino.

«Stai fermo, ragazzino. Non ti conviene», disse Guglielmo Francesco facendo un gesto con la mano. «Questa gente è pericolosa».

«Il maestro dice bene», fece una voce squillante dall'accento nordico. Marcovaldo d'Annweiler avanzò sul camminamento che seguiva il corso delle fognature. Decine di torce, rimaste fino a quel momento nascoste, si accendevano progressivamente con il suo avanzare. Il riflesso della luce sulla sua armatura perfettamente lucidata, che i fuggitivi avevano scambiato per la luminosità della luna, prese tutta l'attenzione degli astanti.

«Credete davvero che non avrei preso in considerazione tutte le opportunità a vostra disposizione?», domandò lanciando uno sguardo sprezzante al precettore. «Davvero pensate che mi sarei lasciato sfuggire di mano il tesoro più prezioso di questa città?». L'invasore si fermò davanti a Federico. Lo guardò dall'alto verso il basso mentre le sue guardie stentavano a tenerlo fermo. L'attenzione del ragazzino era tutta per il giovane leone ferito che stava annaspando nel liquame.

«Dunque, ecco il re di Sicilia», disse Marcovaldo sfoderando un ghigno appena visibile attraverso la visiera alzata dell'elmo.

«Mi aspettavo qualcosa di diverso. Qualcosa di meglio di un ragazzino frignante».

L'uomo si tolse l'elmo, rivelando un volto scavato dalla tensione e sormontato da una folta capigliatura corvina. Gli occhi scuri segnati da due profonde occhiaie violacee non volevano staccarsi dal ragazzino che si dimenava nella stretta delle guardie. Marcovaldo era un uomo di altezza media e corporatura regolare, con la postura di chi si sarebbe sentito molto più a suo agio nei panni di broccato di corte che non in quell'armatura di ferro martellato forse un po' troppo grande. Eppure, quel signore della guerra aveva vinto la resistenza di chiunque si fosse messo sulla sua strada, e adesso si ritrovava finalmente al cospetto del suo nemico più giovane, ma anche più pericoloso.

«Sarai rinchiuso nei tuoi appartamenti fino a quando non avrò deciso cosa fare di te», disse avanzando con un fastidioso scricchiolio di giunture.

«Non vuoi uccidermi subito?», gli chiese Federico alzando la testa in tono di sfida. «Mi pare che per arrivare fino a Palermo ti sei allenato abbastanza. Perché indugiare?»

«Vedo che la parlantina non ti manca. Mi avevano detto che eri un ragazzino di carattere. Lo farò, stai tranquillo. Ma non adesso. Non qui. Non c'è fretta. Ho altre questioni più urgenti da definire», rispose Marcovaldo. «Resterai vivo fino a quando mi servirai vivo. Mi piace esibire i miei trofei di caccia».

«È questo il tuo problema, Marcovaldo. Non sai riconoscere la differenza che c'è tra una preda e un predatore quando ce li hai davanti. Per questo preferisci vedertela sempre con donne e bambini», vomitò Federico, sorprendendo perfino Addid. Il ragazzo saraceno si stava trovando di fronte alla trasformazione di un ragazzino spaurito in una belva armata di paura.

Marcovaldo fece una risata stizzita. «Veramente ero venuto a Palermo per sfidare un re, e invece mi sono ritrovato davanti un ragazzino impaurito che scappava nelle fogne. Colpa mia».

Federico diede un altro strattone ma la presa delle guardie era salda. «Maledetto bastardo. Per quanto tu possa brigare non sarai mai un vero re. La mia corona potrai comprarla con l'acciaio e l'oro, ma non con il sangue che hai nelle vene».

«Se non fossi destinato a morire giovane, avresti potuto imparare che non è importante come si arriva a una corona, ma la corona stessa. Puoi cominciare dalle fogne», disse aprendo le braccia, «ma quando sei re, sei tu che costruisci la tua storia, e una fogna può diventare perfino un glorioso campo di battaglia».

«Figlio di puttana, dovrai ammazzarci tutti per fare in modo che le tue bugie abbiano un seguito», ringhiò Federico. «E lasciatemi», aggiunse con l'ennesimo strattone. «Sono ancora il vostro re, e non uno schiavo da tenere in catene».

Marcovaldo fece un cenno alle guardie che allentarono la presa. Federico si massaggiò i polsi. «Lasciate anche il mio amico e il mio precettore».

Marcovaldo scosse la testa. «Probabilmente sei tu che non hai capito la differenza tra una preda e un predatore. La preda aspetta la morte, mentre il predatore decide quando dargliela. E mentre io e te stiamo amabilmente chiacchierando respirando gli effluvi degli escrementi della città, i miei uomini stanno ripulendo il palazzo sopra le nostre teste da altri escrementi. Quando torneremo di sopra non avrai più nessuno a cui raccomandarti, e la tua boria finirà come un fortunale estivo. Tanto veemente quanto di breve durata».

«Va bene. E allora uccidimi qui! Adesso!», urlò inaspettatamente Federico stracciandosi le vesti. Quando rimase a torso nudo si batté i pugni sul petto dalla pelle quasi lattea. «Avanti! Fallo! Davanti ai tuoi uomini! Abbine il coraggio! Dimostra che sei davvero tu il predatore».

«Quanta furia», sospirò Marcovaldo. Poi scoppiò di nuovo a ridere.

E Federico ne approfittò per scagliarglisi contro.

Il ragazzino scattò rapidamente in avanti e caricò l'uomo in armatura con tutta la sua forza. L'impatto fece solo vacillare il suo avversario, ma il gesto fu sufficiente a portare l'attenzione di tutte le guardie sulla scena. Anche quella che stava tenendo fermo Addid.

Il ragazzo musulmano piegò la testa di lato rapidamente e riuscì a raggiungere il suo polso, nel quale conficcò tutti i denti disponibili. Il soldato cacciò un urlo e aprì la mano. Addid ne approfittò per sfuggirgli. «Forza, Rico! Da questa parte!».

Federico non se lo lasciò ripetere due volte. Contro l'agilità di un bambino seminudo, i tentativi delle guardie di fermarlo si rivelarono inutili. La loro goffaggine, accentuata dal peso delle armature costrette a muoversi negli spazi angusti delle fogne, non fece altro che metterli in ridicolo di fronte al loro comandante.

«Fermi, idioti!», intimò alla fine Marcovaldo. «Non possono andare da nessuna parte. Ci sono soldati a tutte le uscite e nel passaggio che riporta al castello». Si avvicinò al precettore di Federico, che aveva seguito la scena in silenzio. «Vorrà dire che invece di rinchiuderlo nei suoi alloggi come promesso, mi vedrò costretto a tenerlo recluso nelle fogne». Fece un cenno a tutti di seguirlo. «A meno che non si abitui a bere piscio e mangiare merda, prima o poi si rifarà vivo. Esausto e affamato, si getterà ai miei piedi per domandare perdono. E io forse, in cambio della pietà che non meriterebbe, vorrò una sua dichiarazione pubblica di abdicazione in mio favore. Nel frattempo ho cose più importanti da fare. Palermo ormai è mia. Adesso tocca a Messina. Al mio ritorno mi occuperò definitivamente delle sorti di quel moccioso».

Marcovaldo si guardò intorno e si accorse che anche il vecchio precettore del piccolo re era sparito. Approfittando della confusione, probabilmente si era andato a nascondere da qualche parte. Un problema non degno della sua attenzione, in quel momento, così si incamminò nella direzione che portava a palazzo. Ignaro del fatto che non avrebbe visto mai più Federico.

Florentium, Capitanata, Apulia Normanna, dicembre 1250 d.C.

«Tu sei convinto che ci avrebbe uccisi davvero?». Addid incrociò le braccia in grembo e si piegò in avanti. Con una pezza bagnata pulì la bocca di Federico, seguendo la linea delle labbra sottili che erano diventate violacee. Eppure il sovrano sembrava essersi un po' ripreso rispetto a come il saraceno lo aveva trovato quando era entrato nella stanza. Nulla che facesse presagire un miglioramento generale, ma almeno gli era tornata la forza di parlare.

«Certamente avrebbe ucciso te e il mio precettore. Due testimoni scomodi», gli rispose l'imperatore non appena il soldato saraceno si tirò indietro. «Quanto a me, credo che Marcovaldo avesse dato l'ordine di prendermi vivo per esibirmi come trofeo una volta tornato a Palermo. Un re prigioniero è un ostaggio, mentre un re morto diventa facilmente leggenda. E le leggende sono pericolose».

«Discorsi complessi, per due ragazzini che tentavano di scappare nelle fogne con il solo scopo di salvare le braghe».

«La visione del mondo di un bambino è sempre diversa da quella di un adulto. Forse è più distorta e limitata, ma ho imparato a credere che alla fine si avvicini di più all'essenza del tutto. Quando le Sacre Scritture recitano che dovremmo tornare tutti bambini per guadagnare il Regno dei Cieli, non dicono il falso. Siamo noi che le interpretiamo falsamente. Non è l'ingenuità di un bambino che può salvarci ma la sua capacità di guardare oltre il velo che la maturità frappone tra l'anima e il corpo».

«Questo è un pensiero eretico, mio signore. Non ti sono bastate tre scomuniche? Ne vuoi un'altra anche in…», Addid si interruppe appena in tempo.

Federico ricambiò con un sorriso bonario. «Ho sempre cercato di restare bambino. Per qualunque scelta, per qualunque decisione mi sono sempre chiesto prima, "cosa farebbe Rico in questa circostanza?". Ci ho rimesso la fedeltà di alcuni figli, di alcune mogli e di alcuni alleati, ma non ho mai fatto nulla di cui potessi pentirmi. Se dovrò andare al cospetto di Dio, lo farò con la coscienza a posto. Cosa che non accadde a Marcovaldo».

«Avrebbe potuto fare di te ciò che voleva. Era diventato il tuo tutore dopo la morte di tua madre. Eppure a muoverlo non furono calcoli di Stato ma la vendetta: il sentimento che più di ogni altro rende l'uomo debole».

«Perché sapeva che la condizione in cui si trovava era stata raggiunta per caso. Marcovaldo non aveva sangue nobile nelle vene, e si vedeva da quello che diceva e da come si comportava. Era una sorta di subalterno del potere, di cui viveva di immagine riflessa. Non so per quale motivo mio nonno si fosse così invaghito di lui tanto da dargli in mano le chiavi dell'impero».

«Barbarossa non era uno stupido e poi se fosse come dici, suo figlio Enrico non avrebbe perseverato nominandolo duca di Ravenna, margravio di Ancona e conte d'Abruzzo. Era diventato padrone dell'Italia centrosettentrionale».

«Tutta fuffa. A Marcovaldo interessava la Sicilia. Per questo si era messo a fare la corte a mia madre facendole credere che stava dalla sua parte. Ma quando vide che la Chiesa voleva tornare in possesso delle terre perdute in Sicilia, vide bene di cambiare cavallo e di schierarsi dalla parte di mio zio, piantando in asso mia madre».

«Sai meglio di me che tra i tuoi pari le alleanze valgono come i sentimenti di una donna. Volubili, volatili, impalpabili».

Federico rise e tossì allo stesso momento. «La battuta è divertente, ma non riuscirai a farmi parlare delle mie mogli. Rischierei di giocarmi tutti i crediti guadagnati con Dio per l'accesso al Paradiso».

«Va bene. Restiamo sugli intrighi di palazzo. Sono decisamente più divertenti». Addid abbozzò un sorriso complice. In qualche modo stava riuscendo a distrarre l'amico. «Alla fine, puoi concedermi che i giochi delle alleanze e dei tradimenti, per come si sono rivelati, hanno finito per favorire solo una persona. Se Marcovaldo non avesse tradito tua madre, il papa non avrebbe incaricato Gualtiero di Brenne di scendere a Palermo per regolare i conti tra la Chiesa e la tua famiglia».

«I miei parenti. Non la mia famiglia. La mia famiglia era mia madre. Ed è finita con la sua morte». Federico si voltò appena per provare a incontrare lo sguardo dell'amico. «E non darei il merito di ciò che accadde dopo a quelli che tu chiami giochi di alleanze e tradimenti. Fino a un certo punto della mia vita, a guidarmi è stato altro. Quello che molti chiamano caso o fatalità, ma che io ho imparato a chiamare con un altro nome». Chiuse gli occhi e sospirò. «Sì, sono convinto che quella notte non mi avrebbero ucciso, ma forse lo avrebbero fatto in seguito, perché i rapporti tra i potentati siciliani e il papa si stavano deteriorando sempre di più. Devo riconoscere che la mossa decisiva per guidare il corso del fato, alla fin fine, l'ha fatta proprio lui».

«Per quanto involontariamente», commentò Addid.

Federico provò ad annuire senza riuscirci. Ma gli scappò un ghigno simile a un sorriso. «Anche morire al momento giusto è un atto politico».

Palermo, Regno di Sicilia, 1201 d.C.

«Basta. Saranno almeno tre giorni che sguazziamo nella melma. O forse anche di più. Ho perso la cognizione del tempo e comincio ad avere le visioni. Ho fame, ho sete. Non ce la faccio più». Federico restò in punta di piedi per lunghi istanti per respirare a bocca aperta. Ogni volta che riprendeva a muoversi, i liquami gli coprivano la faccia fin quasi alle narici e a forza di serrare le labbra gli facevano male tutti i muscoli della faccia. Era il più basso della compagnia, e mentre gli altri avanzavano con i liquami a debita distanza dai principali orifizi, il ragazzino rischiava a ogni passo di ingoiare escrementi e resti di topi morti. «Che mi mettano pure in catene. Se non altro dovranno concedermi prima un bagno e l'ultimo pasto. Sono così affamato che perfino una vecchia scrofa che scoreggia mi parrebbe appetitosa».

«Continuare a lamentarti non ti aiuterà a evitare di ingoiare schifezze, mentre tenere la bocca chiusa permetterà che non accada», sentenziò il vecchio Guglielmo.

«A giudicare dai rumori che arrivavano fino a qualche ora fa dai piani superiori, non sono così convinto che gli uomini di Marcovaldo penseranno come prima cosa a un bagno, quando ci vedranno», gli rispose Addid mentre compiva una torsione rapida del busto per evitare lo scheletro di qualcosa di troppo grande per essere un topo. «Se la memoria non mi inganna non dovrebbe mancare molto». Il compagno di fuga del piccolo re fino a quel momento non si era mai lamentato di nulla. I suoi occhi e la sua attenzione erano tutte per il giovane leone che nuotava in testa agli umani e che a differenza di loro sembrava perfettamente a suo agio immerso nei rifiuti della città. Dopo essere scomparso per quasi un giorno e una notte era ricomparso improvvisamente, alcune delle ferite cominciavano a rimarginarsi, altre, disturbate dall'acido degli escrementi, si erano infettate ma avevano sputato le punte di freccia. Nonostante ciò, Ombra avanzava in testa all'improbabile gruppetto come un cane guida. Ancora malconcio ma fiero come solo un leone può essere.

Per tutta risposta, Federico vomitò. Il liquido giallastro si fermò a galleggiare a mezza spanna dalla sua faccia.

Addid fece per commentare, ma Federico lo fece stare zitto con un gesto del braccio. «Risparmiami il tuo sarcasmo. Ne sto facendo indigestione».

«Non avevo alcuna intenzione di fare battute», rispose Addid. «Ombra, fermo», ordinò e il leone smise di nuotare. «Che ti dicevo?», aggiunse indicando qualcosa davanti a loro.

Luce. Dai riflessi argentati. Una piccola pozza nel buio lontano del tunnel che apparentemente si restringeva.

I tre continuarono ad avanzare ma con maggiore circospezione, il leone di nuovo in gruppo. La luce della luna che filtrava nel sottosuolo era un buon segno, ma ogni rumore avrebbe potuto attirare l'attenzione di coloro che li stavano cercando su altre piste.

«Non voglio sentire volare una mosca», sussurrò Addid.

«Con questa puzza, anche qualora ce ne fossero state, sarebbero tutte morte», ribatté con lo stesso tono di voce il piccolo re.

Addid e gli lanciò un'occhiataccia.

«Va bene. Sto zitto», rispose il ragazzino annuendo. «Ma sappi che quando tornerò a fare il re mi vendicherò per la tua arroganza».

Per tutta risposta Addid scoppiò a ridere. E Federico lo imitò.

La luce argentata si faceva sempre più grande e intensa man mano che il gruppetto avanzava. Il livello della corrente melmosa lentamente si stava abbassando, con grande sollievo di Federico che finalmente non era più costretto a camminare sulla punta dei piedi.

Finalmente, una grata. E al di là di essa, il riverbero della notte. Nei pressi dell'uscita, un potente fiotto d'acqua proveniente dall'esterno si immetteva nei canali che portavano all'interno della fortezza. «Prima di uscire diamoci una ripulita», disse il ragazzino musulmano. «Se lasceremo la scia non passeremo inosservati».

«Ma questa è l'acqua che arriva alle terme del palazzo», protestò Federico.

«Non credo che sia più un nostro problema», lo redarguì Addid avvicinandosi alla grata per guardare di fuori. Il cancelletto di ferro era socchiuso.

Il piccolo re fece per ribattere ma Addid gli fece segno di stare zitto. Piuttosto si gettò sotto l'acqua corrente. «Accidenti, quanto è fredda!».

«Non avevi detto che bisognava fare silenzio?», rispose Federico raggiungendolo sotto al fiotto gelido. «Ombra, vieni anche tu», disse agitando le braccia in direzione del giovane leone. Il felino non se lo fece ripetere due volte e i tre cominciarono a giocare sotto l'acqua pulita. Alla fine, esausti, si allontanarono dalla piccola cascata.

«Pagherei per un fuoco che ci aiuti ad asciugare. Non puzzo più ma ho i brividi», protestò Federico.

«Sui brividi ti seguo, ma sul fatto che non puzziamo più avrei qualche dubbio», fece Addid annusando i brandelli fradici dei vestiti che lo coprivano.

Federico si avvicinò alla grata con circospezione. «Fuori non vedo nessuno, ma ricordiamoci le parole di Marcovaldo. Ha fatto presidiare tutte le uscite, dunque si saranno nascosti in attesa che usciamo allo scoperto per saltarci addosso».

«E se davvero non ci fosse nessuno ad attenderci?»

«Marcovaldo che rinuncia al suo bottino? Non ce lo vedo».

«Io mi sarei messo proprio davanti alle grate. Perché nascondersi di fronte a due ragazzini?»

«Anche io. Hai ragione. Non so che dirti. Forse questa uscita gli è sfuggita».

«Mettiamo che sia così... Hai già un'idea di dove andremo, maestà?», chiese Addid con una nota di sarcasmo.

Federico tornò a guardare oltre le grate. «Non lo so. Non lo so davvero. Sicuramente il più lontano possibile dalle spade di Marcovaldo e dei suoi sgherri. Poi cercherò di mettermi in contatto con il papa. Spero che sia lui a rispondere alla tua domanda, visto che a parole ci tiene così tanto a me».

Il precettore del re provò a dire la sua ma fu preceduto dal saraceno: «Basta con le chiacchiere», disse alla fine Addid. «È tempo di uscire: vediamo chi di noi due ha ragione». Si avvicinò alla grata e spinse il cancello di ferro verso l'esterno. Il movimento fu accompagnato da un sommesso cigolio. «Seguitemi», disse chinandosi per oltrepassare l'apertura. «Ombra, con me».

Il ragazzo musulmano si fermò subito dopo aver guadagnato l'uscita delle fogne. Si guardò intorno con sospetto e con sorpresa. Ascoltò muto la colonna sonora del porto di notte. «Passo lento e rasente muro», comandò. «Devi camminare nella mia ombra e non prendere iniziative. Tutta questa storia non mi convince».

I vicoli di Palermo che conducevano al porto erano per fortuna male illuminati. Al posto delle torce che avrebbero dovuto segnare il passo come accadeva in molti altri punti della città, c'erano rari bracieri che avevano anche lo scopo di riparare dal freddo viandanti e pezzenti. Per questo gran parte del tragitto che separava il gruppetto dal molo era preda della semioscurità. Da una parte questo poteva rappresentare un problema capace di attirare malintenzionati. D'altro canto, giustificare ai passanti e alle ronde di aver portato a fare i bisogni un leone poteva diventare ancora più problematico.

«Io ho portato dei soldi per pagare il viaggio», disse a un certo punto Federico. Un tintinnio di monete ruppe improvvisamente il silenzio. La mano del piccolo re rimase sospesa nella presa di

Addid mentre il sacchetto di cuoio gonfio continuava a dondolare nella presa delle dita.

«Sei matto? Questo rumore sarebbe capace di attirare banditi e tagliagole da tutte le parti della città», lo rimproverò il ragazzino musulmano. «E poi come hanno fatto gli sgherri di Marcovaldo a non trovarteli addosso? Aspetta. Non dirmelo. Non lo voglio sapere», concluse Addid con una smorfia.

«Ma io...».

«Metti via quelle monete. Non ho mai avuto bisogno di pagare nessuno in questa maledetta città. Tanto meno per viaggiare su una bagnarola di contrabbando».

«E Ombra? Come faremo a nascondere anche lui?»

«Non potrà venire con noi. Dilanierebbe tutto l'equipaggio prima di toccare riva», fece Addid sfoderando un piccolo coltello che aveva nascosto tra le pieghe dei vestiti.

«Ma io non ho intenzione di abbandonarlo», protestò Federico.

«Sei un re. Devi fare delle scelte. La tua vita o la sua».

Il piccolo sovrano digrignò i denti. «Basta con questa storia delle scelte ineluttabili. Ne ho piene le scatole. Ci metteremo in salvo tutti. Un modo per portarlo con noi lo troveremo.

«Potreste farlo accucciare da qualche parte», riuscì finalmente a dire Guglielmo senza risparmiare sarcasmo. «Un osso dovrebbe bastare per farlo stare tranquillo. Una passerella per farlo salire a bordo...?».

Addid portò le mani ai fianchi e fece una smorfia. «Qualcosa mi dice che vuoi farci sapere che hai la soluzione ma è così semplice che farci passare da idioti per qualche tempo potrebbe soddisfare il tuo ego».

Il precettore sollevò un sopracciglio divertito. «Basteranno una catena e un sacco», disse allora l'uomo. «Ombra non ha bisogno di essere nascosto. È stato addestrato fin da piccolo ai comandi che gli vengono impartiti, a trattenere la fame e la sete e a controllare la vescica. Per non parlare della sua capacità di stare al buio. Se fosse stato diversamente, saremmo diventati il suo cibo nelle fogne, per quanto tempo è stato senza nutrirsi. Mi basterà un sacco per celarlo agli sguardi indiscreti e una catena per evitare che si faccia del male da solo. Lo custodirò a terra fino a quando non vi imbarcherete e poi, se Dio vuole, ve lo portere- te via. Una volta a bordo nessuno oserà provare ad avvicinarsi. Figuriamoci a gettarlo in acqua. Qui non può certo restare. Non oso immaginare cosa gli farebbero i nemici del re».

«Date un premio a quest'uomo», declamò Addid.

Il gruppetto sgattaiolò silenzioso di vicolo in vicolo, guardan- dosi le spalle da inseguitori invisibili. Il ragazzino saraceno aveva previsto una fuga rocambolesca con le guardie di Marcovaldo alle calcagna, invece ad accoglierli fuori dalle fogne di Palermo si era presentata solo la notte muta. Perfino l'idea che i soldati del nuovo reggente della città avessero preparato un'imboscata era sfumata con il passare delle ore. Sembrava incredibile, ma tutto ciò non escludeva altri pericoli, rappresentati da impavidi ubriachi o stolti malintenzionati attratti dal rumore dei soldi e dalla carne giovane. Ma tanto i primi quanto i secondi non si fecero vivi e dopo una lunga marcia col cuore in gola il piccolo re, la sua guardia del corpo, un vecchio precettore silenzioso e un leone arrivarono al molo.

Stranamente deserto.

Di solito c'era sempre qualche marinaio sul pontile anche di notte, più o meno in posizione eretta, o perché talmente ubriaco da non essere riuscito a riconoscere la propria imbarcazione e decidere di passare dalla veglia al sonno senza troppi complimenti, o per fumare una carica di pipa lontano dagli effluvi che i suoi compagni emanavano sottocoperta. O, ma molto più raramente, per portarsi avanti con il lavoro che il comandante della nave avrebbe richiesto alle prime luci dell'alba.

E invece quella notte tutte le imbarcazioni attraccate al molo parevano prive di compagnia umana. Poche, a dire il vero. Data l'ora, i pescherecci erano ancora al largo e le navi della flotta nor- manna venivano custodite in una darsena a parte sotto l'occhio vigile delle torri di guardia.

I due ragazzini si guardarono intorno. Non c'era troppo da scegliere.

Un peschereccio con la fiancata sfondata, probabilmente da uno scoglio per colpa di un timoniere che aveva dimenticato di lasciare il fiasco a terra, che aspettava che qualcuno lo rimettesse in sesto. Una barca a remi che sosteneva a fatica un carico di barili che lasciava spazio solo a un rematore, purché nano. Un migragnoso bialberi attraccato grazie a un cordame liso che aveva visto tempi migliori.

«Quella andrà bene», lo indicò Addid. E senza aspettare risposta andò verso la nave. «Dobbiamo trovare la catena e il sacco che vuole il tuo precettore».

«Perché non c'è nessuno? Non è strano?», chiese Federico che si era fermato più indietro con il leone.

«Vedi qualcosa che meriti qualcuno di guardia?», fece Addid.

«Mi riferisco all'equipaggio. La nave sembra vuota». «Immagino che i poveretti che sono costretti a passare gran parte delle loro giornate su questo trabiccolo non vedano l'ora di abbandonarlo la sera. Staranno cercando di dimenticare il loro tristo destino in una bettola».

«Ricordati una cosa, Ahmed», rispose Federico puntando l'indice sull'amico musulmano. «Se vuoi sopravvivere, non devi fidarti mai di nessuno. Di nessuno. Questa è la prima regola».

«E le altre quali sono? Le altre regole, intendo?», domandò l'altro prima di sparire alla vista.

«Non ci sono altre regole», fece Federico prima di cominciare a correre anche lui verso la nave attraccata. «Almeno quando c'è qualcuno della mia famiglia a portata di vista».

Quando il piccolo re arrivò alla nave il ragazzo musulmano ne stava già uscendo.

«È vuota. Non c'è nessuno». Si guardò intorno. «Non c'è nessuno. Ovunque».

Il leone agitò nervosamente la coda. Rico gli accarezzò la criniera e lasciò andare lo sguardo in mezzo ai refoli di nebbia che trasudavano dall'acqua. «Buono, va tutto bene», provò a tranquillizzarlo.

«Alla fine avevo ragione io», disse Addid ripercorrendo lentamente il ponticello della nave.

«Ragione su cosa?», chiese Federico quando se lo ritrovò di fronte.

«Che si trattava di una trappola», rispose il ragazzino più grande alzando la testa per guardare oltre le spalle del piccolo re. «Diversa da come me l'ero immaginata, ma pur sempre una trappola».

In quel momento, Ombra ruggì.

Proprio mentre alcune figure si staccavano dalla nebbia.

Armature. Molte. Precedute da un uomo tutto vestito di rosso.

Addid studiò la scena rapidamente. «Hanno fatto in modo che arrivassimo a un punto di non ritorno. A meno di non volerci gettare in acqua, non possiamo andare da nessuna parte se non tra le loro braccia». Sospirò. «Mi dispiace, sono un cretino».

«Liberiamo Ombra. Che almeno lui non finisca nelle mani dei soldati di Marcovaldo», disse allora Federico.

«Non sono gli uomini di Marcovaldo», disse il precettore del re con tono neutro.

«Come fai a dirlo? Sono così lontani», commentò Federico.

«Saprei riconoscere il rumore che fanno le loro armature a un miglio di distanza. E quello che sento non è quel rumore. È più musicale, più leggero. Frutto di intere giornate passate a lucidare gli agganci. Intere giornate di ozio…».

«E allora questi chi sono?», fece Addid impedendo che Federico liberasse il leone.

L'uomo vestito di rosso non era armato. Avanzava però con ostentata sicurezza, seguito a breve distanza dalle armature scintillanti. Quando arrivò davanti ai ragazzi si fermò e incrociò le braccia in grembo. Lanciò un'occhiata di sfuggita al giovane leone, mostrando di non esserne affatto intimorito. Poi strinse le palpebre, trascinando in quel gesto gran parte della muscolatura del volto, in modo che i suoi lineamenti risultassero ancora più affilati.

«Mio Dio, puzzate come carogne», disse portando una delle mani al crocifisso d'oro che gli pendeva dal collo. Le pietre preziose incastonate nella sagoma d'oro scintillarono nella notte. Si guardò intorno. «Perfino i topi di fogna sono scappati tutti al vostro passaggio».

Il leone al guinzaglio di Federico accennò un ruggito. I soldati al seguito dell'uomo vestito di rosso risposero mettendosi tutti in guardia.

«Buono, Ombra. Buono», lo tranquillizzò il piccolo re. Anche un ragazzino esuberante come lui poteva capire che un leone ferito e debilitato dalla fame e dalla sete nulla avrebbe potuto contro una decina di uomini armati fino ai denti.

Ma Addid era fatto di un'altra pasta. Alzò di scatto la mano che reggeva il piccolo coltello e ne mostrò la punta allo sguardo dell'uomo vestito di rosso.

«Non siete gli uomini di Marcovaldo e nemmeno le guardie del castello del mio amico», disse scrutando i simboli sugli scudi. Non li aveva mai visti. «Perché ci state seguendo?»

«Lo so io chi sono. Quelli scudi li ho già visti una volta», rispose per tutti Federico. «Quando il papa venne a trovare mia madre», aggiunse scambiando un'occhiata complice con il suo precettore. E questi annuì come se avesse appena ascoltato la risposta giusta in un'interrogazione.

L'uomo vestito di rosso sorrise per commentare quelle parole. «Difatti sono qui per portare a sua maestà la benevola benedizione di Sua Santità». Si accarezzò il mento. «E naturalmente per riportarvi a palazzo in modo che possiate tornare al posto che vi compete. Ma non prima di avervi fatto fare un buon bagno, suggerisco».

«Non possiamo tornare a palazzo», continuò Federico. «C'è un uomo che vuole uccidermi».

«L'odore che ho sentito fin da quando vi ho intravisto, ma soprattutto la vostra risposta, mi fanno intendere che è parecchio tempo che non rimettete piede nei vostri alloggi, maestà».

«Quando ho saputo che Marcovaldo era arrivato a Palermo ho deciso di lasciare il palazzo. Ma Marcovaldo mi ha trovato lo stesso mentre stavo cercando di fuggire attraverso le fogne».

«Ma non è riuscito a fermarci. Per questo il re ha ragione. Se torniamo a corte ci farà la pelle», intervenne Addid.

«E tu chi saresti, di grazia?», chiese l'uomo vestito di rosso.

«Chi siete voi, signore», rintuzzò Addid.

«È la mia guardia del corpo personale», esclamò Federico.

L'uomo vestito di rosso soffocò un sorriso. «Capisco. Ebbene signor... guardia del corpo, non c'è più nulla da temere. Evidentemente a voi due è sfuggita la cognizione del tempo, poiché Marcovaldo è morto».

«Morto?», fece Federico. «E come? Quando?»

«Qualche giorno fa. A Messina. Durante l'assedio». L'uomo vestito di rosso chiese alla sua scorta di fare luogo ai due ragazzi. «E adesso che ne dite, maestà, di andare a riprendervi la vostra corona? O devo riferire a papa Innocenzo che preferite bighellonare per Palermo in compagnia di un leone e di una... guardia del corpo?».

Florentium, Capitanata, Apulia Normanna, dicembre 1250 d.C.

«Come dicevo, in certe situazioni anche la morte può diventare un atto politico», disse Federico.

«Ma quando è per colpa di una manciata di calcoli non è comunque dignitoso, per un uomo che minacciava di tenere sotto al suo giogo l'intero meridione dell'Italia», fece Addid, sperando che la battuta facesse sorridere l'amico. Il soldato musulmano si era accorto che le condizioni di salute del sovrano erano lentamente migliorate da quando era entrato nella sua camera da letto. Tuttavia, non aveva mai lasciato lo scranno bucato, attraverso il quale ogni tanto scaricava nel secchio sottostante la diarrea che gli mordeva l'intestino. La mancanza progressiva di liquidi lo stava facendo diventare sempre più pallido e gli stava indebolendo la voce, nonostante avesse riacquistato una certa lucidità. Si muoveva molto lentamente ormai, e i suoi occhi erano iniettati di sangue, sia per lo sforzo che per il dolore. Addid provava a farlo bere ogni tanto, ma era più quanto perdeva che quanto riusciva a riassumere. E la preoccupazione del soldato saraceno era così forte da impedirgli di rendersi conto che il fetore che aleggiava nella stanza era ormai simile a quello di una cloaca.

Federico si limitò ad annuire. «La morte ha risparmiato a Marcovaldo l'ennesima brutta figura nei confronti del papa. Questo è certo».

Addid accennò un movimento del capo. «Mentre Marcovaldo moriva a Messina, il papa scendeva in Sicilia facendosi precedere dal suo cardinale più fidato per venire a reclamare la tutela che Costanza gli aveva concesso sull'erede al trono».

«Il destino dalle molte facce. Come quello vaticinato da una zingara a mia madre».

«Sì, ho ascoltato quella storia un sacco di volte».

«Allora saresti così gentile da raccontarmela? Avevamo detto che il narratore dovevi essere tu, mentre fino a ora ho parlato solo io».

Addid sollevò le spalle. «La storia della zingara e della sua profezia… non mi sono mai fidato delle zingare. Sanno mentire più e meglio di una moglie».

«Non ti basta nemmeno che il suo vaticinio ti parli in questo momento, per farti cambiare idea?».

ATTO SECONDO
IL FIGLIO
DI UNA PROFEZIA

Jesi, Marca Anconetana, 25 dicembre 1194 d.C.

Il carro sul quale era stato montato il baldacchino di Costanza d'Altavilla sobbalzò pericolosamente. Il semiasse anteriore scricchiolò, producendo un rumore simile a quello di una gallina a cui viene tirato il collo, e una delle ruote si piegò.

«State attenti, maledizione!», urlò il soldato a cavallo che precedeva il carro, voltandosi di scatto per lanciare un'occhiataccia ai due malcapitati sul cassetto di guida. «Dio non voglia che la regina sia costretta a partorire per strada, perché in tal caso ve la faccio pagare salata!», inveì ancora.

In quel preciso momento, una mano avvolta in un guanto di lana di capra tagliò la cortina che difendeva il baldacchino, per lasciare uscire una testa di donna rotonda come un melone. «Se non ci sbrighiamo a trovare un riparo è molto probabile che il vostro vaticinio si avveri, messere, poiché le doglie sono iniziate e le sollecitazioni alle quali state sottoponendo il carro con la vostra imperizia accorceranno di certo i tempi». Il marcato accento tedesco con cui la donna aveva vomitato il rimprovero aveva reso le parole simili a sferzate e, se possibile, aveva acuito ancora di più il nervosismo del comandante della scorta reale.

Il soldato a cavallo fissò la serva della regina senza replicare, poi piegò la testa per nascondere una bestemmia che gli sfuggì tra i denti serrati. Non era il padrone del tempo. Non era colpa sua se da una settimana il cielo stava vomitando su quello spicchio di mondo tutta la neve che aveva tenuto in serbo durante la prima parte dell'inverno. Non era colpa sua se il viaggio lungo e faticoso aveva fiaccato le ruote e sfiancato i cavalli. Ma soprattutto non era colpa sua se l'ordine ricevuto era stato quello di non fermarsi per nessun motivo, perché Costanza doveva arrivare a Palermo in tempo per l'incoronazione del marito.

La nevicata del giorno prima si era trasformata in una lastra di ghiaccio bianco, che aveva cancellato alla vista buona parte del sentiero su cui procedeva il convoglio di scorta della regina. Venti uomini a cavallo in testa e almeno il doppio in coda accompagnavano il procedere del baldacchino, su cui era distesa la donna che presto avrebbe dato un erede a Enrico VI. E il loro comandante, nonostante il freddo che riusciva ad attraversare qualunque tessuto o armatura, sudava per la tensione. Perché nonostante la marcia forzata a cui aveva dovuto sottoporre uomini e cavalli, quello era il giorno di Natale. E nello stesso momento in cui quel maledetto carro aveva minacciato di crollare a terra con tutto il suo regale peso sopra, Enrico VI, nella cattedrale di Palermo, stava ricevendo sul capo la corona. Lontano dagli occhi di sua moglie. E del suo prossimo erede.

Il comandante della scorta di Costanza d'Altavilla sapeva che avrebbe dovuto rispondere personalmente di quel ritardo. L'assenza della regina all'incoronazione gli sarebbe costata qualcosa, in termini di paga e carriera. Ma gli sarebbe costato anche di più se nel frattempo fosse accaduto qualcosa all'erede che non era ancora venuto alla luce.

Il soldato a cavallo intravide in lontananza le mura di una città e provò a farsi coraggio. «Ci fermeremo a Jesi per qualche ora», disse ad alta voce, sicuro di avere lo sguardo arcigno della balia ancora conficcato nella schiena. «Giusto il tempo di fare riposare i cavalli, rimpinguare le scorte e permettere alla regina di bere qualcosa di caldo, poi ci rimetteremo in viaggio. Il bambino nascerà a Palermo, ve lo giuro».

«Ma cosa giurate?», gli rispose stizzita la donna nel carro. «Forse non mi sono ben spiegata. La regina ha le doglie. Si sono rotte le acque. Il bambino nascerà prima del tramonto o al più tardi domani mattina». Guardò anche lei verso le mura della città, che ora erano ben visibili agli occhi di tutti. «Dove siamo?»

«Dovremmo... dovremmo essere a Jesi», rispose l'uomo a cavallo.

«Ecco, bravo. Allora ci fermeremo a Jesi». La balia si voltò per un momento, come se qualcuno all'interno del baldacchino avesse attirato la sua attenzione. Ritirò dentro la testa e poi la ricacciò fuori. Si sistemò meglio la cuffia di lana che il vento aveva minacciato di strapparle dalla testa rotonda. «Monterete una tenda al centro della piazza più grande della città, in modo che vedano tutti. Il bambino deve nascere davanti agli occhi del mondo affinché non vi siano fraintendimenti».

Il soldato a cavallo provò con gesto meccanico ad asciugarsi il sudore della fronte, ma all'ultimo si accorse di avere in testa l'elmo e lasciò cadere il braccio sulla sella. «Ma non sarebbe meglio trovare un riparo migliore? Un ricovero caldo e accogliente...», disse mentre le guardie all'esterno della città facevano segno di calare il ponte levatoio. Costanza d'Altavilla era accompagnata da una scorta ben più importante di quella dei soldati al suo comando: una mezza dozzina di serve tedesche adibite alla cura della sua persona e una ostetrica i cui gradi valevano di più dei suoi.

«Siete qui per fare il vostro lavoro o per discutere il volere della regina?», lo incalzò ancora la balia.

«Io... no. Certo», disse l'uomo a cavallo. In quel momento il suo animale nitrì e si sollevò sulle zampe posteriori, rischiando di disarcionarlo. «Ma che diavolo...», imprecò.

Una donna tutta imbacuccata era ferma davanti all'animale, proprio sotto all'arcata che annunciava la strada decumana. Una mano bianca come il latte distesa in avanti per mendicare una moneta. Nonostante il freddo, la donna non portava alcun copricapo e due grossi orecchini a forma di cerchio le pendevano dalle orecchie, scintillando dei riflessi della neve ghiacciata. I colori sgargianti della sua lunga veste stridevano con la coltre lattiginosa che depredava ogni cosa.

«Fatti da parte, maledetta zingara!», urlò il comandante riprendendo il controllo del suo cavallo. «Non vedi che sta passando una regina?». Rafforzò la domanda pleonastica con un calcio, che sfiorò soltanto la donna ma fu sufficiente a farle perdere l'equilibrio e a farla cadere a terra imprecando.

Il convoglio le passò accanto lentamente. La zingara restò a guardarlo seduta per terra, la bocca socchiusa per l'incredulità. Quando il carro che portava il baldacchino le fu proprio davanti, una folata di vento giocò con i tendaggi di lana e lo spiraglio le mostrò una donna. Distesa supina, i denti tirati in una smorfia. Seminuda nonostante il freddo. Le gambe aperte davanti alle mani indaffarate di un'altra donna. Il ventre rigonfio.

Per un istante, i loro sguardi si incrociarono. Le parve di cogliere un accenno di sorriso tra le smorfie di dolore.

La zingara allora smise di imprecare. E ricambiò il sorriso.

Quel carro trasportava qualcosa di più importante di una regina. Quel carro portava una madre. E prima che il convoglio si allontanasse, la zingara vide un sacchetto volare ai suoi piedi. Tintinnante. Come il sorriso della gestante che aveva ordinato di lanciarglielo.

La tenda fu montata proprio nel centro della più grande piazza di Jesi. La scorta di Costanza d'Altavilla impiegò davvero poche ore per portare a termine il lavoro, anche grazie all'aiuto riluttante di manovalanza locale che, naturalmente, volle essere pagata. E anche profumatamente.

Nella Marca Anconetana, la visita della regina normanna aveva generato apprensione ma anche dicerie di ogni tipo. Naturalmente, ne aveva risentito anche un bambino che non era nemmeno nato. La figura di Costanza stava viaggiando lungo la spina dorsale della penisola italica con le spalle cariche di storie che, oltre a non renderla simpatica agli occhi della povera gente, la rappresentavano come persona portatrice di disgrazie. Restare gravida alla soglia dei quarant'anni non era un fatto comune, e spesso eventi di questo genere venivano accompagnati da significati esoterici e misteriosi che portavano sovente a conclusioni nefaste. Si diceva che avesse passato tutta la sua giovinezza in un convento di clausura, e che in realtà quel figlio che portava in grembo non fosse il frutto dell'amore dell'ormai prossimo re di Sicilia ma di una relazione licenziosa con il macellaio che riforniva ogni settimana di carne le suore dimenticate dalla luce. Il figlio di una relazione di questo tipo non poteva che essere portatore di un messaggio oscuro. Circolava perfino la voce che potesse essere il figlio del demonio, o l'anticristo. Naturalmente erano tutte voci cresciute nelle bettole tra i fumi dell'alcool, ma alimentate e diffuse ad arte dai denigratori e dagli avversari della famiglia reale. Costanza aveva scelto apposta di partorire in piazza, per mostrare alla gente che lei non era affatto una strega, e che il piccolo che stava per nascere non solo era un bambino come tutti gli altri, ma certamente degno di raccogliere l'eredità del Barbarossa suo nonno.

Se tutto dipendesse dalle aspettative dell'umanità e le sue fondamenta si ergessero sulle sue speranze, il mondo sarebbe qualcosa di profondamente diverso da ciò che è. Difatti l'arrivo di Costanza a Jesi con tutto il suo seguito, per quella notte di Natale aveva portato la gente del paese a disertare la piazza e a rinchiudersi in casa, per ascoltare da dietro le finestre sbarrate le urla di una donna che stava per partorire.

«Ho bisogno che qualcuno mi aiuti. Da sola non ce la posso fare!». La balia della regina uscì dalla tenda appena eretta e si guardò intorno, trovando però solo lo sguardo intimorito del capo della scorta di Costanza. L'uomo aveva cominciato a credere di essere oggetto di una potente maledizione dovuta a qualcosa di brutto che aveva fatto nei suoi precedenti venticinque anni di vita, qualcosa che probabilmente lui aveva dimenticato ma che era rimasto saldamente impresso nella mente di Dio. E la punizione per tale colpa era stata forgiata dal divino in guisa di una furiosa balia, che dall'inizio del viaggio non aveva fatto che lanciargli invettive. Su un campo di battaglia si sarebbe trovato molto più a suo agio.

«Allora?», continuò la donna portando le mani ai fianchi. «Avete sentito quello che ho detto?»

«Ho fatto quello che ho potuto per far montare le tende il più rapidamente possibile, ma non è facile. Sembra che la gente abbia timore di noi».

«Ma la sapete riconoscere la differenza tra un carpentiere e una balia? In questa maledetta città ci sarà pure un medico o una donna che abbia messo al mondo un figlio, o sono nati tutti sotto a un cavolo?»

«Ma non lo vedi che sono scappati tutti non appena siamo entrati in città? La manovalanza per le tende ci è costata tre volte la paga di un cerusico di corte».

«In questo momento la vostra ennesima lamentela non mi aiuta. Fate come volete e quello che volete, ma portatemi subito una donna che sappia come si fa uscire un bimbo podalico dalla vagina di una partoriente». La serva di Costanza si pulì le mani sulla palandrana che si era legata in vita. «E portatemi altra acqua calda. E degli stracci puliti. Insomma, datevi da fare, buon Dio».

Il capo della scorta annuì a ogni richiesta della donna, ma non si mosse di un passo.

La balia lanciò uno sguardo al cielo già stellato. Poi si guardò intorno. E si accorse che a qualche passo dalla tenda c'era una figura silenziosa che la stava osservando. Aveva in mano un grosso recipiente di coccio, dal quale salivano fumi di calore. La balia sollevò un sopracciglio. «Tu lo sai come si fa, vero?», chiese, più a sé stessa che a quell'ombra poco lontana.

La figura annuì vigorosamente, e i grossi orecchini rotondi che le pendevano dai lobi scintillarono nella luce della sera.

Il bambino nacque all'alba del 26 dicembre. Un bambino piuttosto gracilino ma vispo, che salutò il mondo con un lungo pianto di liberazione. Costanza sospirò e sorrise, seguendo i gesti sicuri della balia che recideva il cordone ombelicale. La zingara che l'aveva aiutata durante il parto immerse una pezza pulita nel secchio dell'acqua calda, lo strizzò per bene e cominciò a pulire il corpo del piccolo dal sangue della madre.

Costanza la osservò in silenzio, un sorriso appena accennato sulle labbra esangui per lo sforzo appena compiuto. «Come ti chiami?», le chiese con un filo di voce.

La zingara non rispose. Continuò a pulire meticolosamente il corpicino che la balia teneva in braccio e aspettò che ella lo depositasse sul seno della madre.

Costanza ripeté la domanda, credendo che la sua voce flebile per la fatica non avesse raggiunto le orecchie della donna.

Ma la zingara nemmeno questa volta rispose.

«Non ve lo dirà mai, maestà», disse allora la balia. «Questa gente custodisce gelosamente il proprio nome come un segreto, perché non è mai scelto a caso e rivelarlo significa concedere agli altri il potere sulla propria persona. Gli zingari sono convinti che chiunque lo conosca possa rivelare le loro debolezze o usarlo in qualche rito».

Costanza cercò lo sguardo della zingara per avere la conferma delle affermazioni della balia. «Il vero nome delle cose. È una credenza anche normanna. Di origine celtica».

La zingara abbassò gli occhi e sospirò.

«Tu non vuoi sapere come lo chiamerò?», chiese la regina.

«No, non dirmelo». La zingara rialzò la testa di scatto. Pareva terrorizzata.

Costanza rise. «Per come hai reagito alla domanda, non credo che gli faresti del male. Sono convinta di potermi fidare. E poi il parere di un'altra mamma è sempre il benvenuto, non credi?»

«Come fai a sapere che sono anche io una madre?»

«Si vede dallo sguardo».

«Lo sguardo?»

«Sì, lo sguardo. Quello di chi osserva il mondo come fosse la sentinella di qualcun altro. Qualcuno che ha capito che la sua vita sarà finalmente al servizio di un altro destino».

La zingara sorrise. «È una bella cosa quella che hai detto». Poi annuì. «Sì, anche io sono diventata madre alcuni anni fa. Una bambina».

«Non ti chiederò come l'hai chiamata, tranquilla».

«Il mio nome è Zalda, e mia figlia si chiama Moida».

Costanza sorrise ancora. «Accidenti, questo significa abbassare la guardia. O credi che morirò, oppure hai deciso di fidarti di me. Quale delle due risposte è quella giusta?».

La zingara non disse altro. Chinò la testa e riprese a osservare il neonato, gli occhi illuminati.

«Non vuoi sapere quale sarà il nome del mio bambino?», insistette Costanza.

Stavolta fu la zingara a sorridere. «Mi piacerebbe».

«Costantino».

La zingara sollevò un sopracciglio.

Costanza accarezzò la testolina del figlio, che dopo aver emesso gli ultimi vagiti si era addormentato sul suo seno, attaccato a uno dei capezzoli. «Cosa c'è? Non lo trovi bello?».

La zingara si avvicinò alla donna distesa. Si mise in ginocchio e osservò il piccolo dormiente. «Per essere un bel nome, lo è, ma...». Cercò lo sguardo di Costanza. «Vuoi che predica il suo futuro?».

Prima che la regina potesse rispondere, la balia afferrò per la spalla la zingara e la fece rialzare. «Adesso basta così. Prendi i tuoi soldi e vattene».

«Non voglio soldi», rispose la donna divincolandosi. «Me li avete già dati quando avete varcato le porte della città. Il resto l'ho fatto perché mi andava».

«Bene, allora adesso puoi andare», insistette la balia.

«No, aspetta. Sembra divertente», disse Costanza. Guardò prima il bambino e poi di nuovo la zingara. «Raccontami qualcosa di bello su Costantino. Mi aiuterà a prendere sonno».

La balia imprecò tra i denti. La zingara si rimise in ginocchio. Armeggiò con un pendaglio che portava al collo e poi recitò qualche parola in una lingua sconosciuta alla regina. Infine, passò delicatamente le dita della mano destra sulla fronte del bambino.

La balia la ammonì con un'occhiataccia. «Se ti azzardi a dire qualcosa di...».

«Lasciala fare», protestò Costanza. «Ti prego».

La zingara tornò al suo sommario rito. Restò muta a lungo. Poi parlò a bassa voce.

«Questo bambino è atteso da un futuro glorioso. La sua fama si estenderà su tutta la terra e verrà narrata in molte lingue. Sarà chiamato monarca dell'universo. Avrà molte mogli, molti figli e altrettanti nemici. Dovrà guardarsi dagli amici più che dai nemici, ma non temerà minacce di sorta. La sua sete di conoscenza sarà senza limiti, ma il terreno su cui camminerà non sarà privo di ostacoli. Dovrà guardarsi dalla spada come dalla croce, ma terrà testa a entrambe».

«Hai sentito, Costantino?», la interruppe Costanza sussurrando al bimbo dormiente. «Sarai il degno erede di tuo padre».

«Non sarà quello il suo nome», riprese la zingara. «Le genti lo acclameranno con un nome diverso».

«Ma...».

«Federico. Devi chiamarlo Federico. È un nome più adatto a ciò che lo attende».

Costanza strinse le labbra e sollevò lo sguardo. «In effetti è il nome di suo nonno. Potrei chiamarlo Costantino, Federico, Ruggiero».

«Puoi chiamarlo come vuoi, ma gli altri lo chiameranno sempre e solo Federico».

«Sei testarda», rise la regina.

«E... un'altra cosa», esitò la zingara. «È strano, ma... che non si avvicini mai a... ai fiori».

Costanza si lasciò scappare una risatina. «I fiori? Perché mai un re dovrebbe occuparsi di fiori?»

«Io... io non lo so, ma...».

«Ma adesso basta», si intromise la balia. «La regina deve riposare». Nonostante la reticenza della zingara, le mise in mano un altro sacchetto tintinnante.

La zingara si rialzò e guardò la donna distesa. Mostrò il sacchetto riluttante.

«Prendili. Questi non sono per te, ma per Moida», disse la regina. «È così che si chiama tua figlia, no?».

La zingara ci pensò ancora per qualche istante, ma poi annuì. Sorrise, si alzò dal giaciglio dove riposava Costanza e si avvicinò all'uscita della tenda. Prima di andare si voltò ancora una volta. Guardò il bambino. «Addio, Federico», sussurrò, prima di sparire alla vista.

Costanza la seguì fino all'ultimo. Poi tornò a guardare suo figlio. «Federico…», ripeté più volte prima di cadere nel sonno.

Florentium, Capitanata, Apulia Normanna, dicembre 1250 d.C.

«E questo è ciò che le leggende narrano del giorno della tua nascita. Questa storia è vera?», chiese Ahmed Addid. Nonostante il braciere che scoppiettava senza sosta, in quella stanza cominciava a fare un po' freddo. La guardia del corpo dell'imperatore si augurò di essere il solo a percepirlo.

«Non saprei», rispose l'imperatore. «Mia madre non voleva che fossero le balie a mettermi a letto, e ogni sera me la raccontava per farmi addormentare». Un'altra smorfia di dolore gli passò sulla faccia. Fugace quanto intensa, tanto da non poter passare inosservata.

«Forse è il caso che ti lasci riposare», disse Addid. «Riprenderemo la chiacchierata domattina. Di certo ti sentirai meglio». Fece per alzarsi.

«Ma che fai? Vuoi che ci fermiamo quando abbiamo solo cominciato?». La mano dell'imperatore cercò la sua, ma fu il soldato saraceno a raccoglierla prima che ricadesse per la debolezza.

Le dita del sovrano erano fredde, bianche e ossute. Le vene violacee si intravedevano sotto alla pelle traslucida. «E poi chi può dire se domattina ci sarò ancora?»

«Va bene. Resterò fino a quando quel mozzicone di candela non si sarà spento», disse indicando la fiammella che ardeva più bassa tra le tante. «Però avevamo concordato che fossi io a raccontare, e non tu».

«Hai ragione, ma certe cose non puoi conoscerle. Per esempio, non puoi sapere cosa accadde prima del mio arrivo a Palermo».

«Perché? Quando nascesti non riusciste ad arrivare in Sicilia lo stesso?»

«Sì, ma non accadde subito. Il viaggio di mia madre proseguì verso Palermo, ma io restai nelle Marche. Venni affidato al duca di Spoleto e a sua moglie. Ma mentre lui si preoccupò di accompagnare mia madre per il resto del viaggio verso il sud, Costanza mi portò con lei a Forlì e lì rimasi per i primi tre anni della mia vita».

«Costanza?»

«Già, la moglie del duca. Lo stesso nome di mia madre. Non è singolare?»

«Un segno beneaugurante?»

«Può darsi. Non ho ricordi molto vividi di quel periodo. Ero troppo piccolo. Rammento solo una preponderanza di verde, un profumo intenso e acido che in seguito avrei riconosciuto come quello del mosto appena fatto».

«Mi domando perché, dopo tutta quella fatica, tua madre ti abbia…»

«Abbandonato nelle mani di un'altra donna?»

«Non volevo dire proprio questo».

«Ma ci sei andato vicino. La verità è che obbedì a un ordine perentorio di mio padre. Egli sapeva che viaggiare con un neonato avrebbe rallentato di molto i tempi dell'arrivo di mia madre a Palermo, e voleva a tutti i costi che lei fosse al suo fianco fin dall'incoronazione».

«La ragion di stato».

«Lo dici a me?».

Addid rise. «Va bene, ma adesso basta. Vogliamo parlare finalmente di qualcosa che conosco anche io? O c'è ancora altro che vuoi dirmi?»

«Dicono che fui battezzato a Foligno, ma una volta un frate mi confessò che in realtà ero stato battezzato ad Assisi, alla fonte di San Francesco. Fu l'ultima volta che mio padre mi vide. Io arrivai a Palermo dopo la sua morte. E adesso sì», aggiunse annuendo, «puoi proseguire tu, visto che arrivasti nella mia vita molto presto».

Addid sospirò. «Finalmente. Adesso mettiti comodo, perché voglio affrontare un argomento piccante».

«Le spezie nei cibi? Lo sai che i medici me le hanno proibite tutte ormai da anni».

«Macché. Voglio parlarti di donne. Delle tue donne. Ma come le ho viste io».

Federico alzò gli occhi al cielo. «Se ne avessi la forza mi farei il segno della croce».

Palermo, Regno di Sicilia, agosto 1209 d.C.

«Non la voglio sposare».

«Ti faccio sommessamente notare che lo hai già fatto».

«Ma per procura non vale».

«Sempre sommessamente, ti faccio notare che il matrimonio per procura ha lo stesso valore di quello che verrà celebrato oggi».

«E se ha lo stesso valore, perché lo devono celebrare di nuovo? Non bastava il primo?».

Ti squadrai dall'alto in basso. Avevi indossato uno degli abiti più belli che avessi mai visto. Eri stato rinchiuso nei tuoi alloggi con il sarto e gran parte della servitù dalle prime luci dell'alba, e quando eri uscito dalla tua stanza emanavi una luce tanto potente che il sole avrebbe dovuto vergognarsi di esistere. Eppure, nonostante ti avviassi a compiere uno degli atti più adulti della vita di un uomo – qualcuno direbbe anche dei più avventati, in circostanze normali – restavi il ragazzino di sempre. Forse con qualche pelo in più sulla faccia e tra le gambe, ma lo sguardo ancora limpido e ingenuo non poteva mentire.

Come mi avevi ricordato fino all'esasperazione, avevi sposato a febbraio a Saragozza la venticinquenne Costanza d'Aragona. Sarebbe più esatto dire che *avevi dovuto* sposare Costanza d'Aragona. In un matrimonio per procura, combinato. Figlia di Alfonso II, Costanza era una donna colta e raffinata ma dalla bellezza indecifrabile per un ragazzo di dieci anni più giovane. E, se non bastasse, aveva conosciuto già l'esperienza della vedovanza, avendo perso presto Emerich d'Ungheria. Il papa, Innocenzo III, dall'alto della delega ricevuta da tua madre poco prima della sua dipartita, ne aveva approfittato per fare la sua mossa e rimettere a posto le pedine della dama. Il parere del piccolo re di Sicilia non era richiesto. Neanche per forma.

«Mi piace molto di più sua sorella Sancha», dicesti continuando a spiare attraverso le grate il chiostro dove tutta la corte era schierata in febbrile attesa dell'arrivo della promessa sposa. «Se non altro avrebbe quasi la mia età, e potremmo condividere molti più interessi».

«Rico, tu non devi innamorarti di quella ragazza», ti dissi posandoti una mano sulla spalla. La ritirai immediatamente per paura di gualcirti il vestito di broccato. «Devi sposarla per ottenere in dote i titoli, le terre e tutto quel corollario di cose politiche che ora non comprendi ma che ti torneranno utili fra qualche tempo».

«Ma ha già sotterrato un marito, e non vorrei che ci prendesse l'abitudine. Io ho intenzione di vivere ancora a lungo».

«E chi ti dice che non possa essere tu a sotterrare lei?».

Inarcasti le spalle.

In quel momento si udì un prolungato squillo di tromba e il chiostro si svuotò rapidamente.

«Eccola», dissi io «Sta arrivando».

Tu provasti ad allontanarti ma io ti trattenni.

«Aspetta, fatti vedere», dissi ancora facendoti voltare.

A quel tempo non avevi nemmeno quindici anni, e nonostante gli insegnamenti della scuola di postura che i tuoi maestri ti avevano impartito fin dalla tenera età, non riuscivi davvero a dimostrarne di più. Il fisico asciutto e la pelle chiara, uniti a due occhi vispi e curiosi, non aiutavano di certo. Eppure non avevi esitato, subito dopo il rientro a Palermo, a vestire i panni del re, e avevi passato i mesi precedenti l'arrivo di Costanza a visitare le più importanti città della Sicilia per ricordare ai signorotti del posto che l'unica autorità era quella regale, e che le regole le dettavi tu. Nonostante i primi screzi con il papa che ti aveva salvato dalle grinfie di Marcovaldo, avevi accettato di buon grado l'idea di Innocenzo III di sposare Costanza, in modo da garantirti l'appoggio della dinastia aragonese, anche se la parte più fanciulla di te era ancora ostinatamente recalcitrante, pur sapendo di non avere scampo.

Come tua guardia personale, ma più che altro come tuo unico amico fidato, avevo assistito direttamente e indirettamente a tutti quegli eventi, eppure colui che mi stava di fronte in quel momento continuava a essere per il mio sguardo il bambino che mi aveva fatto indossare per scherzo la sua corona tanto tempo prima. Un affetto che gli anni avevano rafforzato sempre di più fino al punto di garantire a un giovane sovrano il dono di tutte le mie bugie.

«Non ho mai visto un re vestito meglio», dissi sfoderando un sorriso a trentadue denti.

«Non hai mai visto nessun altro re, amico mio». Facesti per liberarti dell'amichevole stretta, ma non ci riuscisti ancora.

«E non voglio vederne altri. Almeno fino a quando sarò vivo».

Tu cogliesti il senso di quella battuta e ricambiasti il sorriso. «Grazie».

Ricordo che a quel punto feci per abbracciarti ma tu lo evitasti. Ti sfilasti di lato e mi prendesti per un braccio. «Vieni con me. Non ti lascerò qui da solo a sentire i rumori che vengono da fuori».

«Ma… e il protocollo?»

«Me ne frego del protocollo», concludesti strattonandomi in modo che ti seguissi.

Il giovane re attraversò rapidamente il perimetro del chiostro, evitando accuratamente di passare all'interno della cattedrale. Arrivò alla scalinata antistante la chiesa proprio nel momento in cui si udì un secondo squillo di tromba.

Evitò di incrociare gli sguardi del maestro di cerimonie, che sicuramente avrebbe avuto molto da ridire sulla sua condotta, e si piazzò al centro della delegazione, lasciando che io mi mettessi alle sue spalle.

«Così mi fai rischiare la testa», sussurrai.

«Le mogli passano, gli amici restano», mi rispondesti nascondendo una risata con la mano.

Costanza d'Aragona arrivò finalmente nella piazza antistante la cattedrale, preceduta da un potente frastuono di zoccoli.

Una furia di cavalli montati da altrettanti cavalieri si schierò davanti alla scalinata, facendo allontanare la folla di popolo che era accorsa per seguire il matrimonio del secolo. Al loro comando Alfonso, conte di Provenza.

«E questi da dove sbucano?», chiesi.

«Questi? Questi sono la mia dote», rispondesti tu. «Cinquecento cavalieri, come da accordi», concludesti con una certa soddisfazione. Poi ti voltasti e ti facesti largo per entrare in chiesa.

«Non aspetti la sposa? Sarà qui a momenti».

Scrollasti le spalle. «Quello che mi interessava l'ho già visto».

Florentium, Capitanata, Apulia Normanna, dicembre 1250 d.C.

«Lei non era bellissima, ma aveva il suo fascino», commentò Addid dopo essersi impegnato a pulire la bocca dell'imperatore.

«Nonostante tutte le cose che dissero poi a proposito di quel matrimonio, ti posso assicurare che un po' le volevo bene». Federico tossì e si risistemò sul trono bucato. «E averla vicina in certi momenti mi fu anche di grande aiuto: era più matura di me, e sapeva consigliarmi bene».

«Se a corte avessi avuto un augure come uno dei tuoi predecessori, non sarebbe stato dello stesso parere», fece Addid scuotendo la testa. «Durante la cerimonia nuziale vennero arrestate decine di persone per insubordinazione».

«Ma sì. Qualche nobile che non riusciva a stare zitto. Non sopporto la gente che parla nei momenti importanti».

«Qualche nobile? Se non ricordo male i conti Paolo e Ruggero di Geraci e Anfuso di Roto, conte di Tropea. Non proprio gli ultimi arrivati. Al punto che l'abate di Montecassino, irritato per l'accaduto, sospese l'invio dei doni di nozze per solidarietà con gli arrestati».

«*Sospese*. Perché poi Costanza gli fece cambiare idea, perché in realtà la lettera che gli scrissi per convincerlo mi fu dettata quasi tutta da lei».

Addid annuì ma sollevò l'indice della mano destra al soffitto. «Ma non dimenticare i cavalieri».

«Sono un imperatore, e non il Dio del tempo. Non è colpa mia se scoppiò quella maledetta epidemia. Del resto eravamo in pieno agosto».

«Un'epidemia che si portò via molti di quei cavalieri, compreso il fratello della sposa».

«Sì, ma non prima che ne potessi fare sfoggio in lungo e in largo lungo i confini dell'isola».

«Già. Ricordo ancora quando ci schieravamo sotto alle mura dei castelli e mi mandavi in avanscoperta per annunciarti ai signorotti che credevano di poter fare ancora il bello e il cattivo tempo come con tua madre», Si interruppe subito. «Scusami, non volevo».

«Perdonato. Soprattutto perché hai ragione. Durante la sua reggenza i dignitari di corte, compreso quel bastardo di Gualtiero di Pagliara, che le fiamme dell'inferno se lo divorino in eterno, avevano concesso pieni poteri a parenti e amici».

«Nicosia, Messina...».

«E non dimenticare Catania». Federico si lasciò andare all'ennesima scarica di diarrea, ma ormai il suo interlocutore non ci faceva più caso. «Mi sono preso soddisfazioni maggiori di quelle che mi sto prendendo in queste ore, espellendo tutto questo lordume».

«Merda chiama merda», disse allora Addid.

Entrambi risero. Ma Federico più debolmente dell'altro. Una risata breve, difficile, sofferente. Per non sottolineare il momento di imbarazzo il soldato musulmano si affrettò a riprendere la parola. «L'impressione che ebbi immediatamente di Costanza fu quella di una donna colta e raffinata, che in qualche modo riusciva a placare i tuoi istinti di adolescente. Gli anni passati con me nei bassifondi di Palermo non erano proprio il viatico raccomandabile per un potenziale sovrano del mondo».

«Concordo. Tra l'altro fu l'unica che portai qualche volta con me in viaggio. Mi fidavo di lei».

«O ne eri innamorato davvero?»

«Innamorarmi di una donna così più grande di me? Impossibile».

«Davvero? E di chi ti sei innamorato davvero? Adesso puoi dirmelo».

Federico strinse i denti per respingere un'altra fitta. «Questi argomenti fanno male al mio stomaco. Parliamo d'altro».

«E di cosa vuoi parlare?».

L'imperatore lasciò che il suo sguardo vagasse alle spalle dell'amico. «Parlami di lui. Del mio più grande nemico».

Piacenza, Marca lombarda, sponda meridionale del fiume Lambro, luglio 1212 d.C.

Ti eri ritirato nella tua tenda. Non volevi vedere nessuno. Avevi passato la notte insonne. Eri furioso.

Quando entrai, unico ammesso ai tuoi alloggi senza dover mai chiedere il permesso, ti trovai seduto sul materasso e circondato dai tuoi solerti medici.

L'ennesimo agguato ci aveva colti ormai non più di sorpresa, mentre stavamo districandoci tra le città della Padania come un esploratore in una giungla: come lui spera che il suo odore non venga percepito dai predatori, noi speravamo che il nostro non venisse colto dagli alleati di Ottone. Non pensavi davvero, quando salpasti da Messina con quattro navi e cinquecento uomini, che sarebbe stato così lungo e periglioso arrivare in Germania. La tua Germania. La Germania che non avevi mai visto ma che speravi ti accogliesse come sovrano. Gli emissari di Ottone, in qualche modo, sapevano di tutti i tuoi spostamenti. Le decisioni che prendevi la sera prima nella tua tenda trasformata in un quartier generale di fortuna arrivavano subito alle orecchie del nemico, e questo poteva significare solo una cosa: eravamo accompagnati da spie. Per questo i tuoi nemici erano sempre appostati in punti strategici del nostro cammino, e l'ultima volta avevano abbattuto una mezza dozzina di cavalieri della tua scorta. Usavano una tattica mordi e fuggi. Il loro obiettivo non era quello di affrontarti e sconfiggerti in battaglia, volevano solo ritardare la tua marcia in modo che Ottone arrivasse in Germania prima di te. La corona aspettava il primo che fosse riuscito ad afferrarla, non il migliore.

In ogni caso, nonostante fosse stato di lieve entità, l'ultimo scontro ti aveva irritato molto. E anche questo faceva parte dei piani dei tuoi avversari. Colpire, rallentare, decimare, destabilizzare, fuggire.

Eri stato colpito di striscio da una scheggia di pietra. Poco sangue per una ferita superficiale, che i tuoi medici stavano trattando come fosse l'amputazione di un braccio.

Ma non era l'agguato che ti aveva precipitato nel malumore.

Mi ricordo che alzasti gli occhi non appena entrai e con un cenno perentorio ordinasti a tutti di andarsene. Restammo soli nella tua tenda. Fuori, nonostante fossimo all'inizio dell'estate, era così umido da costringere gli *immunes* a circondare le scorte di acqua di piccoli fuochi per impedire che di notte ghiacciasse. Non era il clima della tua Sicilia. Era il clima che portava alla Germania, che ancora non era tua. E la cosa non ti piaceva.

«Continua a giocare sporco, quel figlio di puttana», imprecasti stringendo le palpebre. Un giovane leone tutt'altro che impaurito ma colmo di ira.

«Vi state giocando la stessa posta in palio», commentai io aprendo le braccia. «Dovevi aspettartelo».

«E invece no», esclamasti alzandoti di scatto dal letto. «Io non l'ho fatto e non lo farei».

«Non l'hai fatto solo perché non hai nemmeno gli uomini sufficienti per affrontare una battaglia. Se non fosse per i cavalieri sopravvissuti all'epidemia che ti ha portato in dote tua moglie, ora saremmo in due a fare questo viaggio».

«Sciocchezze! Il papa è con me, il Nord è con me, la Germania è con me! Non ho bisogno di altri soldati!».

Io annuii, poco convinto. Ma era importante che tu credessi in quello che dicevi. Una spinta che, a diciotto anni nemmeno compiuti, ti stava portando al più ambito traguardo che un uomo di questo tempo possa sperare di raggiungere: la corona di imperatore.

Eri stato proclamato re da piccolissimo, ma il Regno di Sicilia era assai lontano da quella Germania che aveva dato i natali alla stirpe degli Hohenstaufen, la tua stirpe. Con la quale però avevi in comune poco o niente. La tua terra era il sud dell'Italia, dove eri nato e cresciuto, eppure qualcosa ti attirava là, in quella terra che aveva eletto re Filippo, il fratello di tuo padre, dimenticandosi di te. Tuttavia, quando si era trattato di scegliere qualcuno che recasse meno problemi di tuo zio all'Inghilterra e al papa, tutti gli occhi non si erano diretti su di te come presumevano in molti, ma sul sassone Ottone di Brunswick, che era stato frettolosamente incoronato a Roma da colui che, a giudicare dalle parole della tua defunta madre, avrebbe dovuto essere tuo amico e che invece si era rivelato, come tutti i preti, un grande opportunista. Per Innocenzo III, Ottone rappresentava una sicurezza. Il nuovo imperatore gli aveva promesso che non avrebbe mai riunificato l'impero con i regni del sud, che la cosa non gli passava nemmeno per l'anticamera del cervello.

Ma chi di spada ferisce, di spada perisce e il papa si era ritrovato a gareggiare con un bugiardo più bugiardo di lui, e alla fine il suo avversario aveva vinto.

Appena incoronato, Ottone aveva cambiato radicalmente la sua politica. Aveva disconosciuto i diritti della Chiesa sulle marche dell'Italia centrale ed era riuscito ad attirare il consenso di molti di coloro che fino al giorno prima si erano inginocchiati per baciare il sacro anello.

Mentre guardavo i tuoi occhi iniettati di furia adolescenziale, pensavo che solo un anno prima la tua situazione sembrava disperata. Eppure adesso eravamo lì a discutere di un agguato lungo la strada che ci stava portando a sfidare un uomo molto più vecchio di te, molto più potente e, fino a pochi mesi prima, molto più furbo. Già, perché la sua mossa sbagliata alla fine l'aveva fatta anche Ottone.

L'esercito del tuo rivale era arrivato fino alla Sicilia ed era sul punto di varcare lo stretto, di fronte a un'opposizione militare pressoché nulla. I pochi soldati a tua disposizione, i superstiti della cavalleria aragonese, erano quasi tutti morti per una inarrestabile forma di dissenteria e a difendere il tuo piccolo regno eravamo rimasti solo noi saraceni e qualche signorotto, che non aveva più nulla da perdere sapendo che, chiunque avesse vinto, le sue terre sarebbero state prima o poi soggiogate al potere dell'impero. Tanto valeva ingraziarsi uno dei due pretendenti. Meglio se quello più vicino.

A metterci lo zampino fu allora il re di Francia che, inaspettatamente, scese in campo contro Ottone. I francesi non avevano mai visto di buon occhio le mire espansionistiche dell'imperatore sassone, ma fino a quel momento non avevano mosso foglia. Fino a quel momento. Il più opportuno.

Il re di Francia cominciò una vasta campagna di persuasione nei confronti dei principi tedeschi vicini alla dinastia sveva, con tutti i mezzi possibili. Soprattutto con il denaro, naturalmente, che pare essere lo strumento più convincente del mondo in certi frangenti, per voi occidentali. Così, dalla Germania arrivò ai confini della Sicilia la notizia che in molti avrebbero offerto a te la corona di imperatore. Un'onda lunga di consenso che non risparmiò i signorotti di molte delle città del nord dell'Italia che alla fine, giocando sul fatto che Ottone era lontano, si ribellarono.

E fu allora che egli fece la sua mossa sbagliata.

Invece di finire quello che aveva cominciato, di fronte a un nemico alle corde e privo di difese, decise di fermarsi, di invertire il cammino e di tornare a nord per sedare le rivolte.

Sfumata la minaccia di Ottone, decidesti di lasciare la Sicilia e di imbarcarti nella tua prima follia.

«Non andare. Cosa speri di ottenere con questo gesto dissennato? Se porterai con te tutti i tuoi soldati, non avremo nemmeno gli uomini per fare la ronda notturna sulle torri del palazzo reale».

Così ti aveva parlato tua moglie Costanza, il giorno in cui le annunciasti la decisione di partire. Io ero lì anche quella volta, defilato, lontano dal centro della sala del trono dove avvenne la discussione. Ma sufficientemente vicino per ascoltarla.

In verità ero capitato da quelle parti per caso, come sempre. Nonostante mi avessi accompagnato più volte per farmi imparare la strada, senza la mappa che avevo disegnato io stesso su un pezzo di pelle di capra, che portavo sempre con me, raramente trovavo la giusta via per la sala del trono dove passavi gran parte delle tue giornate a sbrigare udienze. Ti confesso che la cosa mi faceva un po' ingelosire. Fino a qualche anno prima passavamo la maggior parte del tempo insieme a vagare per i vicoli di Palermo, e adesso mi ritrovavo da solo a osservarti mentre facevi davvero il re. All'interno del palazzo eri però al sicuro, e io mi preoccupavo più di controllare il lavoro delle guardie sulle mura e all'intero delle torri. Anche se controllare è un verbo inappropriato: allora ero un ragazzino come te, ed ero il capo della tua guardia del corpo solo nella tua mente. I fatti importanti che lo determinarono ufficialmente avvennero qualche tempo dopo, e invero prima di quanto avrei immaginato.

Ma torniamo a quella mattina. E torniamo all'impressione che mi faceva ogni volta entrare in quella grande sala. Il tuo palazzo, cioè quello che avevi ereditato dalla tua famiglia, era stato costruito nel punto più alto della città, all'interno del quartiere del Cassaro. Ancora oggi si potrebbe definire un castello, se ci limitassimo a guardarne la posizione ai confini della città o la cinta muraria punteggiata da torri. Invece la cosa che mi aveva subito colpito della tua grande casa reale era stata la concezione degli interni. Passare da un quartiere arabo a una dimora normanna non poteva essere cosa facile per uno come me, abituato a dormire nelle stalle, a oziare in mezzo alle capre e a mangiare in cunicoli squadrati. Eppure, il palazzo reale dove volevi ospitarmi mi ricordava tantissimo il mio quartiere. Lasciamo stare l'enormità dei suoi ambienti: per disegnare la mia mappa avevo dovuto individuare simboli diversi per officine, padiglioni, cortili, aule, giardini. Un vero e proprio labirinto che, quando eravamo più piccoli, ci divertivamo a percorrere sfidandoci a partire dalla cappella palatina, che pulsava di marmi e mosaici al suo cuore.

Mi sentivo a casa in quel posto così come, a distanza di tanti anni, mi ci sento ancora. Un palazzo che mi ricorda ogni giorno il luccichio della sabbia del deserto egiziano, con la sua descrizione volumetrica azzardata eppure così lineare, tanto da far dire a chiunque lo visiti che non sarebbe possibile distribuire gli spazi in modo diverso da quello che si osserva. Le planimetrie, i sistemi di ventilazione e quelli dell'acqua sembrano suggeriti dagli architetti delle antiche dinastie islamiche. La grande sala del trono non poteva allontanarsi da quel modo di credere l'*urbs regia*. E anche se non era ancora quel catino di conoscenza, sogni arditi e magia che sarebbe diventata negli anni a venire, sembrava ai miei occhi già predisposta a esserlo. Come se attraverso i suoi capitelli scolpiti nei marmi greci, i suoi mosaici dipinti nei pigmenti indiani e i suoi lampadari forgiati nel bronzo italico gridasse ogni volta sommessamente "venite, o genti, qui si discute del mondo che verrà".

E invece quella mattina si discuteva solo di un viaggio. Il tuo. Che tua moglie non approvava affatto.

«Allora? Cosa mi rispondi?», sentii chiedere ancora alla donna.

Tu la guardasti senza rispondere subito. Un ragazzino di fronte a una donna che avrebbe perfino potuto essere sua madre. Presto i rapporti di forza si sarebbero capovolti, ma quel giorno il braccio di ferro che si palesò davanti ai miei occhi era ad armi pari.

«Devo anticipare le mosse di Ottone. Non avrò più un'occasione come questa», rispondesti.

«Occasione per cosa? Pensi davvero di poter contendere la corona a un uomo scaltro, navigato e potente come Ottone?». Costanza scuoteva il capo mentre parlava. Il velo di seta bianca che le copriva la nuca scendendo fino alla schiena danzava, filtrando la luce del sole che passava attraverso le alte bifore.

«Ma non capisci? Avrebbe potuto affondare il colpo arrivando fin sotto le mura di questo palazzo, e nulla avrei potuto fare a quel punto, se non arrendermi». Ti fermasti per deglutire. Come farebbe un ragazzo convinto di essere nel giusto di fronte a un genitore che vuole punirlo. «Ma non lo ha fatto. È tornato indietro. E questo non può che essere un segno».

Costanza allargò le braccia. Ti voltò le spalle. «Un segno. Tu e i tuoi segni. I tuoi amici ti stanno riempiendo la testa di stupidaggini che prima o poi ti faranno diventare un miscredente». A quel punto si guardò intorno socchiudendo gli occhi. «A cominciare da quel musulmano che ti sta sempre dietro».

Mi ritrassi, pensando che mi avesse visto, ma poi ricordai che faceva sempre così quando si trattava di parlare di me. Non le stavo particolarmente simpatico. E la cosa era strana, perché invece a me lei piaceva. Anche se ammetto che non avevo fatto molto, per farglielo capire.

«Costanza, di questo non ho intenzione di discutere. Partirò entro due giorni e porterò con me tutti gli uomini abili al viaggio».

Avevi detto quelle parole tutte d'un fiato, e credo che quello sia stato il giorno della svolta. Ma non nei rapporti con tua moglie: nei confronti del mondo che ti circondava. Quel giorno afferrasti con impeto la consapevolezza di essere un re. E per quanto fossero importanti i consigli di chi ti stava intorno, fosse anche una consorte di rango, le decisioni importanti spettavano a te e solo a te.

Costanza se ne accorse. Le donne si accorgono sempre di tutto. Lo lessi nel suo sguardo quando si voltò a guardarti.

«Se questo è il tuo volere, mio re, non posso che prenderne atto e inchinarmi», disse mimando una riverenza forzata. «Come sempre, starò qui ad attendere il tuo ritorno», disse allontanandosi. Ma mentre passava sotto l'arcata che portava al chiostro, aggiunse: «Semmai stavolta tornerai tutto intero».

Mentre ti osservavo in silenzio in quella tenda da campo, quelle ultime parole di tua moglie mi tornarono alla mente. Ce la stavano mettendo tutta per non farti tornare a casa tutto intero, e non eravamo nemmeno a metà del viaggio. Ma tu sembravi intenzionato a non recedere neanche di un passo. Chiunque altro, nelle tue condizioni, dopo il terzo attentato alla sua vita, avrebbe fatto voltare il cavallo e si sarebbe accontentato di arroccarsi sulle posizioni conquistate.

«A proposito», mi dicesti a bassa voce. «Grazie».

Io annuii sorridendo. «Sono il capo della tua guardia del corpo, non dimenticarlo».

Tu alzasti la testa, e per la prima volta in quella giornata di merda, sorridesti. «A quanto pare, sei *tutta* la mia guardia del corpo».

«Ce la siamo semplicemente cavata bene. Come ogni volta», risposi, dicendo cose in cui non credevo. In realtà alcuni dei tuoi soldati, di fronte al pericolo, ti avevano abbandonato. E accadeva ogni volta che ci aggredivano. Goccia dopo goccia, il tuo esercito, quello con cui eri partito e che in diverse tappe era stato rimpinguato dai tuoi alleati – pontefice in primis – si stava prosciugando.

«Forse stavolta», rispose il re, «ma quel giorno al passo appenninico non fu una passeggiata».

Tiravi in ballo ogni volta quell'episodio, e io sapevo il perché.

Ricordo che avevamo appena affrontato la strada che ci stava portando al passo. Avanzavamo in colonna. I soldati più armati ed equipaggiati in testa, noi due al centro, attorniati dagli armigeri che ci aveva consegnato il papa quando avevamo lasciato Roma, e in coda il resto dei soldati, in accompagno dei vettovagliamenti. Le prime pietre cominciarono a cadere quando avevamo affrontato la prima salita. Gli uomini che avevano preparato l'agguato sapevano che in pendenza sarebbe stato più difficile per i cavalli arretrare, e così avevano aspettato di poter colpire le retrovie in modo che fossimo costretti ad avanzare.

E così fu. La colonna, dopo la prima pioggia di sassi che azzoppò un carro e uccise due cavalli, accelerò il passo e si trovò proprio dove la strada saliva ancora ma restringendosi. Da una parte la parete di roccia, dall'altra lo strapiombo.

Per evitare la seconda salva di pietre, ordinai ai cavalieri in testa di stringersi verso l'interno. Ma non prima che almeno una dozzina di loro fossero centrati dai proiettili che cadevano dall'alto, ormai senza soluzione di continuità.

«Non vi muovete!», urlai alla guardia papalina. «Serrate i ranghi attorno al re! Il primo che disobbedisce, gli mozzo la testa con le mie mani!». Poi mi staccai dal serpentone umano, e riuscendo a evitare a malapena un paio di grossi sassi, che finirono solo per caso a una spanna dalle zampe del mio cavallo, arrivai in testa.

«I tiratori con me!», gridai ancora, cercando di sovrastare il fragore della pietra che esplodeva sul terreno intorno a noi. Venti uomini mi seguirono.

«Guardate l'amico del re!», sentii esclamare alle mie spalle. «Se la batte!».

«Figlio di puttana di un saraceno!», rincarò un'altra voce. «C'era da aspettarselo!».

Mi voltai solo un momento per cercare di capire chi avesse osato parlare, ma la polvere che si stava alzando per colpa del bombardamento troncava la vista a una pertica di distanza dal mio cavallo. In quel frangente sperai solo che tu non stessi credendo a quelle infami calunnie. Perché la mia intenzione era tutt'altro che scappare.

Con gli arcieri che avevo scelto, proseguii per un centinaio di metri, in modo da allontanarmi dal luogo dell'agguato. Poi ordinai a tutti di lasciare i cavalli. Non c'era il tempo per legarli da qualche parte, ma il rischio che scappassero si poteva anche correre. E poi, se i nostri nemici avessero visto alcuni cavalli scossi avrebbero potuto credere in una nostra completa disfatta, e questo mi faceva gioco.

Proseguimmo a piedi fino a quando non vidi un punto scalabile sulla parete di roccia. Avevo scalato troppi palazzi, inseguito dalle tue guardie, per avere paura di una parete calcarea. Così cominciai ad arrampicarmi, sincerandomi che gli altri mi seguissero. Continuavo a sentire in lontananza il rumore della battaglia. Il nitrito dei cavalli, le grida dei soldati che erano rimasti con te, il boato delle pietre che si schiantavano, lo schiocco del legno che cedeva. Un concerto che si stava pericolosamente affievolendo.

Arrivai in cima alla parete di roccia e finalmente li vidi. Erano di spalle, e non si erano accorti di noi. Una trentina di uomini in armatura leggera, che si passavano i sassi fino a quando questi non arrivavano a quelli piazzati strategicamente per lanciarli di sotto. A giudicare dai colori e dalla foggia degli elmi, si trattava di soldati appartenenti alle fazioni che solo qualche giorno prima ti avevano giurato fedeltà.

Sputai a terra e alzai il braccio destro. Gli arcieri mi seguirono, disponendosi su una lunga fila orizzontale.

«Incoccate», sussurrai. E loro obbedirono, producendo il rumore silente di una biscia che striscia. Poi, invece di dare l'ordine, mi alzai.

«Grazie dell'accoglienza, ma adesso può anche bastare!», esclamai, nella sorpresa generale dei miei uomini.

I nostri nemici si voltarono dalla nostra parte e io mi nutrii con piacere delle espressioni di stupore che si andavano dipingendo sui loro volti. Li guardai uno a uno, negli occhi. Riconobbi gli sguardi di molti, che erano stati ospiti ai nostri numerosi banchetti di benvenuto o che avevano formato i picchetti di accoglienza.

Quello che doveva essere il loro capo ci contò sommariamente. Calcolò l'equilibrio dei numeri e la distanza. Le loro spade e le loro picche avrebbero impiegato preziosi secondi per raggiungerci, mentre le nostre frecce ci avrebbero messo un attimo. Nonostante fossimo di meno di loro, la differenza di equipaggiamento giocava a nostro favore, poiché prima che fossero arrivati alla giusta distanza per un corpo a corpo li avremmo decimati.

«Non considerarla come una cosa personale. Stiamo eseguendo solo degli ordini», disse infine.

«La vigliaccheria è sempre una cosa personale», risposi.

Non mi interessava affatto intavolare una discussione con quella feccia, ma avevo ottenuto il mio primo risultato: avevano smesso di tirare le pietre di sotto, sciogliendovi dal momentaneo assedio.

Per tutta risposta, il capo dei nostri avversari ordinò ai suoi uomini di far cadere a terra le armi. «Ti basta come commento alla tua osservazione?»

«È il minimo, nella situazione in cui vi trovate».

Il mio interlocutore aveva annuito e poi si era guardato intorno. «Vi avevamo sottovalutati. Non pensavamo che gente abituata ogni mattina a fare il bagno con le capre sapesse anche districarsi bene in mezzo alle montagne». Si riferiva al colore della mia pelle. Ma di insulti simili ne avevo sentiti a centinaia per le vie di Palermo, e dunque mi limitai a riderci sopra.

Guardai a destra e a sinistra, gli arcieri continuavano a tenere sotto tiro i tuoi sicari.

«Non amo molto fare il bagno, anche se devo ammettere che l'acqua delle coste siciliane è limpida come il cielo senza nuvole», gli avevo risposto. «Quanto al vostro giudizio, ti confesso che viaggiamo da settimane sulle ali delle vostre sottovalutazioni. Sono la nostra linfa».

L'altro chinò la testa e aprì le braccia. «Ce ne ricorderemo. Ciò che è successo oggi non si ripeterà più».

«Lo sai quanto possono valere le tue promesse, in questo momento? Le tue e tutte quelle di coloro che ti hanno preceduto?»

«Che vuoi dire?»

«Voglio dire che il re ne ha piene le scatole di fermarsi per scrollarsi di dosso pidocchi come voi».

L'altro sgranò gli occhi nel momento in cui io alzai il braccio. Li richiuse, come tutti i suoi soldati, quando le frecce li raggiunsero.

Caddero quasi tutti alla prima salva. Gli altri tentarono di fuggire, ma vennero raggiunti alle spalle. Alla fine, non ne rimase vivo nessuno. Quella storia di lasciarne almeno uno che possa andare a raccontare ai suoi mandanti della fine che hanno fatto i suoi compagni è una stronzata. Se li ammazzi tutti, il problema è risolto. E che gli altri si cerchino da soli la risposta a tutte le loro domande.

Per tornare da te scelsi una strada meno impervia. Ci misi più tempo, ma ormai il problema era stato risolto. Eppure, quando arrivai di sotto ti ritrovai da solo. Eri sceso da cavallo e ti eri seduto sul predellino di uno dei carri superstiti. Intorno a te, tanti cavalli morti e tanti cadaveri, ma non corrispondevano al numero dei soldati con cui ti avevo lasciato. Di quelli ne erano rimasti una manciata. Gli altri si erano dati alla fuga.

Ci scambiammo un'occhiata complice. Tu contento di rivedermi vivo, io contento di averti salvato ancora una volta la vita, come era successo spesso nei vicoli di Palermo, quando avevamo affrontato le bande rivali.

«Che se ne ritornino dal papa», dicesti allora tu. «Ho bisogno di soldati e non di eunuchi. Quelli stanno bene a Roma».

Scoppiai in una fragorosa risata.

E il nostro viaggio riprese. Eravamo sempre di meno. E stavolta erano stati gli uomini del papa a fuggire. Il tuo protettore, il tuo mentore, colui che aveva promesso di sostenerti dopo la morte di tua madre ti aveva regalato degli imbelli che se l'erano data a gambe alla prima occasione. E quello che ti dava fastidio non era il fatto che fossero fuggiti, ma che il papa lo sapesse e che, anzi, fosse un suo preciso ordine quello di lasciarti al tuo destino alla prima occasione possibile.

Stavi collezionando una schiera di tradimenti di proporzioni incredibili, eppure la corrente del fiume continuava a trascinarti verso la tua meta. Come se a quel punto si trattasse di una sfida tra uomini e dèi, dove gli dèi avevano deciso di schierarsi dalla tua parte.

Florentium, Capitanata, Apulia Normanna, dicembre 1250 d.C.

«Pensavo che li avessi risparmiati», disse Federico con una certa sorpresa. «Anche io sono dell'idea che serva qualcuno che torni indietro, per raccontare delle sberle che ha preso e per convincere gli altri a non ripetere l'esperienza».

«Sì, lo so che voi cristiani siete quelli dell'altra guancia. Noi musulmani preferiamo risolvere i problemi alla radice. E poi, a quale scopo avrei dovuto farlo? Per ritrovarci un'altra volta in pericolo? Sarebbero tornati dalle loro parti per smaltire la paura, ma in capo a pochi giorni avrebbero ripreso le armi e avrebbero ricominciato a darci la caccia. Magari con altri farabutti a rimpinguarne le fila. Almeno gli ho reso il lavoro più difficile». Addid parlò tutto d'un fiato. D'istinto.

Federico provò a ridere ma non ci riuscì. «Vorrei mettermi a letto. Chiama qualcuno in modo che ti aiuti».

«Ma se poi...», il soldato saraceno indicò la sedia su cui stava scaricando feci da quando era entrato.

«Ne ho fatta talmente tanta che non saprei proprio quanta altra farne. E mi sento piuttosto debole. Ho paura di cadere. Mi gira la testa».

«Va bene», disse l'altro dirigendomi verso la porta. La aprì e si ritrovò di fronte una mezza dozzina di frati che stavano sgranando il rosario. Probabilmente avevano ascoltato tutto quello che avevano detto fino a quel momento, ma poco importava. Non ci fu bisogno di dire nulla. Bastò lo sguardo del soldato per spingerli a cercare un capsario.

Il frate che aveva lasciato Addid da solo nella camera da letto di Federico riapparve da uno dei corridoi e si avvicinò di gran lena.

«Vuole distendersi», gli disse l'amico dell'imperatore.

«Il suo medico ha detto che deve bere molto e deve ripulire l'intestino dal veleno che ha ancora in corpo».

«Non sono un medico e non voglio mettere in dubbio la sua diagnosi, ma l'imperatore si sta indebolendo di minuto in minuto. Non credo che gli faccia bene stare seduto su quella sedia a defecare di continuo».

Il frate soppesò le parole ricevute. «Potrebbe farne ancora tra le lenzuola. E questo sarebbe deplorevole».

«Deplorevole? L'imperatore sta male e voi dite che tutto questo è semplicemente... deplorevole? Dov'è il suo medico? Mi ha scritto lui di affrettarmi. Perché devo parlare con un frate della salute dell'imperatore?».

Il monaco si accigliò. «Il suo medico è stato con l'imperatore per tutto il tempo dei soccorsi. Non ha mangiato né bevuto per un giorno e una notte per poterlo assistere nelle concitate ore successive all'incidente. Adesso riposa esausto in una delle stanze del castello». Dopo il rimprovero, si limitò semplicemente ad alzare le spalle, come a mettere un punto dopo una frase appena scritta. Fece aspettare Addid fuori dalla stanza per un tempo che mi parve interminabile e poi, finalmente, riaprì l'uscio della camera da letto.

Quando Addid rientrò si accorse di molte cose. Cose che, quando era arrivato, i suoi occhi gli avevano nascosto e la sua testa aveva ignorato. Cose che, all'approssimarsi dell'alba, apparivano invece nitide e terribili.

Federico stava peggiorando. Lentamente. Disteso sul suo letto, un semplice lenzuolo bianco adagiato a segnare le sue forme ormai prosciugate dal dolore e dalla fatica. Gli occhi infossati e rossi. Le labbra violacee che desideravano acqua più di quanto il suo corpo ormai potesse sopportarne. Il fatto che continuasse a sostenere un dialogo con lui non doveva ingannarlo.

Addid si fermò istintivamente davanti alla porta, incerto a quel punto se entrare di nuovo o farne a meno.

«Che ti succede, amico mio?», chiese allora l'imperatore. «Da quando hai paura degli spettri?».

Il soldato musulmano osservò l'amico e si accorse che la sua figura diventava opaca e indistinta. Ma non per colpa dei bracieri che eruttavano nebbia calda e profumata, non per colpa delle innumerevoli candele che gettavano le loro insulse fiammelle contro il soffitto. Il velo delle lacrime poteva molto di più.

«Mi stavi raccontando una bella storia. La storia di un ragazzino e di un uomo che sfidarono da soli un imperatore e un Dio», continuò Federico. «Non vuoi continuare? Magari mi aiuterebbe a prendere sonno».

Addid soppesò quelle parole e poi annuì. Fece un paio di passi all'interno della camera da letto del sovrano e quando egli batté piano la mano ossuta sul materasso, gli si sedette accanto, come se il letto fosse imbottito di uova. «Forse dovresti davvero dormire. Forse potremmo continuare… domani», aggiunse reprimendo un singhiozzo.

«Certamente. Mi racconterai anche domani. Ma adesso voglio che tu finisca di raccontarmi l'ultima storia. Lo sappiamo entrambi che non terminò con quell'agguato e io», l'imperatore tentò di sorridere, «io sono curioso di sapere come andò a finire».

Addid fissò il vuoto. «Hai ragione. Non finì quel giorno. Anzi, fu solo un nuovo inizio».

Piacenza, Marca lombarda, sponda occidentale del fiume Lambro, luglio 1212 d.C.

Nella tua tenda entrò uno dei tuoi attendenti.

«Maestà», disse con tono neutro. «Sono arrivati».

Tu alzasti gli occhi lasciando che il mento continuasse a puntare a terra. «Quando potrò tornare a dormire per una notte intera?», mi chiedesti sbuffando.

Per sfuggire ai continui agguati dovevi muoverti il più rapidamente possibile e non dare al nemico punti di riferimento stabili. Mentre Ottone avanzava in modo lineare, sicuro di non dover temere alcuna trappola, tu eri costretto a spostarti temendo perfino la tua ombra.

Uscisti dalla tenda gettandoti alle spalle la benda che i tuoi medici ti avevano avvolto troppo frettolosamente sulla ferita alla testa. Io ti seguii.

Era ancora buio.

Ad attenderti fuori c'erano tre cavalieri, che cercavano di domare il nervosismo di altrettanti cavalli dal pelo scuro e pettinato. Elmi da fanteria, giustacuore rinforzato di cuoio martellato, calzamaglia dentro alti stivali cuciti a mano, mazza turca alla cintola, picca a uncino. Sugli scudi i simboli pavesi della scorta promessa.

«Maestà», proferì uno dei cavalieri, «abbiamo ricevuto l'ordine di condurvi dall'altra parte del fiume Lambro».

«Quanti siete?», chiedesti tu.

«Cinquanta», disse il tuo interlocutore, perfino soddisfatto di rivelare quell'esiguo numero.

«Cinquanta», ripetesti tu osservandoli con una sorta di velato rammarico nello sguardo. I pavesi, un po' come i cremonesi che ci aspettavano dall'altra parte del fiume per la staffetta, erano piuttosto ricchi e la loro opulenza si notava anche dalle scelte dei materiali che componevano le armature: erano fatte per fare bella figura con le dame, ma poco pratiche ed efficienti nel corso di una vera battaglia. Perfino le guardie pontificie che ancora ci seguivano sembravano, al confronto, dei temibili templari. L'unica cosa che ci consolava era il fatto che anche i nostri nemici, i comuni milanesi, erano soliti agghindarsi allo stesso modo. Dunque la guerra tra damigelle si poteva combattere ad armi pari.

«Guaderemo il fiume in modo da entrare nei possedimenti cremonesi, dove ci attendono i nostri alleati. Vi prego di non chiederci dove e come varcheremo il fiume, ma di fidarvi di noi. Il segreto spesso è un'arma migliore di una balestra».

«Va bene», concedesti incorniciando la battuta con un sospiro, «muoviamoci. Vorrei arrivare all'appuntamento prima che faccia pienamente giorno».

Ordinai di levare le tende, di caricare i carri e di disegnare una colonna ordinata. Poi, finalmente, il viaggio verso la Germania riprese.

Alle prime luci dell'alba raggiungemmo il fiume.

«Il ponte per l'attraversamento dovrebbe essere poco più a nord», dissi dopo aver consultato la mappa. Trottavo di fianco al tuo cavallo, in testa al gruppo, mentre la scorta pavese ci precedeva a breve distanza lasciando che fossero i tuoi cavalieri aragonesi e i pochi papalini rimasti a occuparsi di sorvegliare le vettovaglie. «Ma non ho idea di quello che i nostri compagni di viaggio vogliano fare. Forse conoscono un'altra strada».

E infatti i cavalieri pavesi, con nostro disappunto, deviarono a sud andando incontro alla corrente.

Gli zoccoli rumoreggiarono sui ciottoli che annunciavano il greto del fiume e le ruote dei carri stentarono a seguirli.

Finalmente, dall'altra parte del fiume, scorgemmo soldati a cavallo. Erano disposti su una lunga fila e ostentavano vessilli amici.

«Ecco i cremonesi», mi ricordo che commentai io divertito, «puntuali come il mestruo di una donna».

«Già», facesti tu, «ma a giudicare dal numero non si sono sforzati più di tanto nel mostrarsi entusiasti di aiutarmi».

«Verrà un tempo in cui ti pregheranno di accoglierli come alleati».

«Forse. Ma pare che quel tempo sia ancora di là da venire. E il fiume va attraversato entro la mattinata».

Stavi rapidamente passando dall'adolescenza alla giovinezza. Non in modo naturale, come avrebbero fatto i tuoi coetanei. Il tuo ruolo soverchiante, gli accadimenti, il fato e gli intrecci della storia ti stavano spingendo avanti con furia e tu non potevi fare altro che cavalcare l'onda. Ogni tentativo di resistenza ti avrebbe disarcionato dal destino che stavi faticosamente cavalcando. Ciò che non ti mancava però era il pragmatismo, che avresti affinato ancora di più con la maturità. Era come se lo spettacolo del mondo, che si inchinava lentamente ma inesorabilmente ai tuoi piedi, fosse per te qualcosa di fisiologico. Non sapevi ancora come affrontarlo, ma te lo aspettavi, e questo ti rendeva già freddo e determinato agli occhi di chi ti circondava. Il peldicarota che avevo conosciuto nei vicoli di Palermo se ne stava lentamente andando, lasciando al suo posto un re che presto sarebbe diventato qualcosa di ancora più importante.

I cremonesi già ci facevano segno dall'altra parte del fiume. Sventolavano i vessilli, agitavano le spade. E tu rispondesti laconicamente alzando la mano con un gesto di dovuto saluto.

Proprio nel momento in cui ci raggiunsero le prime frecce.

Quasi la metà dei cavalli pavesi crollarono a terra sotto il peso dei loro cavalieri, prima che ci rendessimo conto di cosa stesse accadendo.

«Un agguato!», strillai io sfoderando la mia scimitarra musulmana. «E per fortuna che il luogo dell'incontro doveva essere segreto».

La nostra scorta arretrò per fare quadrato attorno alla tua persona, mentre i cavalieri papalini dovevano ancora capire dove si trovassero.

Mi resi subito conto che eravamo circondati. A sud stava

avanzando una carica di cavalieri, mentre da nord ci stavano bersagliando con archi e balestre nascosti nella boscaglia irraggiungibile dalle nostre spade.

Contai rapidamente gli elmi nemici. «Solo quelli che vengono da sud sono almeno tre volte il nostro numero», imprecai, «e considerando anche quelli già morti o appiedati», aggiunsi scalciando un idiota pavese che vagava in mezzo alle gambe del mio cavallo con l'elmo incassato sulla testa per colpa della caduta da cavallo.

«Maestà, state tranquillo. Vi difenderemo fino alla morte», disse il comandante della scorta pavese.

«Peccato che il re non abbia alcuna intenzione di morire qui», esclamai io spuntando a terra. «Fate luogo», ordinai facendomi strada tra i cavalli che ti circondavano. Quanto ti raggiunsi notai un misto di furia, orgoglio e disappunto nel tuo sguardo, ma non paura. Quella, nei tuoi occhi non l'avrei mai vista per tutta la mia vita. «Federico», dissi allora cercando di non farmi sentire troppo intorno, «non puoi restare qui ad aspettare lo scontro. Loro vogliono proprio questo».

Tu mi ascoltasti e poi annuisti con decisione. «Andiamo allora», dicesti rinfoderando la spada.

«No. Andrai da solo. Io resterò qui per fare argine. Se questi damerini li lascio da soli, c'è anche il pericolo che passino al nemico».

«Ma non hai alcuna possibilità. Sono troppi».

«Non ho detto che voglio vincere la battaglia. Ho detto che devo permetterti di fuggire dall'altra parte del fiume. Al resto penserò quando tu sarai in salvo».

«Ahmed, io qui non ti lascio».

«Sono costretto a insistere, maestà. A meno che tu non voglia sollevarmi dall'incarico di capo della tua guardia personale. In tal caso…». Mi guardai intorno. Gli scudi che ti difendevano sembravano puntaspilli.

«Ma no, certo che no, amico mio».

«E allora vai. E fallo subito. O questa bella chiacchierata sarà inutile come le lamentele di una suocera».

Tu tirasti le redini del tuo cavallo. «Riesci sempre a farmi ridere. Anche nelle situazioni peggiori, figlio di puttana che non sei altro».

«È un piacere», risposi io con un accenno di inchino. Poi sollevai il capo. «Fate passare il re! Forza, razza di contadini rubati alle fosse comuni!».

I cavalieri pavesi obbedirono incerti. Fui costretto a sculacciare molti cavalli per affrettare i tempi. I milanesi erano sempre più vicini e le frecce continuavano a decimarci.

Poi tu emergesti dalla selva di zampe e criniere e il tuo cavallo si gettò nel fiume.

Non era il punto che avevamo scelto per guadarlo, e l'acqua era molto alta. Il peso della tua armatura, dei finimenti e della sella portò subito giù l'animale, costringendoti a una manovra complicata per non essere disarcionato. L'animale aveva paura e si muoveva a scatti, più per tentare di non affogare che per portarti sull'altra riva.

Nel frattempo, io rimasi indietro per governare quel branco di pastori prestati alle alabarde che i pavesi ci avevano gentilmente concesso per far coppia con quei fenomeni dei soldati papalini. Gli uni e gli altri, a giudicare da quello che stava succedendo dalle mie parti mentre tu cercavi di scappare all'agguato, dimostravano di essere pronti alla battaglia come un cavallo a un ballo di corte.

«Vieni con me! Che aspetti?», mi gridasti mentre annaspavi in mezzo all'acqua.

«Non posso», ti risposi io menando l'ennesimo fendente alla cieca. «Hai bisogno di tempo o non riuscirai ad arrivare dall'altra parte».

«Ci penseranno loro», rispondesti indicando i pochi pavesi che ancora avevano voglia ma soprattutto coraggio di pugnare.

Mi tentasti. Ma sapevo che se avessi lasciato i pavesi a loro stessi, nel migliore dei casi sarebbero fuggiti via, e nel peggiore avrebbero fatto comunella con i loro nemici contro di noi. Dunque scossi la testa e ti esortai a continuare. Ero sicuro che avrei rimesso la pelle, perché la differenza di numeri a nostro sfavore era soverchiante, ma dovevo permetterti di ricongiungerti con i cremonesi. Dovevo darti un'altra possibilità di coronare il tuo sogno. Perché non ne avresti avute ulteriori.

Ma alla fine fu il destino a permettermi di scegliere nel modo migliore.

Mentre combattevo sulla riva del fiume, riuscivo a tratti a seguire i tuoi movimenti in acqua. I nostri nemici ti infastidivano con frecce e dardi, ma la distanza si faceva sempre più ampia e la gittata degli archi a stento riusciva a raggiungerti. Stavi per farcela e io potevo morire tranquillo. Ma poi la testa del tuo cavallo si inabissò improvvisamente e con essa, poco dopo, tutto il resto del corpo. Stremato dal peso e dalla fatica, l'animale aveva ceduto e stava andando a fondo. E tu lo stavi seguendo, perché i tuoi stivali erano rimasti incastrati nelle staffe.

Anche alcuni dei nostri nemici si erano accorti della situazione e si erano staccati dalla contesa per raggiungerti a nuoto. Avevano gettato sulla riva del fiume i componenti più pesanti delle loro armature e si erano gettati nella corrente. Volevano essere proprio sicuri che tu morissi.

Non potevo lasciarti alla loro mercé. Mi liberai di un paio di avversari e mi feci lentamente largo fino al fiume. Gettai da parte l'elmo e quanto di più pesante credevo di avere addosso e mi ritrovai quasi come eravamo da piccoli, a combattere per i vicoli di Palermo. Sorrisi, mentre una freccia per poco non mi staccava un orecchio, e mi gettai a mia volta nel fiume.

Saranno pure bravi agricoltori, discreti ragionieri e abili maniscalchi, ma i nordici non sapranno mai nuotare come noi saraceni, circondati fin dalla nascita dal mare. Così non ci misi molto per raggiungere i tuoi inseguitori. Anche se la cosa che mi preoccupava di più in quel momento era di riuscire a raggiungere te, per liberarti dalle staffe di quel maledetto cavallo.

Presi per i capelli uno dei nostri nemici, lo tirai indietro e gli assestai una gomitata sulla faccia spaccandogli il naso. Rimase a galla a guardare il cielo, mentre l'acqua intorno si colorava di rosso. Fece la stessa fine quello che gli stava più vicino, ma stavolta fu la lama del mio pugnale a farsi strada tra le sue costole.

Ma stavo perdendo troppo tempo e nel mentre un paio di avversari ti avevano raggiunto. Ti vidi cavartela discretamente, maneggiando la spada che ti eri fatto forgiare da un fabbro musulmano. Acciaio tagliente, impugnatura equilibrata: leggera come una piuma di pavone che danza nell'aria ventosa del mezzodì. Faceva egregiamente il suo lavoro e me ne avvidi con soddisfazione.

Tuttavia non era finita. Ne stavano arrivando altri. Da tutte le parti. E difficilmente saremmo stati in grado di affrontarli con qualche speranza di vittoria. Ma quando arrivai al tuo cavallo, con un rapido movimento ti liberasti dalla staffa e tornasti a galla. Il cavallo scivolò lentamente in basso fino a perdersi nella corrente, con tutti i suoi preziosi paramenti su cui i tuoi carpentieri avevano lavorato per mesi. Ma tu eri libero e pronto all'ultima nuotata verso la salvezza.

«Lo hai fatto apposta», esclamai mentre avanzavo a lunghe bracciate al tuo fianco. «Non eri affatto incastrato».

«L'unico modo per convincerti a raggiungermi era quello di farti credere che fossi in pericolo», ridacchiasti tu.

«Figlio di puttana», sibilai tra i denti, ma tu mi sentisti e mi lanciasti un'occhiata divertita prima di riprendere a nuotare.

«Ricordati che sono sempre il tuo re».

«Chiedo perdono, maestà», feci io, realmente contrito.

«Ma devo darti ragione», facesti tu dopo aver toccato la riva. I soldati cremonesi ti vennero incontro per tirati fuori dall'acqua e avvolgerti in una coperta di lana.

Io ti raggiunsi, ma non ebbi le stesse attenzioni. Ci voltammo entrambi per guardare dall'altra parte del fiume Lambro. I nostri nemici, impotenti, ci scrutavano quasi offesi mentre i pochi compagni che avevano osato inseguirci diventavano facili prede degli archi dei cremonesi.

«Devo darti ragione», ripetesti tu mettendomi una mano sulla spalla. «Sono proprio un figlio di puttana quando mi ci metto. Un po' come te».

E per la prima volta ti vidi sorridere non più da giovanotto imberbe ma da sovrano.

Florentium, Capitanata, Apulia Normanna, dicembre 1250 d.C.

«In realtà ero rimasto incastrato davvero nelle staffe», rivelò Federico sospirando al soffitto della stanza. La sua servitù lo aveva lavato e cambiato ancora una volta mentre io aspettavo fuori e lo aveva disteso su un nuovo materasso, su cui avrebbero potuto stare contemporaneamente senza difficoltà anche il suo cavallo e una delle sue innumerevoli amanti, se solo avesse avuto la forza di domare l'uno e l'altra. Ma Federico stava comunque perdendo lentamente le forze. Addid se ne era accorto. Così come si era reso conto che il processo appariva irreversibile. La sua voce non ne aveva ancora risentito. Ma è un po' come accade quando si parla con una persona anziana senza vederla. La sua voce continua a essere quella di un ragazzino, ma nel corpo di una cariatide. Federico non stava invecchiando. Stava morendo. E probabilmente, come succede a tutti coloro che sono in procinto di andarsene, non se ne sarebbe reso conto se non negli attimi immediatamente precedenti alla fine. Tuttavia, chi sta intorno a chi muore se ne rende conto molto prima, e in quella stanza si stava inesorabilmente concretizzando quel processo di rassegnazione. Da quando Addid era entrato nella camera da letto del sovrano, nessuno gli aveva portato del cibo. Tutti sapevano che sarebbe stato inutile. Lo avrebbe rimesso o se ne sarebbe liberato con metodi meno regali. Anche l'acqua che beveva ogni tanto faceva la stessa fine, in quel buco scavato nella sedia scolpita a guisa di ridicolo trono. L'imperatore ne era conscio e quindi aveva smesso volontariamente di mangiare e di bere. Lasciando la porta spalancata all'inevitabile.

«Dici sul serio?», chiese il soldato musulmano cercando di togliersi dalla testa quei funesti pensieri. Far parlare Federico era l'ultimo strumento che aveva per far restare l'imperatore ancora legato alla sorte terrena. L'unico modo per combattere un nemico invincibile. Non certo per sconfiggerlo, ma forse per ritardarne la vittoria.

«Certamente. Riuscii a liberarmi solo quando tu fosti abbastanza vicino da venirmi in soccorso, ma fino a quel momento avevo davvero creduto di sprofondare con quel povero cavallo». Aveva chiuso gli occhi e sorrideva nel buio sotto le palpebre. «Ma mi divertiva farti credere il contrario. E poi avevo ottenuto quello che volevo. Non mi sarei mai perdonato di averti lasciato lì a morire mentre io me la battevo».

«Non te la stavi battendo. Ti stavi sottraendo a un agguato con l'obiettivo di arrivare in Germania prima del tuo avversario. Era una battaglia, non una fuga».

«Mettila come vuoi, ma io ho sempre pensato che sottrarsi a una contesa sia una fuga, anche se strategica. Del resto ne abbiamo usati tanti di stratagemmi di questo tipo in seguito, ricordi?»

«Già. Come quella volta…».

«Ahmed», lo interruppe Federico. «Mi sento stanco. Che ne dici di continuare domattina?».

Addid si guardò intorno con aria colpevole. Il mondo parve crollargli addosso. Con quella breve domanda, Federico aveva cancellato in un istante tutti i suoi ottimistici propositi. «Ma certo, maestà. Avresti potuto dirmelo prima e io…».

«Ma no. Mi ha fatto molto piacere vederti, e sei riuscito a lenire gran parte del dolore che provo, ma adesso proprio non ce la faccio più né ad ascoltare né a parlare. Che poi sono i due tratti salienti di una piacevole conversazione, non trovi?».

Addid si alzò. «Va bene. Allora buona notte. Ci vediamo domattina, se…», si interruppe e si morse a sangue un labbro.

«Se sarò ancora vivo. Va bene, amico mio», disse con un soffio di voce l'imperatore svevo.

Ahmed Addid uscì dalla stanza del suo imperatore a capo chino. Evitò di incontrare lo sguardo dei frati che si precipitarono dentro per le ultime incombenze. Senza nemmeno accorgersene si ritrovò a fronteggiare Giovanni da Procida. L'uomo era comparso quasi dal nulla, o più probabilmente il labirinto di pensieri che si stava formando nella sua testa gli aveva impedito di accorgersi del suo sopraggiungere.

«Ci sono speranze?», chiese il soldato saraceno al termine di un lungo e silenzioso confronto di sguardi.

«L'imperatore ha reagito bene alla fase acuta e le medicine che gli sto facendo prendere riescono a lenire il dolore, ma non credo che possano molto di fronte a una condizione che il tempo ha reso irreversibile». La sua figura allampanata ciondolò un paio di volte, assecondando la reazione dei suoi tratti sfuggenti come le risposte che non poteva o voleva dare.

Addid non ebbe bisogno di fare ulteriori domande per comprendere come stessero andando le cose. Abbandonò il dialogo, rendendosi conto solo più tardi che lo aveva fatto senza un cenno di saluto o un gesto di cortesia. Fantasmi. Si stava circondando di fantasmi.

Il corridoio che lo stava portando fuori dalla residenza federiciana di Castel Fiorentino era freddo e umido. La differenza di temperatura che lo aveva accolto subito dopo aver lasciato l'amico gli fece venire un brivido e gli fece ricordare che fuori nevicava. Passò vicino a una bifora, difesa da una lunga coltre di lana che il vento schiaffeggiava senza ritegno, e si accorse che nel cortile antistante l'accesso agli appartamenti imperiali la corte dell'imperatore non aveva smesso di darsi da fare. Gli astrologi e gli astronomi, gli auguri e gli aruspici, i veggenti e una moltitudine di millantatori che per anni avevano occupato senza vero titolo la curia palermitana dell'imperatore erano accorsi al capezzale del loro benefattore. Alcuni solo per vegliare, altri con l'intento di prevedere. Pochi con l'intenzione di pregare. Molti con la vana speranza di continuare a raccogliere.

Il capo delle guardie di Federico uscì dal palazzo e affondò gli stivali in almeno una spanna di neve fresca. I fuochi accesi ai lati del percorso regale che conduceva ai giardini lo avrebbero guidato da qualche parte dove avrebbe trovato un giaciglio dove aspettare. Già, perché Addid sapeva che non avrebbe dormito. Quella notte, ancora troppo lunga, non avrebbe preso sonno.

Per paura che i segni della morte del suo migliore amico lo potessero prendere alla sprovvista. Se Federico doveva morire in quel tempo, allora lui gli sarebbe stato accanto. Come sempre.

Si voltò al richiamo di passi affrettati alle sue spalle. Un frate coperto alla meglio lo stava inseguendo.

Addid si fermò e lo attese. Quello arrivò col fiatone e ci mise qualche istante prima di poter parlare.

«Mio signore, dove state andando?»

«A cercare una cuccia dove riposare», rispose il soldato saraceno.

«Ma che dite? L'imperatore ha dato ordine di farvi preparare una stanza per la notte», rispose il frate. «Egli vuole avervi vicino in questo momento di particolare travaglio. Ma vi prego, seguitemi».

Addid lo vide voltarsi senza attendere risposta. La torcia che stringeva in mano disegnò un semicerchio di fiamma che per qualche attimo gli tolse la vista. *Particolare travaglio*. È così che il linguaggio diplomatico chiama il capitolo finale delle intermittenze della morte, pensò seguendo il solerte chierico. Quelle intermittenze da cui non ci si risveglia ogni mattina senza ricordo come accade per i sogni. Quel buio che diventa eterno senza che ce ne accorgiamo. Quella tenebra che stava per accogliere il suo sovrano, il suo imperatore, il suo re, il suo…

Ahmed Addid ringraziò Allah che il frate che faceva strada non potesse vederlo. Non sarebbe stato decoroso fargli vedere come anche gli occhi di un soldato possano diventare umidi all'improvviso. Certamente avrebbe pensato che fosse colpa del freddo e della stanchezza, ma era sempre meglio non sfidare gratuitamente la capacità di un religioso di credere nell'incredibile.

Così Addid fu riaccompagnato nella residenza imperiale. Non gli fu necessario salire di nuovo le scale. La stanza che i frati avevano preparato per lui era al piano terreno, e se fosse stato un altro momento dell'anno si sarebbe affacciata sul chiostro interno, da cui sarebbero giunti i profumi dei fiori e delle piante di cui l'imperatore amava circondare ogni sentiero. Ma adesso la tenda di lana che arrivava al pavimento provvedeva non a nascondere la luce ma a respingere l'oscurità e il gelo. Quando i frati l'ebbero lasciato, Addid si sedette sul suo giaciglio e alzò lo sguardo al soffitto. Gli affreschi che solerti pittori avevano distribuito sulla volta a vele per accompagnare il sonno dell'ospite non potevano fargli dimenticare che nessuna tenda avrebbe potuto ancora per molto frenare il buio che si stava avvicinando di soppiatto a quel luogo. Così sospirò e si consegnò alla tortura della veglia.

Lago di Costanza, Svevia, settembre 1212

Non avevi mai visto quella città, ma la conoscevi, perché te ne avevano parlato fin da piccolo, nelle innumerevoli occasioni in cui ti avevano raccontato le gesta di tuo nonno. Konstanz era stato il luogo in cui Federico Barbarossa aveva firmato la pace con i comuni lombardi, riconoscendo loro molta autonomia in cambio di un sostanzioso dazio. A quel tempo, ascoltando la favola delle gesta eroiche del tuo avo, non te ne eri reso conto. Troppo piccolo e troppo ingenuo ancora, per comprendere che tuo nonno si era sostanzialmente calato le braghe di fronte alla Lega rinunciando alla nomina dei podestà cittadini, per i quali era previsto un finto giuramento all'imperatore, tanto per salvare la faccia. Ma le vere concessioni erano state altre, e molte. Di carattere amministrativo, politico e giudiziario. In cambio di un pugno di farina e una stalla per rifocillare i cavalli nel caso che l'imperatore fosse passato di lì per scendere nella penisola italica. Davvero poca cosa rispetto a quello che avrebbe potuto essere. Ma tuo nonno era affogato cadendo da cavallo mentre stava guadando un fiume, mentre tu ti eri gettato dalla sella volontariamente per continuare in acqua la corsa verso il tuo futuro. Due destini diversi, due approcci diversi, di cui eri perfettamente consapevole quando quella sera, sul fare del tramonto, finalmente arrivammo sotto le mura di Konstanz.

La città fortificata si ergeva proprio dove il fiume Reno si gonfiava per trasformarsi in un sinuoso lago. Dalla posizione dove ci eravamo fermati per far riposare per un po' i cavalli, si poteva vedere la distesa di vigneti inondata dalla luce porpora del sole morente, che si tuffava nell'acqua per mutare in tinte più violacee e traslucide e infine tornare a essere nebbia azzurra, quando con deferenza si inginocchiava a sfiorare i tuoi stivali.

La città stava aspettando che qualcuno la conquistasse.

Eravate partiti in due per arrivare a quel traguardo, ma il tuo avversario non si vedeva. Tu eri arrivato per primo e ti stavi godendo la vittoria.

Come era facilmente prevedibile, i signori di Konstanz e i loro vicini di casa non avevano scommesso un solo denaro sul tuo successo e, da quanto ti avevano rivelato le spie che avevi abilmente infiltrato tra le mura della città nei giorni che avevano preceduto il tuo arrivo, avevano richiamato dai villaggi limitrofi i migliori cuochi per accogliere Ottone con una festosa cena composta da decine di portate.

Ti vedevo sorridere mentre osservavi le mura lontane di Konstanz. Sicuramente stavi pensando a come frettolosamente stessero nascondendo tutto quel cibo o alle interminabili riunioni in cui cercavano di trovare la scusa migliore per convincerti che quell'accoglienza non era stata preparata per il tuo nemico ma per te. Sorridevi nel vedere il movimento nervoso delle sentinelle sui merli pronte a gridare per ogni tuo movimento.

Ti aspettavano tutti, ma tutti non ti aspettavano. Era un gioco di parole divertente che aveva coniato il legato pontificio Bernardo di Castacca, che si era unito al tuo seguito su espressa richiesta del papa.

Ci eravamo accampati nei pressi di Uberlingen, mentre i notabili di Konstanz non riuscivano a decidersi sul da farsi. Avevi chiesto e poi intimato di aprire le porte della città, ma loro si aspettavano Ottone e non te, e sapevano che qualunque mossa avessero fatto avrebbe determinato il loro destino politico e personale. Si trattava di scommettere su un nuovo cavallo, dopo che si era passato tutto il tempo a convincersi che sarebbe stato opportuno scommettere su quello che non si era ancora presentato al traguardo. E nel loro intimo, essi credevano ancora che fosse possibile e, oltre a guardare nella tua direzione, si spingevano con lo sguardo dall'altra parte del lago, verso occidente, nella speranza di un segno che non arrivava.

Tu non sapevi che fine avesse fatto Ottone, e francamente te ne interessava poco. Sapevi che mentre eravate entrambi in viaggio, durante l'estate, a pochi giorni dal matrimonio, Ottone aveva perso la sua promessa sposa, Beatrice di Svevia, che aveva provocato la rottura dell'alleanza con la tua casata traditrice e con i bavaresi. Nonostante questo, per attraversare le Alpi avevi dovuto fare i conti lo stesso con il conte di Baviera, che aveva mantenuto il punto in favore del tuo avversario, ma alla fine ciò che contava davvero era che tu eri lì, sulla sponda del Reno, a guardare le mura di Konstanz, mentre Ottone era in ritardo.

Di quel ritardo dovevi approfittare a tutti i costi e lo sapevi. Così come lo sapevano coloro che, dentro le mura, stavano invece esitando.

Quando il sole diventò una mezza sfera arancione stinto tagliata dall'orizzonte, scendesti da cavallo e lasciasti che l'acqua del fiume ti bagnasse gli stivali. Io ti seguii e rimasi in silenzio al tuo fianco, nell'attesa che mi rivolgessi la parola.

Era sempre così. Una sorta di rito che avevamo concordato da piccoli. Tu dovevi aprire le conversazioni perché eri il re, e io dovevo rispondere perché ero il tuo protettore e il tuo consigliere. Ma quanta fatica facevamo a rispettare quei ruoli che poi avresti dimenticato.

«Non aspetterò la notte», dicesti a un tratto. «Se non mi arriverà un segnale di resa al calare delle tenebre, assalteremo le mura. Metterò a ferro e fuoco questo maledetto sputo di città, che già tanti guai ha provocato alla mia famiglia per colpa di mio nonno».

«Tuo nonno fece una scelta saggia», mentii, «e devi farla anche tu».

«Mi stai dicendo che tu non attaccheresti?». Ti voltasti di scatto dalla mia parte. I capelli rossi che non avevi voluto tagliare dall'inizio del viaggio ti sferzarono la nuca.

«No. Ti sto dicendo che prima di decidere di farlo dovresti avere sul tavolo tutte le informazioni che ti servono, a cominciare dalla risposta che dovrebbe portarti l'arcivescovo di Bari. Lo hai inviato in ambasciata qualche ora fa, non ci vorrà ancora molto».

«Pazienza, pazienza. Mi si chiede sempre di avere pazienza. Ma Ottone non ha costruito le fondamenta del suo potere sulla pazienza», ti indignasti stringendo i pugni.

«Difatti Ottone non è ancora arrivato», sottolineai io, sollevando un sopracciglio sotto all'elmo a punta che mi difendeva la testa.

«E se non arriva? Se lo assassinassero e mi facessero recapitare la sua testa sulla sella del suo cavallo scosso?»

«Non credo che si renda necessario rispondere a queste cruente richieste», feci allora indicando qualcosa alle tue spalle.

Tu ti voltasti e scorgesti il drappello a cavallo che sopraggiungeva di gran lena. L'arcivescovo di Bari, nella sua scintillante armatura dai riflessi cremisi, cavalcava in testa, seguito da una mezza dozzina di guardie alabardate. Lo attendesti immobile, e quando le sue mani guantate di pelle bianca tirarono le redini della sua cavalcatura per fermarsi a qualche passo da te, ti limitasti ad alzare la testa, stizzito.

«Ce ne avete messo di tempo, mio buon amico», esordisti col tuo solito tono irritante.

«Il tempo necessario per accompagnare le buone nuove, maestà», rispose lui abbozzando un sorriso nervoso. Sulla sua faccia si leggeva ancora tutta la tensione che aveva sperato di scaricare durante la cavalcata che lo aveva portato a noi dalla città sul lago.

«Parlate, maledizione», lo incitasti.

«Potrei farla lunga raccontandovi tutta la storia dell'incontro dall'inizio, ma preferisco andare subito al punto come voi desiderate, maestà».

Si fermò e tu allargasti le braccia spazientito. «E dunque?»

«Il Signore è dalla nostra parte». Distese la mano guantata verso le mura. L'anello scoperto che portava all'indice brillò nel raccogliere l'ultima luce del giorno. «Vi attendono a cena».

Tu lo osservasti stupito. «E posso sapere come avete fatto? Quali armi avete usato?»

«Le armi di un prete sono la fede e l'eloquenza. Devo dire che nella fattispecie mi è stata più utile la seconda, a cui ho dovuto unire un pizzico di condimento», proseguì l'arcivescovo. «Ho semplicemente detto al vescovo della città che voi siete l'unto del Signore, che siete il legittimo erede imperiale e che... sì, ho aggiunto che se non avesse convinto il podestà ad aprire i cancelli della città, sarebbero stati tutti scomunicati».

Tu prendesti un grande sospiro. «Ma non è vero. Non avete ricevuto dal papa la facoltà di affermare questo. È stata una bugia».

«Mio signore, su una cosa converrete con me: noi preti siamo esperti di bugie».

Tu restasti a guardarlo senza rispondere. Ti misi una mano sulle spalle per ridestarti dalla sorpresa.

«Non so tu, ma io ho fame», dissi allora. «E se la cena che ci aspetta è quella che avevano preparato per Ottone, la gusterò con ancora maggiore soddisfazione». Poi ritornai al mio cavallo. Ma decisi di salire in sella solo quando udii alle mie spalle il tuo respiro. Non nervoso, non affannato. Respiravi in quel modo, come un cane che sta per gettarsi in acqua per andare a raccogliere il legno che gli ha lanciato il suo padrone, solo quando eri eccitato. E quella sera lo eri davvero molto, perché con le porte di Konstanz si stavano aprendo ben altri cancelli. E lo sapevamo entrambi.

Florentium, Capitanata, Apulia Normanna, dicembre 1250 d.C.

«Ho ancora vivido nella mente il ricordo di quella sera», disse Federico provando a sollevarsi dalla posizione supina nella quale lo avevano costretto i frati infermieri. «Il silenzio che ci accompagnò al nostro ingresso a Konstanz. Gli occhi bassi della gente. Ma soprattutto la guglia di quella cattedrale, che sembrava una lama appuntita che volesse bucare il cielo».

«Ricordo anche io», disse Addid guardandosi intorno stordito per capire dove si trovasse. Alla fine il soldato saraceno aveva ceduto al sonno. Ma aveva dormito poco e male. Si era svegliato spesso in preda agli incubi. Una volta aveva perfino creduto che Federico fosse entrato nella sua stanza per svegliarlo. Ma l'imperatore non avrebbe mai potuto raggiungerlo. Lo aveva trovato all'indomani nella stessa posizione in cui lo aveva lasciato: supino sul suo letto, coperto da un lenzuolo e da una coperta, i lineamenti segnati dalle vene superficiali che seguivano le rughe sempre più marcate di una pelle avvizzita dalla malattia. Quando iniziò a parlare cercò di dissimulare la preoccupazione che lo aveva assalito non appena era entrato nella camera da letto del sovrano. Lo aveva lasciato in cattive condizioni. Lo aveva ritrovato in condizioni peggiori.

Purtuttavia, vivo.

«Ricordi l'imbarazzo del vescovo? E gli occhi del podestà, che non sapeva da quale parte girarsi pur di non incontrare il mio sguardo?», aggiunse Federico sorridendo. Le gengive rosse si esposero alla luce del mattino mostrando denti ingialliti dalla bile vomitata durante la notte.

«Fu una bella soddisfazione. Forse quella che ricordo con maggiore trasporto, nonostante fosse solo una piccola vittoria rispetto a ciò che sarebbe accaduto in seguito. Eppure», aggiunse Addid «non vidi mai più sul tuo volto la soddisfazione di quel giorno».

«La verità è che la prima vittoria vale più di tutte le altre. Non ci sei abituato e la sensazione è unica. Come quella del primo amore».

«Tu che parli di amore? Mio imperatore, mi sorprendi!».

«Ti sbagli. Volevo bene a Costanza così come ho voluto bene a tutte le altre». Si fermò e guardò nel vuoto.

«Non a tutte. Per una facesti un'eccezione».

«Già. Ma adesso voglio che continui a raccontarmi la mia storia. Adesso arriva il bello, immagino».

Addid sorrise. Federico sembrava il peldicarota a cui raccontava le favole musulmane nelle lunghe e calde giornate dei sobborghi di Palermo. Gli occhi erano molto più spenti, ma la curiosità era rimasta la medesima.

«Direi che su quel giorno non c'è molto altro da aggiungere», cominciò. «Eri stato incoronato re di Germania già a Roma, visto che avevi promesso al papa di non riunire impero e regno di Sicilia. Dunque eri arrivato a Konstanz con il bagaglio già pieno. Poi Ottone ci aveva messo del suo e ti eri ritrovato a Konstanz con le briglie del cavallo tra le mani».

«Si dice che la fortuna aiuti gli audaci», disse Federico.

«La fortuna aiuta i fortunati», obiettò Addid.

Entrambi risero.

«Ma non fu la fortuna a permetterti tutto il resto. Lo voglio ammettere».

«Meno male. Qualcosa dunque anche io avrò fatto».

«Ma certo. Fu per fortuna che arrivasti prima a Konstanz, ma non fu per fortuna che qualche anno dopo fosti incoronato... aspetta»,, Addid fece una pausa, «come lo hanno definito?»

«Re dei Romani. Non lo hanno definito. È così da sempre, mio buon amico». Federico parve stizzito.

Addid rise. «Lo vedi? Sono riuscito a farti arrabbiare. Buon segno. Dunque stai migliorando», concluse con una menzogna.

«Poche chiacchiere. Voglio continuare ad ascoltare la storia di questo signore che divenne imperatore».

Addid si fregò le mani. Nonostante le numerose candele accese e i due bracieri scoppiettanti, il freddo che stava ghermendo la piana che circondava la fortezza di Fiorentino trasudava attraverso le mura del castello. Un freddo che il soldato saraceno cominciava a sentire anche sulle sue ossa. Come un presagio che tentava di scacciare continuamente con le parole.

«Dunque a ventuno anni diventasti imperatore, ma restasti in Germania ancora qualche anno per dare inizio ai preparativi di quella stupida guerra».

«Non era una guerra qualunque. E poi lo avevo promesso al papa».

«Già. Quella che noi chiamiamo guerra di invasione voi la chiamate crociata. Del resto, chi vince ha il privilegio di raccontare i fatti come meglio gli aggrada».

«Ma non capisci che è tutta una manfrina? Le promesse, i giuramenti, le guerre. Sono solo le propaggini della politica». Federico tossì in un fazzoletto qualcosa di un colore più scuro del giallo e sollevò un sopracciglio nell'osservare la macchia. Poi appallottolò il fazzoletto e lo nascose sotto alle coltri. «Avevo promesso al papa di non riunire impero e regno, e invece alla fine lo feci. Gli avevo promesso una crociata e alla fine feci di testa mia...».

«Non provarci. Tutto fu oggetto di scambio. Gli promettesti di combattere gli eretici e fosti obbligato il giorno stesso dell'incoronazione a emanare quella bolla...».

«*Constitutio in Basilica Beati Petri*, altro che bolla».

«Va bene, ma in soldoni fu un editto con il quale ti impegnasti a spazzare via tutti coloro che non la pensavano come quel nuovo papa del cazzo».

«Ma quel giorno a Roma ricevetti sulla testa la corona di imperatore, e dato che ero già re di Sicilia la riunificazione fu automatica, e sotto gli occhi di quello che tu chiami *papa del cazzo*». Federico provò a fare l'occhiolino. «Fortuna o furbizia? Tu come la chiami?»

«Chiamala come ti pare, ma non fu un caso che qualche tempo dopo nacque quel tribunale con cui la Chiesa del tuo amico papa castigava le cosiddette devianze».

«L'Inquisizione non nacque per volere del papa. Fu un'iniziativa dei gesuiti».

«Che sono i cani da guardia del papa».

«Non è proprio così...».

«Oh, andiamo!», Addid scattò in piedi. Poi si accorse di quello che aveva fatto e si rimise a sedere. «Perdonami, mio imperatore».

«Non essere idiota. Sei mio amico perché da quando ci conosciamo i titoli non hanno mai rappresentato nulla nel nostro rapporto. Mi fido e mi sono sempre fidato di te perché vedi in me Federico, e non un sovrano da temere. Dunque, nessun perdono per un reato non commesso».

«Non è vero. Sono stato eccessivo».

«Tu eccessivo? Amico mio, stai parlando con l'imperatore degli eccessivi».

«Un imperatore deve essere sempre eccessivo. Un soldato no».

«Ma la faccenda dei chiodi e del martello fu colpa tua. Quella volta fosti tu a farmi essere... eccessivo. Sarebbe bastato farmi capire che non era il caso».

«Mi prendesti alla sprovvista facendomi quella assurda richiesta davanti a tutti. In privato forse avrei avuto modo di contraddirti», ribatté il saraceno. «Ma devi ammettere che facesti un figurone. Ancora oggi se ne parla».

Federico fissò il vuoto e forse sorrise. «Già. Ancora oggi».

Aquisgrana, Bassa Lorena, 25 luglio 1215

«Mi sono trasferito da poco a Hagenau e già mi sento pentito», mi dicesti sui gradini della cattedrale di Aquisgrana. Aspettavi che i responsabili del cerimoniale ti facessero un cenno per entrare, ma l'impazienza della gioventù faceva trasparire tutto il tuo nervosismo, che cercavi di dissimulare facendo finta di dare disposizioni al capo delle tue guardie del corpo.

«La festa per il tuo compleanno dello scorso 26 dicembre è stata bellissima», ti risposi io, mantenendo uno sguardo arcigno per assecondare la tua finzione.

Parlavamo a bassa voce perché eravamo letteralmente circondati da occhi che ti fissavano muti, in attesa spasmodica di un tuo gesto, un sospiro, un cenno per potersi prostrare e dimostrare tutta la sottomissione possibile. Stavi per essere incoronato nella città di Carlo Magno, nella chiesa dove riposavano le sue spoglie, e per celebrare il rito era accorso da Magonza l'arcivescovo Sigfrido, che avevamo visto poco prima sgattaiolare dentro la cattedrale seguito da uno stuolo infinito di preti e diaconi.

«Lo ammetto, il castello è bellissimo e la sua posizione in mezzo ai boschi mi permette di andare a caccia praticamente ogni mattina», dicesti ancora mentre battevi nervosamente un piede, «e la biblioteca è tra le più fornite che abbia mai visto. Inoltre è anche il maniero preferito da mio nonno, ma...».

«Ma...?»

«Ma detesto questo clima sempre uggioso, il sole che sembra sempre sul punto di esalare l'ultimo respiro, il paesaggio tetro, monotono, fatto di interminabili distese di boschi tutti uguali. Il sud dell'Italia è un'altra cosa. Quei profumi, quelle luci sono irripetibili, e provo una forte nostalgia».

«Credo che tu debba fartene una ragione. Hai ancora molte cose da fare da queste parti. Compresa quella di oggi».

«Non faccio altro che mettere in testa corone, da qualche tempo a questa parte, ma devo ammettere che oggi mi sento più nervoso del solito».

«E ne hai tutte le ragioni», conclusi io. «Ma quella di oggi non sarà nemmeno l'ultima, per tua fortuna. Dunque, rilassati». Con la coda dell'occhio vidi il maestro di cerimonie che si sbracciava nella nostra direzione. Ti feci cenno di guardare dalla sua parte.

«Che impudenza. Chiamarmi così, come fossi un viandante che si incontra per strada! Non avrebbe dovuto venire fin qui, inchinarsi e pregarmi di seguirlo?»

«Avrebbe dovuto, ma puoi sempre decidere di farlo giustiziare alla fine della cerimonia», risposi io strappandoti finalmente una risata. «Fosse la prima volta».

«Mi metti in imbarazzo. Smettila», mi sussurrasti. «A Palermo non ho fatto giustiziare nessuno. Chi lo meritava è solo finito in catene perché stava disturbando la cerimonia».

«Adesso dammi un ordine qualsiasi ed entra in chiesa. Io mi metterò agli ultimi posti per godermi lo spettacolo».

«Ti invidio», dicesti.

«Non credo proprio».

Entrasti in chiesa. Ricordo tutto come fosse oggi. Passasti tra due ali di dignitari, pigiati tra loro come sardine pur di non mancare l'appuntamento e farsi vedere da te. Ma non ti recasti subito nella Cappella Palatina, dove avresti ricevuto la corona di re di Germania. Decidesti di fare prima visita a qualcuno di più importante, e ti recasti al mausoleo dove erano custoditi i resti dell'imperatore. Arrivasti ai piedi dell'impalcatura e salisti i gradini rifiutando qualunque aiuto. Anzi, ti vedevo fare ampi gesti con i quali intimavi che nessuno ti seguisse fino in cima. Arrivasti davanti all'urna dove riposava Carlo e, inaspettatamente, a differenza di quanto aveva fatto tuo nonno che si era limitato a pregare, tu chiedesti di aprirla. Il coperchio, forzato da una leva di ferro, si schiuse diffondendo uno scricchiolio acido di legno in tutta la chiesa. Restasti lì a fissare a lungo tutto ciò che il tempo aveva pietosamente risparmiato, e poi ti voltasti.

Per chiamare me.

Quando un diacono arrivò correndo, tutti si voltarono a guardarmi. Io ascoltai ciò che quel ragazzino aveva da dirmi e alzai lo sguardo incredulo fino ad arrivare a te. E tu, immobile, apristi le braccia con impazienza. Così, imbarazzato come non mai, gli occhi di tutti che graffiavano la mia schiena, mi affrettai a raggiungerti.

Non posso ancora crederci. Un musulmano che sale i gradini del mausoleo dell'imperatore dei cristiani. Immagino che molti in quella chiesa furono colti da malore per ciò che stavano vedendo. Ma poco importa. Tu mi avevi chiamato, e io ero accorso.

Mi inchinai davanti a te in attesa di un cenno, di un'indicazione.

«Voglio un martello e dei chiodi. Ma che siano lunghi e robusti», mi dicesti.

Io alzai lo sguardo restando chino. «Come dite, maestà?», chiesi, ricordandomi di come dovevo rivolgermi a te quando la gente ci ascoltava.

«Hai capito bene. Voglio un martello e un pugno di chiodi».

Stavolta mi risollevai. Non potei fare a meno di gettare un fugace sguardo all'urna mortuaria. E le orbite vuote di Carlo Magno parvero fissarmi per un istante. «Un martello e dei chiodi. Ma certo, mio signore».

Scesi velocemente i gradini del mausoleo. Mi feci largo tra gli astanti. Nessuno riusciva a capire cosa stesse succedendo, ma nessuno aveva il coraggio di chiederti spiegazioni. Uscii dalla chiesa, cercai una bottega di maniscalco, gli rubai quanto cercavi – assistito dallo sguardo truce del soldato che mi aiutava in circostanze simili – e tornai nella cattedrale. Solo quando fui di nuovo accanto a te mi resi conto che entrando non avevo fatto alcun cenno di saluto al tuo Dio, ma non avrei saputo quale scegliere senza offendere il mio, per cui la dimenticanza non mi pesò più di tanto.

«Ecco… il martello», dissi porgendoti anche i chiodi.

Fu allora che tu abbassasti il coperchio dell'urna in cui riposava il vostro imperatore. E con le tue stesse mani, Allah mi è testimone, lo sigillasti con i chiodi che ti avevo portato. Come avrebbe fatto un operaio o un servo. E fu in quel momento che mi resi conto della genialità di quel gesto. Stavi per raccogliere l'eredità di Carlo Magno, eppure volevi dimostrare l'umiltà di chi prendeva il suo posto pur riconoscendone l'inarrivabile superiorità. E questo accade solo a chi è consapevole di poter invece superare un maestro.

Ogni tuo gesto, ogni tuo respiro, ogni tua smorfia erano stati seguiti con glaciale ma consapevole mutismo. Mentre nascondevi ossa scadute, ti rivolgevi a quelle ancora vive.

Avevi colto nel segno. Come sempre.

Al termine dell'operazione, in perfetto silenzio, ti spostasti nella Cappella Palatina e finalmente iniziò la cerimonia.

Che fu lunga ed estenuante.

Potevo vedere da lontano il tuo volto imperlato di sudore e teso come la corda di un arco. Ma finalmente arrivò il momento che aspettavi.

Ti sedesti sul trono che era stato di Carlo. Avevi appena diciannove anni, quel giorno. L'arcivescovo Sigfrido si avvicinò lentamente, avendo cura di tenere la corona d'argento sollevata sulla tua testa in modo che tutti coloro che erano in chiesa la guardassero.

Quando la corona finalmente arrivò sul tuo capo, la cappella si riempì di un brusio di approvazione che per qualche istante soffocò le parole che l'arcivescovo pronunciò per sigillare l'atto.

Ma fu al termine della cerimonia che mi sorprendesti ancora. Mi aspettavo che quello fosse l'atto più solenne della giornata, probabilmente della prima parte della tua vita, e invece decidesti di trascorrere il giorno dopo l'incoronazione in contemplazione e di partecipare personalmente alla traslazione delle ossa di Carlo in un nuovo, meraviglioso sarcofago che era stato forgiato dagli orafi della Bassa Renania: le eccellenze del mondo conosciuto, per questo genere di cose. Mi ricordo che sulle pareti del reliquiario erano state riprodotte, con bassorilievi finissimi, cesellati in oro e argento, le sembianze di tutti i tuoi predecessori. Anche in quel caso, dopo la traslazione, volesti personalmente richiudere il sarcofago, anche se stavolta furono servi in livrea a porgerti il necessario su un cuscino imbottito rivestito di velluto color magenta.

Ma non era finita qui.

Il colpo di teatro lo riservasti per il finale. E non avevi preavvertito nessuno. Nemmeno la persona più importante a cui ti stavi per rivolgere.

Voltasti le spalle al nuovo mausoleo di Carlo Magno e in silenzio portasti le mani guantate in grembo. Come fate voi cristiani quando cominciate a pregare. Per inciso, non capisco il motivo per cui dobbiate guardare a terra mentre vi rivolgete a Dio, se pensate che si trovi nell'alto dei cieli. Ma questo è un altro discorso, che affronteremo forse in un altro momento.

Stavo dicendo... sì. Giungesti le mani in grembo e abbassasti il capo. Per questo molti pensarono che stessi cominciando a pregare e si prepararono a seguirti nella litania che avresti cominciato a recitare. Ma tu non dicesti nulla. Almeno fino a quando non rialzasti la testa e cominciasti a cercare qualcosa in giro per la chiesa. Poi ti soffermasti sul crocifisso che l'arcivescovo di Magonza stava reggendo. Un grande crocifisso d'oro, incastonato di gioielli grandi come uova di pernice, sorretto da un'asta di legno bagnata fino alla punta nell'argento.

«Datemelo», dicesti allungando il braccio destro verso il prelato. «Avanti, obbedite», insistesti.

L'arcivescovo fece come avevi chiesto. Riluttante, si avvicinò e ti consegnò la croce. Tu la impugnasti come l'elsa di una spada. La soppesasti, quasi per provare l'equilibrio della lama che non c'era, e poi rigirasti l'asta per assaporare i riflessi colorati che la luce del sole provocava schiaffeggiando i gioielli che la impreziosivano. Infine ti rivolgesti a quelli che, in silenzio, aspettavano all'interno della chiesa.

C'erano davvero tutti. Coloro che avevano assistito all'incoronazione, ma anche quei cittadini che alla fine erano stati ammessi per godere della vista del nuovo re. Avevi scelto apposta quel momento. Non volevi parlare ai dignitari, ai nobili, ai preti. Desideravi rivolgerti alla gente del popolo, perché il messaggio che stavi per pronunciare era rivolto a loro. Quando sollevasti il crocifisso al cielo, tutti si segnarono.

«Per l'onore e la gloria di Cristo», cominciasti per poi fermarti. Era la prima volta in assoluto che ti sentivo pronunciare in pubblico il nome del tuo Dio. E la cosa mi fece un certo effetto. «Per l'onore e la gloria di Cristo», ripetesti, «oggi raccolgo l'eredità di Carlo Magno, e prometto di proseguire il suo disegno di diffondere la cristianità ai quattro angoli del mondo». Ti fermasti e scuotesti la croce che avevi in pugno, per esortare tutti coloro che ti stavano ascoltando a mostrare quelle che avevano in mano o al collo. «Per questo annuncio solennemente che guiderò una nuova crociata in Terrasanta, e accoglierò tra le mie schiere tutti coloro tra di voi che si sentiranno degni di seguirmi. Porterò il nome e il verbo di Cristo nella terra degli infedeli. Nel nome del Padre, del Figliolo e dello Spirito Santo», concludesti brandendo di nuovo la croce come una lama.

L'*amen* che seguì, pronunciato da centinaia di voci, fece tremare le colonne che sorreggevano l'architrave della basilica e sono convinto che perfino le ossa del re carolingio, nella sua nuova urna, tremarono.

Florentium, Capitanata, Apulia Normanna, dicembre 1250 d.C.

«Furono presi tutti da un'ondata di eccitazione selvaggia. Ma non io», disse Addid stringendo i pugni. «Quella volta mi facesti davvero incazzare».

Federico sorrise. «È quello che volevo. Ci cascarono tutti. Perfino tu, che mi conoscevi da sempre».

«Avresti dovuto dirmelo prima. Avresti evitato che uscissi infuriato da quella maledetta chiesa cristiana spazzandomi dalle vesti l'odore della cera arsa del vostro Dio come fosse sozzume».

«Dovevo farlo. I fatti mi avrebbero dato ragione di lì a poco».

Addid scrollò il capo. «Lo ammetto. Fu un'abile mossa politica. Ma in quel momento non riuscivo a capacitarmi di ciò che avevi fatto. Avevi stretto con il mondo islamico dei rapporti molto intensi, amavi la nostra cultura fin da bambino. Non c'era alcun bisogno di impugnare davanti a tutti quella croce e di fare quelle promesse».

«Ma poi ti spiegai tutto e ti calmasti».

«Quella storia che mi raccontasti, secondo la quale con quel gesto volevi affermare di essere il primo cavaliere della cristianità, mi convinse solo in parte, ma mi fidai di te. Come del resto facevo sempre».

«Ancora non capisci il senso di quegli eventi? Io volevo dimostrare al papa che potevo scegliere di vivere i diritti e i doveri dell'imperatore, compreso quello di indire una Crociata, senza bisogno di andare a chiedergli il permesso. Non avevo bisogno della sua tutela apostolica».

«E infatti il primo a prendere collera per il tuo gesto fu proprio il papa. Mentre mi sarei aspettato un moto di giubilo. Erano anni che voleva indire una crociata. Se avesse potuto, si sarebbe messo lui stesso in testa alle truppe per venire a sventrare le nostre donne e i nostri bambini».

«E invece io mi aspettavo la sua reazione. Me l'aspettavo se il mio gesto avesse colpito nel segno come accadde. Il papa si sentì defraudato del suo potere».

«Non ho mai voluto capire la mente contorta dei sovrani, ma mi accontento di constatare che alla fine quella crociata, nonostante cinque anni dopo la ripromettesti a Roma davanti a Onorio III durante l'ennesima incoronazione, non si fece».

«Non si fece nel modo in cui la intendeva il papa e la intendevano tutti quei signorotti desiderosi di andare a caccia di esseri umani dall'altra parte del mondo, mentre io mi accontentavo dei fagiani dei boschi della mia tenuta tedesca».

«Riuscisti a evitare quell'affronto, ma non a ricomporre la figuraccia che avevi fatto con me. Anzi, il peggio doveva ancora venire».

«Ahmed», Federico cercò gli occhi del soldato musulmano. «Non puoi fidarti di chi ti teme, di chi ti serve. Puoi fidarti solo di chi ti vuole bene per quello che sei e non per quello che sei diventato. Per questo io non ho mai avuto tanti amici. Anzi, forse ne ho avuto uno solo».

«Mi lusinghi, mio imperatore. Anche se ci sono state occasioni in cui ho dubitato, lo ammetto, in modo ingiustificato, di tale sentimento».

Federico assunse un'espressione interrogativa. «A che ti riferisci?»

«A Lucera. A che altro?».

L'imperatore restò assorto per qualche istante. «Va bene. Allora raccontami la tua versione dei fatti. Sono curioso di sapere come l'hai vissuta tu, quella vicenda. Poi lo farò io. Ma prima», aggiunse facendo una smorfia, «credo che tu debba rimettermi su quella maledetta sedia col buco. Altrimenti macchierò tutte le lenzuola e i frati che stanno origliando dietro alla porta me la farebbero pagare più di signora morte».

«È forse una scusa per evitare di parlare di Lucera?»

«Al contrario. Voglio mettermi comodo. Racconta come la vedesti tu e poi io ti racconterò come le cose andarono davvero».

«Sei sempre bravo con le parole. Mi chiedi di raccontarti la tua vita ma ripeti appena puoi che la verità è quella che conosci solo tu».

Federico tentò di annuire ma una nuova fitta alla bocca dello stomaco glielo impedì. Mentre svuotava per l'ennesima volta l'intestino, Addid riprese il suo racconto.

Lushira, Regno di Sicilia, dicembre 1223 d.C.

Per raggiungerti a Lucera non mi fermai nemmeno di notte e non feci riposare il cavallo neanche una volta, nonostante le numerose poste incontrate lungo il cammino. Ricordo che fu un inverno non molto freddo ma particolarmente umido e questo, per un soldato costretto a viaggiare al gran galoppo con il vento che gli sferzava la faccia, non fu una cosa gradevole. In quei giorni mi trovavo nella parte più lontana della Capitanata dal luogo dove mi avevi convocato. Mi avevi mandato in missione con una ventina di cavalieri scelti per sedare l'ennesima rivolta di signorotti locali che mal digerivano la tua idea di Stato. Ma quando un tuo messo mi fece recapitare il messaggio con il sigillo imperiale non mi feci troppe domande. Anche perché conoscevo già le risposte.

Il tuo rapporto con la comunità musulmana di Sicilia si era andato deteriorando negli ultimi anni e così avevi deciso di trasferire gran parte del mio popolo a Lucera. A sentirti parlare, non si trattava di una punizione ma di una sorta di premio per la stima e l'ammirazione che portavi per quella gente che da piccolo, mentre il sangue della tua famiglia ti cacciava dal palazzo reale, ti aveva adottato offrendoti il privilegio di conoscere la sua immensa cultura. In realtà, a sentire la mia gente, la tua mossa sapeva molto di deportazione. Ma io ti conoscevo da sempre e non avevo voluto credere alle dicerie. Tuttavia non ero mai stato a Lucera, o come ormai la chiamavano tutti *Luceria Saracenorum*. Dunque, quella poteva essere la prima, vera occasione per constatare con i miei occhi quanto fosse bugiardo il mio sovrano. In realtà volevo capire quanto fosse bravo a mentire il mio migliore amico.

Arrivai a Lucera al tramonto. Un fin di giorno pallido come il cielo pieno di nubi, incapaci di decidersi se vomitare pioggia o levarsi di torno grazie al vento che soffiava dal mare.

Avevi fatto ricostruire le mura martoriate da tempi peggiori, dando alla città una parvenza di fortezza. Mi sarei aspettato di essere accolto da guardie sospettose, poiché si diceva che a Lucera era impossibile entrare almeno quanto non lo fosse poterne uscire, per gente con i miei lineamenti. E invece non mi fermò nessuno.

Così entrai, rallentando di poco l'andatura del mio cavallo, e mi ritrovai a guardare un folto gruppo di soldati che, nonostante l'approssimarsi del buio, erano schierati in una grande piazza d'armi. Si trattava perlopiù di arcieri. Che scoccavano al ritmo della voce convincente di un ufficiale. Poco lontani altri soldati strigliavano una lunga fila di cavalli dalla stazza imperiosa. All'inizio pensai che si trattasse della guarnigione di guardia, e invece, più mi avvicinavo e più mi rendevo conto della familiarità delle armature, degli elmi e dei tratti somatici di quei soldati.

Saraceni. Come me.

Fermai il cavallo e rimasi a lungo a osservare i loro movimenti. Gli arcieri tiravano davvero bene. Per tutto il tempo che ero rimasto a osservarli nessuno di loro aveva mai mancato nemmeno una volta il bersaglio.

«Alla fine mi hai costretto a venire io da te».

Riconobbi la tua voce e fui colto da un sussulto. Così preso da quello spettacolo militare non mi ero accorto che eri arrivato alla testa di una decina di cavalieri. Tutti saraceni anche loro.

«Stai invecchiando, se non ti accorgi del sopraggiungere di cavalli al trotto», mi rimproverasti, «e questo mi preoccupa».

Io passai lo sguardo da te ai soldati e poi di nuovo a te. «La verità è che non mi aspettavo di vedere...».

«Musulmani liberi? Soldati che si addestrano?».

Provai a risponderti ma tu mi incalzasti. «Aspetta! Non hai ancora visto il meglio». Voltasti il cavallo e le tue guardie fecero la stessa manovra. Ti seguii in silenzio e proseguimmo in sella fino al tuo *Palatium*. Anche di quello avevo sentito parlare, ma come per il resto, avevo basato tutte le mie ipotesi su racconti di seconda mano. E mi accorsi che nessuno di essi era nemmeno lontanamente arrivato a lambire la verità.

Scendemmo tutti da cavallo. Le tue guardie si fermarono davanti al cancello della cinta esterna e tu mi invitasti a entrare.

Il palazzo regale che avevi fatto costruire a Lucera era magnifico.

Non so se fu per colpa delle ombre che la notte incipiente cominciava a proiettare sulle forme esagerandone la conformazione, ma io restai a bocca aperta nell'ammirare quella costruzione quadrata che salendo si trasformava in un ottagono sorretto da quattro ali che delimitavano un cortile interno, su cui si affacciavano decine di finestre di alabastro disegnate in cerchi o rombi.

Quando entrammo restai quasi accecato dai riflessi cremisi che le torce strappavano alle pareti rivestite di breccia corallina. Nonostante fosse già sera, c'era un via vai di persone che riuscivo difficilmente a distinguere dalle sagome in marmo che tracciavano la nostra strada. Avevi riempito quella dimora di quanto di più bello l'arte della pittura e della scultura avesse prodotto negli ultimi cento anni. Vetro, avorio, marmo. Materiali inerti che solo menti geniali e artisti ineguagliabili avevano saputo trasformare in oggetti e forme capaci di sollecitare la fantasia e lo stupore perfino delle menti più grette.

«Allora? Che te ne pare? Ti piace?», mi chiedesti affrettando il passo.

«Non... non so che dire, amico mio. È tutto così... incredibilmente magnifico».

Allora ti fermasti. Ti voltasti e mi sorridesti. «Ti sbagli. Non è tutto».

Così mi precedesti nella sala del trono, dove era stato allestito un prodigioso banchetto. Un'enorme tavolata a forma di ferro di cavallo, dove il tuo posto era al vertice della curva e dove candelabri di oro e argento già pulsavano di una luce calda e rosata, che illuminava i drappeggi che delimitavano il perimetro vastissimo dell'ambiente. I tuoi ospiti erano già tutti seduti e sfoggiavano tutte le possibili varianti di damascato che conoscessi. Purtuttavia non fu quello spettacolo a colpirmi.

Mi fermai.

«Non dirmi che adesso hai paura dei leoni?», mi facesti ridacchiando.

Non avevo paura dei leoni. Il ricordo di Ombra era ancora vivo nella mia memoria. Ma non avevo mai visto leoni accanto a tigri e tigri accanto a elefanti ed elefanti accanto a scimmie e scimmie accanto a giraffe. Ma soprattutto non avevo mai visto tutti questi animali pascolare tranquillamente all'interno della sala di un castello. Introdotti all'interno del castello grazie all'ardita fantasia di un architetto, che aveva collegato in qualche modo le stalle con gli ambienti umani per espresso volere di un altro visionario.

«Che diavolo…?»

«Bello, vero? È stata una mia idea», dicesti tu. «Un esperimento, in verità». Facesti un cenno e i servi che tenevano al guinzaglio gli animali sfilarono lentamente da una alta porta secondaria liberando la sala da tutta quella fauna singolare. Ne comparvero altri, che si affrettarono a raccogliere gli enormi escrementi che gli animali avevano abbandonato alle loro spalle, mentre il lezzo cominciava a innalzarsi fastidiosamente nell'aria. «Come puoi sentire, devo aggiustare ancora qualcosa, ma sono sulla buona strada. Non credo che una sala da pranzo faccia al loro caso, ma mi sto avvicinando all'idea che ho in mente».

«Non capisco», dissi io facendomi accompagnare da te al posto che mi avevi riservato al tuo fianco a tavola.

«Ti faccio una domanda. Secondo te, quanta gente conosce gli animali che tu hai appena visto? Quanti contadini, pastori hanno visto mai una fiera in luogo dei loro armenti? Quanti nobili una giraffa al posto dei loro cavalli?»

«Immagino che nelle pitture murali…».

«Appunto. Pitture murali. Ma non ne hanno mai sentito l'afrore o ammirato l'incedere».

Ti sedesti, e tutti coloro che erano in piedi davanti ai rispettivi posti fecero altrettanto. Anche io mi accomodai, ancora incredulo, senza smettere di guardarmi intorno.

«Ecco, ora immagina l'imperatore che si mette in viaggio per raggiungere una qualunque destinazione», continuasti.

«Immagina me preceduto dalla guardia a cavallo ma seguito da una lunga schiera di animali come quelli che sono appena usciti. La marcia lenta, accompagnata dal suono delle trombe udibile anche a miglia di distanza. Un suono interrotto e sovrastato da ruggiti, barriti, ululati».

Parlavi a me, ma eri altrove. Guardavi cose che io non potevo vedere. Sognavi e creavi al contempo. In seguito, avrei visto anche io con i miei occhi i tuoi sogni, e li avrebbero visti i tuoi sudditi. Tutti avrebbero parlato in eterno della tua corte itinerante.

«Hai compreso cosa intendo, amico mio?», insistesti tu alzando la voce in modo da attirare il mio sguardo.

Mi voltai dalla tua parte e fui sincero. «Veramente no», dissi allora. Pentendomi per gli anni a venire della mia stupidità.

Tu scuotesti il capo. E chiamasti il vino. «Non fa niente, mangiamo adesso. Sarai stanco per il lungo viaggio».

Il vino arrivò. Ne arrivarono molti. E poi arrivarono le pietanze. Le tue preferite da sempre. La cacciagione che tu stesso avevi sicuramente ucciso la mattina stessa in una delle tue interminabili battute guidate dal tuo fido falco.

«Stai continuando a scrivere quei tuoi appunti sulla falconeria?», feci dopo la seconda portata e l'ennesimo bicchiere di vino.

«Certo. Non smetto mai. E ogni volta mi accorgo che c'è qualcosa che non ho scritto ma che mi pare assolutamente indispensabile da aggiungere. Non credo che finirò mai. Sarà la mia opera incompiuta. Probabilmente toccherà a te terminarla».

«Perché, tu sei convinto che io ti sopravviverò?»

«Ma certamente. Chi altri potrebbe organizzare il mio funerale? Il papa, che non vede l'ora di darmi alle fiamme dell'inferno?».

Ridesti e fosti tu a versarmi da bere. Una cosa che destò la curiosità e l'incredulità di molti a quella tavola. Così presi coraggio.

«Perché?»

«Perché cosa?», ribattesti.

«Perché mi hai allontanato per tutto questo tempo? Le missioni che mi hai affidato sono state sempre più lontane dalle residenze

142

in cui ti trovavi... sempre più lunghe. Ma soprattutto, sempre più inutili».

«Ti sbagli. Sei la persona di cui mi fido di più e a cui affido i compiti più delicati».

«Io sono la tua guardia del corpo personale. Una guardia del corpo deve trovarsi sempre vicino... al corpo. Non a centinaia di miglia di distanza da esso».

Ridesti. «Hai ragione. Hai diritto di conoscere la verità. E il vino mi aiuterà a rivelartela». Facesti una pausa e un rutto. Un rutto sommesso, regale. Ma pur sempre un rutto. «Ebbene, sai cosa è successo da queste parti?», chiedesti in modo pleonastico. «Ho dovuto costruire un'enclave riservata per la tua gente, perché la convivenza con cristiani ed ebrei stava diventando difficile. Non volevo farti assistere. Non volevo che credessi che stessi facendo qualcosa contro il tuo popolo. Volevo... distrarti, per evitare che un giudizio affrettato potesse farti immaginare cose non vere».

«Cose non vere? Deportare migliaia di persone in una città, erigere intorno a loro alte mura fortificate e impedirne l'uscita mi avrebbe potuto far credere cose non vere? Come ti viene in mente?»

«Non è così. Non è quello che ho fatto, ma volevo che tu vedessi l'opera compiuta, perché a mezzo cammino avresti potuto travisare. Come hanno fatto in molti».

«Moltissimi, direi. Più che altro, tutti».

«Ma guardati intorno! Ti vedi all'interno di una prigione? E i soldati che hai visto quando sei arrivato ti sembravano prigionieri di qualcosa o qualcuno?»

«E allora spiegami. Prima che sia troppo tardi».

«Mi stai dicendo che è in ballo la nostra antica amicizia?».

Sollevai la testa dai resti dello squisito fagiano che avevo davanti. «Può darsi», ti risposi aiutato dal vino.

Tu rimanesti in silenzio e poi annuisti abbozzando un sorriso. «Può darsi», ripetesti con tono incredibilmente triste.

«Io amo il tuo popolo, la tua gente. Forse più di qualunque altro», riprendesti. «Mi avete accolto quando gli usurpatori mi avevano cacciato dal mio castello. Mi avete adottato quando il destino ha portato via mia madre. Mi avete aiutato a comprendere la verità quando il papa me ne voleva inculcare un'altra. Come potrei tradirvi? Come puoi osare anche solo di pensare che possa farlo?»

«Perché strappare la gente alle sue radici? Perché portarla via dalle sue case? Perché?».

Tu raccogliesti la coppa del vino, ma non bevesti. La rigirasti tra le mani, osservando il liquido color porpora che ondeggiava all'interno. «Io sono convinto che le radici non si trovino in un luogo, ma nella nostra mente. Le radici sono i nostri ricordi. I ricordi dei nostri avi, delle storie che ci hanno raccontato da piccoli, le abitudini che ci hanno insegnato, i riti che ci hanno proposto. Possiamo muoverci ovunque, con il ricordo. Siamo isole in balia dei flutti, amico mio. Ma se navighiamo sulle nostre tradizioni resteremo sempre a galla. Le tradizioni del tuo popolo sono millenarie. La tua gente non ha bisogno di una moschea quando può costruirne un'altra ovunque. Una moschea è un contenitore di tradizione. Basta alzarne le mura come accaduto già tre volte in questa città, e riempirle di ricordi e di riti e di fede». Stavolta bevve. «Guarda me. La Sicilia, la Puglia, la Germania. E poi Roma e la Terra Santa dove presto andremo e poi chissà dove. La mia casa dov'è? Qual è di tutte quelle che ti ho elencato?».

Mi fermai a riflettere. «Non… non saprei risponderti».

«Tutte e nessuna, amico mio. Tutte e nessuna. E ogni volta che ho voglia di eleggere un luogo a mia dimora non devo fare altro che appendere al muro le mie insegne e pensare a mia madre. Da quel momento quel luogo diventa la mia casa».

Terminasti di parlare e riprendesti a mangiare come se nulla fosse. Mi avevi fatto un discorso intenso che mi aveva colpito nel profondo, ma non avevi ancora risposto forse alla domanda più stupida.

«Perché mi hai fatto venire qui? Per vedere l'opera compiuta?».

Alzasti il capo e scuotesti la testa. «No. Alla fine ci ho ripensato. Il mio migliore amico non dovrebbe aver bisogno di guardare per credere. Per cui la mia risposta è no. Non ti ho convocato per mostrarti il frutto dei miei piani».

«E allora?»

«Ti ho chiamato per fartene dono».

Restai muto. Incapace di comprendere il senso di quella breve frase. «Perdonami, mio imperatore, ma in questo momento sono frastornato».

«E ne hai buon motivo. Ma lo sarai ancora di più fra poco». Battesti le mani tre volte e i tuoi commessi sparirono fuori dalla sala da pranzo.

Si fece silenzio. A quanto pare tutti i convenuti conoscevano già ciò che io ignoravo ancora.

Poco dopo entrò un soldato saraceno. In grande uniforme. Spalleggiato da due guardie che stringevano altrettante picche, sulla cui sommità sventolavano drappi su cui erano state cucite con fili d'oro parole nella mia lingua. Mentre si avvicinavano, mi resi conto che si trattava di versi del Corano.

Il soldato in alta uniforme sorreggeva un oggetto avvolto in un panno di pelle di camoscio. Si fermò all'estremo opposto della tavolata. E in quel momento tu ti alzasti.

«Seguimi, amico mio. Non ho intenzione di togliere troppo tempo a questo cibo sublime».

Ti seguii guardandomi intorno con imbarazzo. Tutti gli occhi erano su di me, accompagnati da sommessi sorrisetti che non mi facevano stare affatto tranquillo.

Arrivasti davanti al soldato in alta uniforme, che fece un inchino e ti porse l'oggetto avvolto dalla pelle di camoscio.

Avevi mangiato a mani nude, raramente usando le posate, come ti piaceva fare da sempre. Dicevi che il cibo andava prima toccato e assaporato con i polpastrelli e poi gustato con la lingua. Ma prima di chiedermi di alzarti ti eri lavato le mani, aiutato da un servo. Non ci avevo fatto caso e me ne stavo rendendo conto solo ora che cercavi i tuoi guanti. Li indossasti lentamente, muovendo le dita in modo da adattarle alle pieghe del cuoio su cui erano stato abilmente cucite pietre preziose. Capii che non avresti voluto toccare a mani nude quell'oggetto nascosto, anche se non ne conoscevo ancora la natura.

Terminata la lenta operazione di vestizione delle mani, cominciasti a svolgere la pelle lasciando che l'oggetto restasse tra le braccia del soldato che ti stava di fronte. Come un ragazzino dormiente.

La prima cosa che vidi fu la lama. Vi erano incisi dei versi, che i riflessi delle candele che illuminavano la grande sala mi impedivano di comprendere. Poi fu l'elsa a rivelarsi. Una croce distorta, forgiata nell'oro antico, sormontata da un rubino grande quanto un occhio. Quando la spada fu completamente rivelata alla nostra vista, mi resi conto che la lama era ricurva.

Dunque, una scimitarra.

«Questa lama è stata catturata nel corso dell'ultima crociata e mi è stata recata in dono qualche anno fa», mi spiegasti. «Io ritengo che sia giusto che torni nelle mani di qualcuno nelle cui vene scorre il sangue di coloro che l'hanno forgiata. Per questo», aggiungesti raccogliendo la scimitarra tra le mani guantate, «oggi io te ne faccio dono». Ti voltasti e mi porgesti l'arma.

Io la guardai senza riuscire a dire una parola. Sentivo la bocca impastata. La scimitarra era stupenda. La lama più bella che avessi mai visto nella mia vita.

«Avanti, è tua. Prendila, buon Dio», mi esortasti distendendo le braccia fin quasi a toccarmi il petto.

«Grazie», risposi io sfiorando prima la lama con le dita e poi stringendola per l'elsa. La sollevai per provarne il bilanciamento. Era leggera, ma emanava al contempo un senso di potenza. Come se si trattasse di un essere senziente fatto di oro e acciaio, che mi sussurrava in un orecchio *provami e non te ne pentirai, sarò la tua alleata in battaglia e la tua sorella in viaggio.* Mi ritrassi per un attimo, sicuro di aver sentito davvero quelle parole.

«Sì», mi precedesti prima che io potessi fare alcun commento. «Dicono che faccia questo effetto. I riti attraverso i quali è stata forgiata pare non siano stati proprio ortodossi, ma coloro che si sono succeduti nel dominarla non si sono mai lamentati».

«A quanto mi dici, almeno l'ultimo sì».

«Non ti ho detto che è stata strappata dalle mani di qualcuno, ma solo che è stata catturata. Devi fare molta attenzione alle parole», rispondesti ammiccando.

Io annuii. «Perché un regalo così... prezioso e importante? Cosa ho fatto per meritarlo? È forse il tuo senso di colpa che te lo ha suggerito?».

Tu ridesti. «Chiunque altro mi avesse risposto come hai fatto tu ora avrebbe già la testa tra le mani all'altezza dell'ombelico. Ma la risposta è *no*. Non è stato il mio senso di colpa a suggerirmi di darti questa spada e *no*, non è questo il regalo di cui parlavo». Spostasti lo sguardo sul soldato in alta uniforme che ci aspettava in silenzio. «Il regalo è lui».

Anche stavolta restai per qualche istante in silenzio. Dopo tanti mesi lontani da te, ti percepivo diverso, cambiato. Non più diretto come eri stato un tempo. Più autoritario e sicuro di te ma anche molto, molto criptico. «Ti prego, non lasciarmi ancora nell'incertezza».

Tu afferrasti una delle aste drappate dalle mani di una delle guardie al seguito del soldato in alta uniforme e cominciasti a soppesarne il peso. «Quando sei arrivato ti ho colto a osservare tutti quei soldati che si allenavano. Lo stanno facendo da mesi. Per un'idea che mi è balenata in mente da quando ho deciso di spostare la comunità musulmana in questa città. Non è stata una deportazione, come i miei detrattori sostengono e forse tu credi. È stata una scelta ponderata. Per trasformare Lucera in una vera e propria fortezza militare». Riconsegnasti l'asta alla guardia e ti voltasti per camminare a braccia conserte dietro la schiena. Poi ti voltasti ancora verso di me. «Io sono l'imperatore dei romani, o più propriamente del Sacro Romano Impero, non è così?»

Mi guardai intorno: «Non vedo chi possa metterlo in dubbio».

Annuisti. «Cesare Augusto, il primo degli imperatori romani, istituì un suo esercito personale, una sorta di guardia scelta a cui assegnò un castrum fuori dalle mura di Roma».

«I pretoriani, lo so», risposi io prontamente.

«Esatto», approvasti. «Ebbene, non vedo il motivo per cui anche io non debba avere una guardia scelta. Un esercito personale di soldati addestrati e votati totalmente alla mia causa. Di cui fidarmi ciecamente. Un esercito di pretoriani... saraceni».

Mi cogliesti letteralmente alla sprovvista. Ma la sorpresa non fu così forte come quella che subentrò quando finisti la frase. «E vorrei che fossi tu a comandare questo esercito. La mia guardia del corpo che diventa il comandante della mia guardia». Indicasti con lo sguardo la scimitarra che mi avevi donato. «Per questo ora hai quella lama. Perché è stata la lama di comandanti leggendari entrati nella storia. E non credi che anche io meriti un piccolo spazio nella storia?»

«Io... tu...», balbettai, scosso da un tremito di paura ed eccitazione al contempo. «Tu vuoi che io diventi il comandante del tuo esercito personale?».

Scuotesti la testa. Ti riavvicinasti e mi parlasti in un orecchio. «Io voglio che tu adesso esca di qui senza aggiungere altro e vada a prenderti i tuoi soldati. Ti stanno aspettando. Sono mesi che ti aspettano. E per prepararsi all'incontro si sono allenati giorno e notte, e adesso ne ho fatto una macchina da guerra. La mia, la tua, la nostra macchina da guerra».

Annuii vigorosamente. Strinsi con ancora maggiore forza la scimitarra. Qualcuno, non ricordo davvero chi, mi porse un fodero che mi strinsi alla vita senza nemmeno guardare. Lanciai uno sguardo fugace a tutti coloro che erano rimasti seduti ad assistere al colloquio, poi feci per uscire a grandi passi dalla sala.

«A proposito», mi richiamò la tua voce spingendomi a fermarmi. «Dovremmo dare un simbolo riconoscibile a questo nuovo esercito».

Io ti guardai sollevando un sopracciglio. «Hai... hai già pensato quale?»

«Mi sarebbe venuta una mezza idea. Visto che dovrete essere i miei occhi e la mia spada è il caso che mi seguiate passo passo come... un'ombra».

«Un leone nero rampante in campo azzurro», dissi allora io d'impeto. «Il tuo leone sui colori pretoriani», conclusi eccitato.

«E non ci vedi nulla di musulmano nel simbolo? Non è insolito?»

«Di musulmano ci saranno tutti i soldati che lo compongono. A partire da me».

«Il tuo pragmatismo farebbe invidia a Pier delle Vigne».

Ridemmo entrambi e poi non ricordo più nulla di quella notte. Probabilmente per colpa del sidro che i miei nuovi soldati mi fecero assaggiare per darmi il benvenuto. Qualche volta penso di aver immaginato tutto. Che i ricordi siano distorti dal tempo e da esso esagerati ma poi accarezzo il rubino sul pomo della scimitarra che pende dalla mia cintura e mi rendo conto che fu tutto vero.

Florentium, Capitanata, Apulia Normanna, dicembre 1250 d.C.

«Allora? Che ne pensi del mio racconto? Le cose andarono proprio così o hai qualcosa da ridire in proposito?» Addid fece le domande a raffica, accarezzando l'elsa della sua scimitarra.

Ma la risposta di Federico non arrivò.

«Mio signore, hai udito ciò che ti ho detto?», insistette Addid. Spostò l'attenzione sul sovrano e si accorse che aveva gli occhi chiusi e un ghigno scolpito sul volto esangue.

«Federico, che ti prende? Stai male?», chiese cercando la mano dell'amico.

«Sto… sto male da parecchi giorni ormai», sussurrò tra i denti l'imperatore. «Mi rincuora sapere che te ne sei accorto». La battuta gli uscì male. Insieme a un sottile rivolo cremisi. «Tuttavia, potrei affermare che in questo momento sto un po' più male del solito. E… e avrei anche il bisogno impellente di evacuare ancora. Tuttavia sono felice che alla fine la storia che hai raccontato coincida con la mia».

Ahmed Addid restò immobile a pensare. In effetti gli anni avevano modellato i suoi ricordi, che non corrispondevano più a quelli originari. Forse era proprio quello lo scopo che Federico si era prefisso nel chiedergli di sostituirlo come voce narrante dei suoi annali. Poi si rese conto che stava perdendo tempo imbrigliato dalla sua alterigia. Si alzò di scatto e spalancò la porta della stanza da letto dell'imperatore. I frati cistercensi che sostavano fuori non ebbero necessità di ulteriori solleciti. Bastò loro accorgersi dell'espressione sul volto del soldato saraceno.

Addid li lasciò passare e si riversò d'impeto nel corridoio. Mentre le voci concitate si rincorrevano nella stanza che aveva appena lasciato, cominciò a picchiare il muro di marmo a mani nude. Innumerevoli volte. Sempre più forte. Fino a farle sanguinare.

Una stretta compassionevole lo fermò. «Forse è meglio che torniate nei vostri alloggi, comandante», gli disse il buon frate. «Vi faremo chiamare noi se... quando l'imperatore sarà di nuovo disposto alle visite».

Addid obbedì senza protestare. Nei pochi giorni da quando si trovava ospite nella residenza di Fiorentino del suo amico Federico, era stato cacciato dalla sua stanza già un paio di volte. La salute dell'imperatore era sempre più incerta. Quello che era stato rappresentato come l'ennesimo malanno di stomaco si stava rivelando qualcosa di più serio e difficile da curare. Mentre rientrava nei suoi alloggi scorse con la coda dell'occhio il medico personale di Federico che confabulava con alcuni dei suoi collaboratori. Non aveva più intenzione di fargli domande. Sapeva che ogni risposta avrebbe prodotto una ferita sanguinante.

Arrivato davanti alla porta della sua stanza, Addid strinse la mano sul pomo d'ottone ma non lo girò. Per tutta la vita Federico aveva avuto gente di ogni risma che aveva complottato alle sue spalle, che gli aveva nascosto informazioni o segreti. Militari, preti, donne, figli. E aveva portato con orgoglio quel fardello. Era davvero impossibile immaginare che adesso l'antagonista di chi aveva stupito il mondo fosse un medico. Il soldato musulmano imprecò e si voltò. Non avrebbe passato l'ennesima giornata chiuso tra quattro mura in attesa di notizie sempre più nefaste. Aveva bisogno di prendere aria. A lunghi passi attraversò le navate della residenza imperiale. Incrociò figure che non volle riconoscere, occhiate che non volle sostenere, saluti che non volle ricambiare. Il suo mondo era chiuso in una stanza del piano superiore, e stava morendo. Tutto il resto gli importava davvero poco. Raggiunse la stalla, si fece sellare il cavallo e uscì dalla fortezza al gran galoppo, rischiando di travolgere le guardie al cancello.

E finalmente le zampe del suo animale affondarono nella neve vecchia della notte. Addid respirò profondamente il gelo e per un attimo sorrise. Conosceva il sapore di quell'aria. Il sapore della caccia d'inverno.

Addid si guardò intorno e finalmente lo scorse. Un giovane cavaliere con un falco bendato sulla spalla. E accanto a lui un soldato dal volto olivastro e la lunga barba nera. Sembravano parlare tra loro di qualcosa che li divertiva. E così il soldato musulmano si fermò ad ascoltarli.

Favara, solatia dei sovrani normanni, Palermo, Regno di Sicilia, dicembre 1250 d.C.

«Non riesco proprio a immaginare come tu abbia avuto il coraggio di guardarla in faccia il giorno dopo», dissi tirando le redini di un cavallo troppo nervoso.

Tu ridesti ancora. Il falcone sulla tua spalla distese per un attimo le ali impaurito, ma poi si ricompose. «Ma come posso andare a letto con una ragazzina?», domandasti. «Jolanda ha appena tredici anni e io sono abituato a donne che ne sanno una più del diavolo».

«Quella ragazzina», ti feci osservare io mentre caricavo la balestra, «da novembre è diventata tua moglie, e suo padre non ha preso molto bene che tu abbia passato la prima notte di nozze con sua cugina invece che con lei». Avevo scorto un coniglio che stava cercando di fare una buca nella neve per nascondersi dal gelo e non gli staccavo gli occhi di dosso.

Tu raccogliesti una freccia dalla faretra che avevi in spalla e la incoccasti. «Giovanni di Brienne sarà pure un buon crociato e un timorato di Dio, ma per questa cosa è andato del papa. Ti rendi conto?», insistesti voltandosi dalla mia parte. «Un uomo valoroso come lui che si inginocchia davanti alle pantofole del pontefice e ci piange sopra. Uno spettacolo deprimente».

«Io credo che si sia trattato di una scusa per farsi dare qualche carica importante. Sai quanto gliene importa di cosa te ne fai di sua figlia. Per quanto lo riguarda sono convinto che avrebbe accettato perfino un matrimonio in bianco pur di dare sua figlia in sposa all'imperatore. Tuttavia questo non toglie che le apparenze vadano salvate. Soprattutto perché non parliamo di uno sposalizio tra due persone come le altre. Jolanda ti ha portato la corona di Gerusalemme, e se hai intenzione di indire finalmente una crociata ti sarà sicuramente utile».

«Lo sai che non voglio fare alcuna crociata. Non sopporto di vedere la mia gente e la tua gente che si ammazzano per la rivalità tra due dèi che in realtà sono lo stesso ma chiamato con un nome diverso. Con questa storia dei matrimoni per convenienza il papa mi ha già fregato un'altra volta. Mi sono stufato. Mi sposo ma faccio quello che voglio, la notte». Scoccasti e centrasti il coniglio al collo. Io sospirai e lasciai cadere la balestra sulla sella del mio cavallo.

«Alla fine vedrai che sarai costretto a indirla, una maledetta crociata, o il papa non troverà pace».

«Se mi promette che la smette di farmi sposare ragazzine vergini e poco avvenenti, magari ci faccio un pensiero sopra».

«Intanto però, magari, per una volta potresti occuparti delle tue prede invece che delle mie?», protestai.

«Sei lento, amico mio. Troppo lento. E poi il mio falco è impaziente di farmi vedere cosa ha imparato». Accarezzasti l'uccello sulla tua spalla, lo facesti spostare sul polso avvolto da un bracciale di cuoio e gli togliesti il cappuccio. Poi facesti un semplice gesto con la mano e l'animale si staccò da te, per andare a volare verso il coniglio ucciso. La catena che lo teneva saldamente legato al tuo cavallo si era distesa quasi del tutto. Il falco afferrò il coniglio con le zampe artigliate e lo sollevò di quasi un metro da terra, prima di lasciarlo ricadere nella neve. Emise uno strano suono come se fosse indispettito dall'incidente.

Tu ridesti di gusto. «Sei ancora piccolo, ma stai imparando bene», gridasti come se volessi rivolgerti al falcone. «Vedrai che fra qualche mese riuscirai a riportarmelo», aggiungesti spronando il tuo cavallo. Raggiungesti la preda. Richiamasti il falcone sulla tua spalla. Lo bendasti di nuovo e poi usasti la spada per raccogliere il coniglio.

Un attendente arrivò rapidamente al tuo fianco e si fece consegnare il bottino. Poi si allontanò discretamente. Sapevano tutti che quando andavamo a caccia insieme nessuno doveva essere a distanza di udito. I nostri segreti, quelli che avevamo da quando eravamo bambini, non ce li poteva rubare nessuno.

«A che punto è il tuo manuale sulla caccia?»

«Sto leggendo molto. Ho trovato alcuni documenti interessanti da cui attingere: un testo arabo che mi stanno traducendo e un manuale di un tal Guicennas, pare sia un cavaliere tedesco molto esperto in caccia col falcone». Accarezzasti l'animale che riposava sulla tua spalla. «E poi ho trovato un titolo che potrebbe essere anche definitivo. Immagino di chiamare il trattato tipo *La caccia con il falco*».

«Banale, se posso dirlo».

«È un manuale che spiega le regole per la caccia con il falcone. Come vuoi che lo chiami?»

«Quanti ce ne sono di manuali del genere? Probabilmente è il primo in occidente. Dovresti dargli più importanza».

«E come? Lo faccio trascrivere con lettere dorate e rilegare con pelle umana?»

«Se fosse un titolo in latino secondo me gli daresti più autorevolezza. Dici sempre che la caccia è un'arte».

Tu ti accarezzasti la peluria rossa sul mento, che ti stavi facendo crescere come vezzo di una barba. «Forse hai ragione. Penserò a un titolo in latino e a qualcosa che rappresenti questo concetto. Tipo... tipo... l'arte della caccia con il falcone».

«De arte venandi cum avibus», dissi io tutto d'un fiato.

Tu tirasti le redini del cavallo che sbuffò indispettito. «Accidenti, ma è perfetto».

«Felice di esserti sempre d'aiuto, mio re», declamai io ricordandoti la frase che avevo coniato quando giocavamo per le strade di Palermo. In realtà erano mesi che pensavo a quel titolo. Non ci avevo dormito per notti intere, per fare bella figura.

«Ieri è morto Ombra». Lo dicesti così. Senza preavviso. Eppure consapevole di cosa quella notizia rappresentava per entrambi. Una parte della nostra infanzia che se ne andava. E presto ce ne sarebbero state altre. Il mosaico si sarebbe sgretolato lentamente ma inesorabilmente. Senza alcuna possibilità di fare qualcosa per impedirlo.

«Accidenti», risposi io abbassando la testa sulla sella. Il vento che faceva turbinare la neve intorno a noi pianse per me. «Era vecchio e mi avevi detto che era malato, ma non mi aspettavo che accadesse così rapidamente».

«La verità è che pensiamo sempre che coloro a cui siamo affezionati siano immortali. Io l'ho pensato per mia madre, credimi. Ma non è così. Non è mai così. Nessuno di noi è immortale».

Florentium, Capitanata, Apulia Normanna, dicembre 1250 d.C.

Nessuno di noi è immortale.

Addid continuò a seguire i due uomini a cavallo, ma alla fine svanirono con i suoi ricordi come il fiocco di neve che si era depositato sul dorso del suo guanto.

Il soldato musulmano si voltò a guardare la fortezza dove il suo migliore amico stava soffrendo.

Pensiamo sempre che coloro che amiamo non debbano mai morire.
Ma non è così.
Non è mai così.

Ahmed Addid fece voltare il cavallo. *Che ci sto a fare qui? Perché mi sono allontanato?*

Il soldato musulmano spronò l'animale che si mise al galoppo. La neve rappresa scricchiolava sotto ai suoi zoccoli. *Federico è lì dentro e io non posso stare lontano da lui. Fa parte di un giuramento a cui nessun protocollo potrà farmi venir meno.*

Le guardie che lo videro arrivare fecero appena in tempo ad

aprire il cancello della fortezza. Addid si infilò nella stretta fessura tra i due battenti, senza attendere che si fossero aperti del tutto.

Attraversò al galoppo le stesse strade che la prima volta lo avevano portato al capezzale dell'imperatore. Stavolta, la luce del giorno e la neve che si era fatta quasi ghiaccio rendevano lo scenario completamente diverso. Come se si trattasse di un altro luogo. Un piccolo villaggio ai piedi di un sovrano ammalato, che nulla di cupo incuteva alla vista. La sofferenza e la morte non hanno bisogno di trucchi.

Il soldato saraceno lasciò il cavallo alle stalle, senza preoccuparsi di affidarlo a un palo o a uno scudiero. Per entrare nella residenza di Federico spintonò qualcosa che assomigliava a una figura umana, ma non si rese nemmeno conto di chi fosse. Salì altrettanto velocemente le scale che portavano al secondo piano. Avvistò la camera da letto di Federico non appena svoltò nel lungo corridoio, dove le bifore incrociavano come lame la luce di un sole bianco. I due frati che si trovavano di guardia davanti alla porta non ci pensarono due volte a scansarsi. Così Addid aprì senza nemmeno bussare. Pronto a dire quello che si era preparato da quando aveva deciso di far tornare indietro il suo cavallo.

Non lascerò il mio sovrano in mani estranee.

Tutto quello che deciderete di fargli dovrà essere prima comunicato a me.

Io sono la sua guardia del corpo.

Io sono il comandante della sua guardia scelta.

Io sono il suo migliore amico.

« Che gli state facendo?», disse invece quando si rese conto di quello che stava accadendo nella stanza.

Federico era nudo, disteso sul suo letto. Intorno, alcuni servi che tenevano tra le mani gli strumenti per un lavacro. Qualche frate che sgranava il rosario. E un uomo di spalle ai piedi del giaciglio.

Addid si era preparato a rispondere a un rimprovero, a una voce pronta a cacciarlo di nuovo. Ma non accadde nulla di tutto questo. Nessuno gli disse nulla. Nessuno si accorse nemmeno della sua presenza.

Accanto alla finestra, da una gruccia sospesa a un gancio, pendeva una veste senza maniche e priva di ricami di colore grigio. Un saio.

L'uomo ai piedi del letto si voltò dalla sua parte e Addid riconobbe la sagoma allampanata del medico personale di Federico.

I due si conoscevano da tempo, ma i loro rapporti erano stati fino a quel momento solo formali. Per via dei diversi incarichi era evidente che quando c'era l'uno non era necessaria la presenza dell'altro. Spesso i loro scambi si erano tradotti in occhiate di saluto o cenni del capo. Ma stavolta lo sguardo del dottore del sovrano, lanciato dal profondo di quei suoi tratti sfuggenti che lo avevano sempre reso estraneo, aveva qualcosa di diverso. Una insolita mestizia che si catturava dalla rilassatezza delle rughe della fronte e dal taglio delle labbra.

«Che... che gli state facendo?», ripeté Addid.

Il medico inarcò le spalle. «Non vedete? Lo stiamo vestendo».

Addid rispose d'impeto. «Con quel cencio?», indicò il saio appeso alla gruccia. «Il fatto che sia malato non deve farvi dimenticare che si tratta pur sempre del nostro sovrano».

«L'ho chiesto io», fece la voce spezzata di Federico. «Stai tranquillo».

Addid si avvicinò al letto e poté vedere meglio l'abito spartano che i frati volevano fargli indossare. E finalmente lo riconobbe. Un saio cistercense.

Così rammentò tutto.

Subito dopo l'incoronazione, Federico aveva scritto una lettera indirizzata proprio al capitolo generale di quell'ordine. E aveva incaricato proprio Addid di consegnarla personalmente, ma non prima di avergliene letto il contenuto per conoscere un parere sullo stile. Il soldato saraceno l'aveva imparata a memoria pur avendola ascoltata una volta sola.

Pur essendo un umile peccatore, mi sono state affidate dalla misericordia di Dio le sorti del Sacro Romano Impero. Per questo voglia l'Onnipotente, attraverso la vostra devota mediazione, concedermi lo spirito della giustizia e della verità, affinché io possa guidare il regno a onore e gloria del suo nome e la Chiesa si rallegri nella tranquillità della pace riconquistata, e al termine di questo interludio terreno io raggiunga insieme a voi il regno che non ha fine.

Una lettera toccante. Una tradizione che richiamava il gesto già fatto da suo nonno il Barbarossa. Ma poco tempo dopo aveva aggiunto qualcosa a quel percorso. Aveva chiesto di essere ammesso come terziario nel convento di Casamari. Una predilezione personale per l'ordine dei cistercensi che non aveva manifestato per nessun altro ordine mendicante. Addid gli aveva chiesto una volta il motivo di tale attrazione esclusiva, e Federico gli aveva risposto che dell'ordine dei cistercensi gli piaceva l'organizzazione gerarchica che di fatto lo rendeva autonomo rispetto alla forma di governo di altri ordini. Una sorta di piccola monarchia senza denari che gli sarebbe stata molto utile per la colonizzazione dei centri di aggregazione più lontani e isolati. Con quella incredibile intuizione, invece di mandare soldati Federico mandava frati. Con risultati inimmaginabili. I cistercensi erano diventati gli amministratori dell'economia del suo regno. La sua vita era stata indissolubilmente legata ai frati cistercensi e quella lettera, che Addid ricordava ancora quasi l'avesse scritta lui stesso, testimoniava che se ne sarebbe rammentato davvero anche in punto di morte.

A differenza di come era accaduto altre volte di fronte ad altri sovrani, Federico al cospetto dell'unico che rispettava davvero, non aveva barato.

Uno dei frati prese il saio, mentre gli altri aiutavano il sovrano a sollevarsi sul letto. Difeso da una cortina di corpi, l'imperatore fu aiutato a indossarlo.

Dopo un breve trambusto, i frati uscirono e alla fine uscì anche il medico. Addid provò a intercettarlo mettendogli una mano sulla spalla. Il medico si limitò a lanciargli un'occhiata poco convinta accompagnata da una frase breve ed eloquente. «Stategli vicino. Voi che potete».

Quando tutti furono usciti, Addid girò l'attenzione verso il letto. Federico lo stava osservando. E, stranamente, sorrideva. «Adesso mi sento molto meglio. Ho passato un brutto momento».

Il suo pallore era accentuato. Forse per la luce strana che proveniva da una giornata indecisa tra il sole e la pioggia. Forse per colpa della luce sempre più fioca che le fiammelle diffondevano nella stanza.

«Bisogna cambiare queste candele, o presto resterai al buio», disse Addid. E solo alla fine della frase si rese conto del significato di quello che aveva detto.

«Credo che non accadrà per colpa delle candele», gli confermò il sovrano.

«So che stanno arrivando i migliori medici della regione».

«Non ce ne è uno migliore del mio. E non può fare nulla di più di ciò che ha fatto fino ad ora».

«Vedrai che...».

«Piantala», fu perentorio l'imperatore. «Non voglio che ti perda in chiacchiere. Devi continuare la tua storia, invece».

«Se ti senti davvero così tanto male potremmo aspettare che...».

«Non mi sentirò mai più meglio di così. Non lo hai ancora capito?».

Addid strinse i pugni e fece finta di cercare una sedia. Poi si sedette invece ai piedi del letto. La punta del fodero della scimitarra che portava al fianco strisciò sul pavimento producendo un rumore metallico.

«Non trattare male quella lama. Ha un significato importante per entrambi», contestò Federico.

«Scusami», fece Addid slacciando la cintura che sosteneva il fodero. «Avrei dovuto lasciarla nella mia stanza. Non saprei da cosa difenderti, visto che sei circondato dalle mura di una fortezza su cui vegliano centinaia di soldati».

«E poi sono un uomo malato. Definitivamente malato», disse Federico con un colpo di tosse che bagnò il lenzuolo di minuscoli schizzi rossi. «Chi oserebbe combattere un uomo malato quando potrebbe semplicemente attendere?»

«Magari potrebbero pensare che si tratti di una messinscena», provò a scherzare Addid.

«Perché, abbiamo in mente un'altra crociata?».

Addid osservò il volto dell'imperatore. E il suo sorriso appena accennato. «Vuoi dirmi che quella volta...?»

«Non lo so. Dimmelo tu. Sei tu quello che sta raccontando la mia storia».

ATTO TERZO
LA CORONA DELL'ANTICRISTO

Brindisi, Regno di Sicilia, estate 1227 d.C.

«Salpiamo le ancore».

Accolsi quell'ordine come una vera e propria liberazione. Passai in rassegna tutte le navi alla fonda nel porto di Brindisi. Decine e decine. Di alcune non riuscivo nemmeno a intravedere le sagome, confuse nei riflessi dell'acqua baciata dal sole caldo del sud, per quanto fossero distanti dal luogo in cui ci trovavamo. Quando vidi le vele innalzarsi e gonfiarsi della brezza calda che veniva da levante, sospirai.

Finalmente si partiva. Era successo di tutto, nel frattempo, compresa la morte del papa, che aveva ritardato di molto tutti i preparativi e la conseguente decisione di salpare.

Avrei dovuto intuire che quella crociata era nata sotto cattivi auspici e probabilmente tu, senza darmene conto, te ne eri reso subito conto.

A voler esser sinceri, a te della crociata non interessava un granché. Non era la prima volta che il papa di turno cercava di convincerti, e non era la prima volta che trovavi una scusa valida per sottrarti all'ennesimo giuramento solenne, da fare impugnando spade, croci, corone e quanto di più autorevole avessi trovato guardandoti intorno. Tuttavia, quella volta Onorio era stato più bravo di te nelle mosse preliminari e ti aveva messo con le spalle al muro.

Prima della presa di Damietta avevi inviato due emissari in Egitto, istruendoli di non sottoscrivere un accordo di pace con i musulmani senza il consenso del legato pontificio. Quella che a prima vista poteva sembrare una chiara sottomissione alla Chiesa, in realtà era l'ennesimo tentativo da parte tua di perdere tempo. Ma dopo la sconfitta di Mansurah gli animi si riscaldarono e tra le proteste generali si levò anche il giudizio del papa, che riteneva il tuo tergiversare tra le cause della strage di crociati avvenuta.

Non so se fingesti o accadde sul serio, ma in quell'occasione ti vidi per la prima volta in vita mia davvero incollerito. E per farti calmare, il papa ti propose l'ennesimo matrimonio. Stavolta con una ragazzina alquanto bruttina, antipatica e algida ma figlia di Giovanni di Brienne, il re di Gerusalemme. Dettaglio non da poco questo poiché, con quel matrimonio, tu andavi a collocarti in testa alla linea ereditaria della corona della più importante città contesa nella guerra tra cristiani e musulmani. Con quel *sì* davanti a un prete, ti andavi a legare mani e piedi, pena la scomunica. Di come ti approcciasti a quel matrimonio, ne abbiamo già parlato.

Erano tutti convinti che avresti guidato quella stramaledetta crociata, così cominciarono ad accendersi fermenti in tutto l'occidente cristiano. Mentre tuo suocero si faceva il giro dei regni più potenti d'Europa, per raccogliere consensi ma soprattutto uomini validi, tu davi il via in Sicilia alla costruzione delle navi che avrebbero trasportato i soldati cristiani in Terrasanta.

Bisogna dire che il reclutamento fu quasi ovunque un grande successo. La gente disposta ad andare a razziare le case degli altri è sempre insolitamente numerosa. Soprattutto quando riesce a farsi scudo della benedizione di un Dio muto e invisibile. E di qualche sostanziale bugia.

In Germania, i predicatori andavano in giro affermando che chi avesse risposto positivamente al richiamo della fede e avesse imbracciato elmo, scudo e spada nel nome del Signore avrebbe avuto ogni indulgenza. Perfino le anime più sozze avrebbero beneficiato di tale lavacro. E furono proprio queste a rispondere per il meglio. Così, le fila dei potenziali difensori della fede si riempirono di delinquenti che, nell'attesa di partire, continuarono a fare i delinquenti, sicuri di uscirne impuniti. E dire che tu stesso avevi mandato in Germania a rappresentarti il gran maestro dell'Ordine teutonico, che era tornato a casa portando nella sporta i certificati di adesione controfirmati dal langravio di Turingia, il duca d'Austria, il re d'Ungheria e una moltitudine altra ma assortita di principi tedeschi di vario lignaggio ma di comprovata fede... nell'oro.

Perfino i cristiani di Palestina, che davvero stavano patendo quelle che voi chiamate con particolare sagacia "le pene dell'inferno", caddero con tutte le scarpe nella scossa della fede e scrissero, attraverso il patriarca di Alessandria, un'accorata lettera di ringraziamento al papa in cui ti definivano "salvatore del mondo". E c'era da credergli, visto che i pochi crociati superstiti rimasti da quelle parti, dopo che i miei fratelli in Allah gliele avevano suonate di santa ragione, non sapevano più dove andare a pregare, dato che oltre cento delle loro chiese locali erano state distrutte.

Insomma, i presupposti per costringerti a partire c'erano tutti. Eppure, la tua buona stella tornò a splendere proprio quando stavi per prendere scudo e spada e salire a cavallo. Le soventi ribellioni in Sicilia e nel regno di Napoli e i tumulti che stavano scuotendo i comuni lombardi mettevano paura anche al papa che, spedendoti in Terrasanta a tempo indeterminato, si sarebbe trovato scoperto sia a nord che a sud. Dunque, tu chiedesti di rinviare la crociata di almeno due anni e lui di buon grado accettò, facendo finta che la richiesta fosse stata solo la tua mentre la covava in seno da mesi. Un gioco delle parti che ti piaceva tanto. Purché alla fine combaciasse con i tuoi piani.

Così, tu riuscisti a sottrarti per un bel po' all'impegno preso senza rischiare una scomunica, e il papa si sentì sicuro delle promesse che gli avevi comunque fatto perché ti aveva costretto a sposare la giovane racchia di Gerusalemme, con la quale non avevi voluto giacere nemmeno la notte di nozze, andandoti a cercare qualcosa di più commestibile. Giovanni di Brienne, come abbiamo avuto modo di convenire, non ne fu felicissimo ma l'impegno promesso al papa di preoccuparsi di reclutare soldati per la guerra santa fu più forte del suo orgoglio di padre, e lasciò correre. Se proprio vuoi saperlo, sono convinto che comunque si fece un bel nodo al fazzoletto, pensando che prima o poi avrebbe trovato il luogo e il tempo per vendicarsi di te. Ma questa è un'altra storia, che forse non ho nemmeno voglia di rammentare.

Due anni sono lunghi, ma possono essere anche brevissimi. Infatti furono sufficienti a convincere l'Inghilterra, che offrì su un piatto d'argento ben sessantamila soldati, e la Georgia, che aveva giurato vendetta nei confronti dei musulmani quando il loro sultano aveva fatto demolire i simboli più importanti della città santa. Pochi risultati erano arrivati dalle terre calde di Spagna e Italia, dove in realtà si stava giocando la partita a cui anche tu tenevi di più. La lega dei comuni lombardi aveva altre idee per la testa, e a sud erano tutti presi dal tarlo della libertà, che avrebbe dovuto portare, al posto di un imperatore attento ai suoi sudditi, la possibilità di fare impunemente tutto ciò che l'istinto animale della razza umana consente.

Nonostante alcune importanti defezioni, forse perfino con tua grande sorpresa e un pizzico di disappunto per tutto ciò che sappiamo, riuscisti a mettere in piedi un potente e numeroso esercito. Così ci ritrovammo tutti a Brindisi.

Naturalmente ti eri ben guardato dal chiamare a raccolta le tue guardie saracene. Con la scusa della necessità di presidiare le tue terre in tua assenza, le avevi lasciate in Apulia. E avresti lasciato a casa anche me, se non fosse che ormai mi consideravi una sorta di portafortuna, più che una guardia del corpo. Non mi ricordo occasioni in cui io non sia stato al tuo fianco. Salvo naturalmente quelle in cui ti intrattenevi sotto le lenzuola con la donzella di turno, e forse anche con qualche altro esempio di fauna umana sulla cui natura non volli mai indagare. Noi musulmani siamo molto tradizionali su certe cose. Magari dieci tutte insieme, ma che siano femmine.

Insomma, alla fine si radunarono tutti coloro che avevano accettato, ma proprio sul più bello, e forse proprio perché Dio esiste ma non è quello in cui voi credete, il papa morì. E prima che il suo successore Gregorio rimettesse a posto le fila del discorso, passarono alcuni mesi.

Mesi che gente del nord, abituata ai climi rigidi delle foreste e delle montagne, fu costretta a trascorrere nel caldo umido del sud dell'Italia. E per quanto avessero giurato tutti di essere uomini vigorosi e in buona salute pronti a offrire la loro tempra a Dio, in molti si ammalarono, e in molti morirono.

Nonostante la tragicità degli eventi, non potevo fare a meno di sentirmene divertito. Immaginavo tutti quei nobili tronfi, appesantiti dal loro potere e dalla loro ricchezza, che si inginocchiavano sudando di fatica davanti all'arcivescovo di turno per farsi benedire stivali, guanti e quanto di più intimo portavano indosso, per poi venire a morire di scabbia, rogna e chi più ne ha più ne metta, lontani dalle concubine con le quali si erano pavoneggiati fino alla sera prima di partire per nascondere con le parole un pene che non si alzava.

Purtroppo potei cullarmi in quei pensieri solo per poco tempo, poiché mi richiamasti subito alla dura realtà.

«Terrai tu il diario di bordo del viaggio», mi rivelasti prima di mettere piede sulla tua nave.

«Ma è il compito del comandante», protestai senza troppa convinzione. Sapevo che quando prendevi una decisione l'unica persona in grado di farti cambiare idea era tua madre, e purtroppo l'avevi persa il giorno in cui ci eravamo conosciuti.

«Hai ragione, ma non mi sento troppo bene», mi confessasti. «Forse l'attesa, forse il caldo».

Forse qualche altra cosa, di cui avrebbe parlato diffusamente il mio diario. E che non ti avrebbe mai più abbandonato.

Non avevo mai visto tutte quelle navi tutte insieme. Erano arrivate al porto di Brindisi nell'arco di qualche mese e si erano ritagliate il loro spazio al porto, sgomitando sempre di più, e il giorno stabilito per la partenza molti dei loro scafi si toccavano, sospinti dal movimento ondulatorio della risacca. Per la gran parte si trattava di nuove galere, fatte costruire da te nei migliori cantieri siciliani. Navi lunghe e strette, dotate di uno o due alberi con vele latine, su cui solerti operai avevano dipinto grandi croci rosse in campo bianco, e mosse da una sola, lunga fila di remi. Per la loro forma le chiamavano "pescispada" e difatti la loro velocità tra le onde e la letalità del loro rostro ricordavano ampiamente quei predatori dei mari.

Tuttavia, qualcuno era stato mosso più dalla foga della fede che da quanto gli restava nelle casse, visti i tempi grami, e si era presentato con vecchi dromoni che avevano fatto il loro tempo già in epoca bizantina. Ma c'erano anche galeotte, fregate e sagitte. Navi grandi e piccole, che sarebbero state usate per il trasporto delle truppe e dei vettovagliamenti o anche, qualora se ne fosse verificata la necessità, per ingaggiare confronti con la scarsa presenza di pirateria che si immaginava di poter incontrare durante la rotta. Ne contai oltre cento, ma solo alcune di esse sfioravano il pelo dell'acqua con i pontili. La verità era che durante l'attesa molti dei volontari, senza distinzione di rango, si erano ammalati. Qualcuno, anche tra i capi, era perfino morto e il viaggio non iniziava sotto i migliori auspici. Se avessimo avuto a disposizione un augure o un aruspice, come ai tempi dell'infanzia dell'impero che adesso guidavi, ci saremmo risparmiati tempo e fatica, ma avevamo solo preti che pregavano per ingraziarsi un Dio che evidentemente non amava l'acqua.

Tuttavia, il viaggio stava cominciando. E io ero stato incaricato di raccontarlo.

Diario di bordo. Primo giorno di navigazione. Siamo partiti dal porto di Brindisi alle prime luci dell'alba, ma non prima che un arcivescovo, che poi ha declinato l'invito a unirsi a noi adducendo scuse di ministero non meglio precisate, abbia passato in rassegna tutti gli scafi per impartire la sua benedizione e quella di Dio. L'imperatore ha apprezzato molto il gesto, e finalmente le navi hanno lasciato la banchina assumendo una formazione a cuneo, con la galera più grande su cui egli si è imbarcato a guidare la spedizione. Il tempo per il momento è buono e le previsioni dei meteorologi a bordo fanno ben sperare per i giorni a venire. Abbiamo lasciato a terra tutti coloro che la malattia aveva debilitato nei giorni scorsi, ma non quelli che presentano sintomi lievi e dunque in grado di far immaginare una positiva risoluzione prima dell'approdo in Terrasanta. Questa sera è previsto un lauto pasto a base di aringhe salate e birra. Per festeggiare l'inizio dell'impresa.

Diario di bordo. Secondo giorno di navigazione. Il tempo sta peggiorando e i meteorologi non sanno come spiegarselo. Tuttavia, la birra che abbiamo bevuto ieri sera era molto buona e questo ha rinvigorito gli animi, predisponendoli a una eventuale fatica aggiuntiva. Il viaggio non sarà molto lungo e ballare un po' sulle onde non ci porterà eccessivo nocumento. Questa sera, dopo cena, è prevista la celebrazione di una messa sul pontile della nave guida. L'imperatore ha deciso di offrirsi come chierico per l'officiante, un frate cistercense sua vecchia conoscenza che, a differenza dell'arcivescovo che abbiamo lasciato a terra, non ha rammentato alcun ostacolo che gli impedisse di partire.

Diario di bordo. Terzo giorno di navigazione. Siamo vivi per miracolo. Durante la notte ci ha sorpreso una terribile tempesta. Ho potuto vedere alla luce delle poche fiaccole che resistevano all'impeto del vento gli alberi di molte navi spezzarsi come fuscelli e le onde inghiottire in un baleno anche scafi che mai avrei immaginato potessero affondare così repentinamente. La nostra nave si è salvata solo grazie alle sue dimensioni e alla bravura dei marinai, che lo stesso imperatore ha voluto guidare durante le operazioni di manovra. Ma ho visto galleggiare in mare i corpi di tanti uomini. Tuttavia, come detto, siamo vivi. Non so se grazie al Dio per il quale è stata celebrata la messa proprio pochi istanti prima che scoppiasse la tempesta o al fato, che in mare aperto parrebbe avere molta più influenza di tante altre cose sugli eventi.

Diario di bordo. Quarto giorno di navigazione. La flotta è stata decimata dalla tempesta. Quando il sole ci ha permesso di verificare meglio i danni subiti nella notte precedente, abbiamo contato circa trenta navi in meno rispetto a quelle che erano partite dal porto di Brindisi. Come se non bastasse, l'imperatore ha passato tutto il giorno nella sua cabina perché indisposto, e dalle navi superstiti ci arriva voce che il morbo che ha falcidiato le truppe a terra pare non abbia alcuna intenzione di recedere. I sintomi di molti di coloro che immaginavamo sulla via della guarigione si stanno invece accentuando, e già alcuni marinai sono inutilizzabili. Navighiamo a scarto ridotto, con le risorse che restano, ciò che di commestibile il mare ha risparmiato e un ottimismo che si sta trasformando in realismo ostinato.

Diario di bordo. Quinto giorno di navigazione. La salute dell'imperatore è peggiorata. I sintomi sono gli stessi di coloro che il morbo ha costretto a terra o sottocoperta. Ha delegato al capitano della nave tutte le incombenze, e a me il resto. I marinai sono scontenti, mentre coloro che dovrebbero essere i guerrieri se la stanno facendo sotto dalla paura. Se queste sono le premesse, non oso immaginare cosa farà questa gente di fronte a un nemico molto più forte e pericoloso rispetto a una tempesta. Alcune navi hanno rinunciato al viaggio e stanno tornando a Brindisi. Stasera niente messa e niente birra. Per fortuna.

Diario di bordo. Sesto giorno di navigazione. L'imperatore ha preso la ferale decisione che un po' tutti si aspettavano. Stiamo facendo rotta verso il porto di Otranto, il più vicino secondo la mappa di navigazione. La malattia che speravamo di aver lasciato sulla terraferma è invece salita a bordo con noi e ci ha sconfitti ancor prima di affrontare il nemico in carne e ossa. Probabilmente non avremmo dovuto dare retta ai medici che ci hanno convinto a imbarcare anche i malati, così come non avremmo dovuto dare retta ai meteorologi che ci dicevano che avremmo incontrato bel tempo per tutto il viaggio. In definitiva, non avremmo dovuto dare retta al papa e gettarci in questa avventura priva di senso. La crociata finisce ancor prima di avere inizio. Era nata sotto cattivi auspici e alla fine si sta rivelando un fallimento. Non oso immaginare cosa accadrà quando Federico si troverà di nuovo di fronte al pontefice.

Ma il viaggio di ritorno è lungo e probabilmente l'imperatore pren-
derà tutto il tempo necessario per costruire le scuse più appropriate.

Qualcosa di buono, però, questa esperienza me l'ha portato. Non
vedrò i miei fratelli in Allah come nemici. E sono convinto che, nel
suo intimo, anche Federico sia contento di questo.

Florentium, Capitanata, Apulia Normanna, dicembre 1250 d.C.

L'imperatore ascoltò il racconto dell'amico in assoluto silenzio.
Di solito interveniva per fare precisazioni, commenti o semplicemente per sottolineare un passaggio con un sorriso, quando
riusciva una risata, oppure un gesto che sottolineasse disapprovazione per l'interpretazione data a un particolare momento della
storia narrata. Stavolta non accadde.

Addid smise di parlare, e per lunghi istanti nella camera da
letto di Federico scese il silenzio. Il soldato musulmano si voltò
a guardarlo. L'uomo disteso sul giaciglio respirava ritmicamente,
ma con fatica. Il torace si alzava e si abbassava lentamente, accompagnato da un sibilo che Addid non aveva mai sentito fino
a quel momento.

I frati avevano vestito il sovrano negli abiti umili di fraticello
cistercense, come da sua richiesta. E adesso Addid osservava un
uomo disteso che fissava il soffitto affrescato con occhi che raramente si chiudevano, un uomo che sembrava un servo ammalato.

«Ci sono cascati tutti. Anche tu», si decise a dire alla fine
Federico.

«Allora è vero?!».

Federico abbozzò un sorriso. La pelle del volto si tirò a fatica
mostrando le ossa della mandibola. Le gengive si stavano ritirando
per la disidratazione causata dai continui attacchi di dissenteria
e la carne aveva assunto un colorito stantio.

«Non avevo alcuna intenzione di partire per quella maledetta
crociata», proseguì il sovrano. «Da mesi avevo intrapreso una
corrispondenza epistolare con il califfo e con altri importanti
dignitari saraceni. Ci scambiavamo opinioni sulla matematica,

sull'astronomia e perfino sulla filosofia. Era divertente. E istruttivo. Non volevo rovinare tutto con una contesa da bestie come quella a cui ambivano il papa e i suoi baciapile». Riuscì a voltarsi dalla parte dell'amico. «Che senso ha combattere contro chi conosce più cose di te, quando potresti restare per ore semplicemente ad ascoltarlo?».

Addid si passò una mano tra i folti peli della barba scura. «Desiderio di conquista? Voglia di prevaricazione? La fede?»

«Invidia. Ecco cos'è. Solo invidia. Quando troviamo qualcuno che riteniamo superiore a noi, abbiamo tutti questa insostenibile attrazione verso il suo annientamento, quando potremmo invece camminare insieme sulla strada della conoscenza». Qualcosa riuscì a ridestarlo. Un ricordo, un'immagine, una sensazione. E Federico, inaspettatamente, si mise a sedere sul letto. «Io questa strada l'ho intrapresa, amico mio», aggiunse trovando la mano del saraceno. Provò a stringerla, ma Addid si rese conto che era la stretta di un bambino indebolito. «Io ci ho provato. E ti assicuro che più andavo avanti e più mi rendevo conto di quanto fosse lunga. Più andavo avanti e più quella strada continuava ad allungarsi, mi sfuggiva. Io camminavo aumentando il passo, e infine correvo, ma la strada pareva non finire mai. E, nella mia ostinazione, ho voluto che molti mi accompagnassero, ho trovato eruditi di ogni razza che hanno accolto la mia richiesta, ma nonostante questo, nonostante loro, oggi che mi trovo probabilmente davanti all'ultima soglia, mi rendo conto di aver avuto in mano solo un pugno di granelli di sapienza, rispetto a un deserto infinito di conoscenza». Crollò all'indietro esausto e riprese a fissare il soffitto. «E cosa avrei dovuto fare secondo loro? Gettare al vento quel piccolo tesoro in nome di un Dio che non si vede e che magari è molto diverso da quello che crede di conoscere il papa?»

«Questo è poco ma sicuro», rispose Addid.

«Eccovi. Voi musulmani. Sorretti da incrollabili certezze come quelle che fanno da bastone alla decadenza della Chiesa. Io invidio le vostre sicurezze. Io che per tutta la vita ho chiesto. Ho dubitato. Ho esplorato. Per scoprire alla fine di non aver conosciuto nulla».

«Questa è pura follia. La febbre ti fa delirare», protestò il soldato saraceno. «Ti sei circondato dei migliori filosofi, astronomi, scienziati, matematici e perfino giocolieri dell'Occidente conosciuto, e sei andato a pescare menti arcane ai quattro angoli del mondo. Se pensi di poterti mettere alla stregua di un bifolco che zappa la terra, allora bestemmi».

«Un bifolco che zappa la terra? Non ha forse più cultura lui di me, che non conosco i ritmi delle maree che lo aiutano a seminare o i rivolgimenti della luna che lo aiutano a raccogliere? Non conosce meglio lui il momento in cui una giumenta sta per partorire, o quanti saranno i cuccioli di una scrofa accarezzandole il ventre gonfio? Non è forse questa la vera conoscenza, invece del quotidiano affannarsi su testi indecifrabili che parlano di religione, deità o amenità simili?»

«Cos'hai oggi, Federico? Hai deciso di liberare l'istinto animale che alberga in ognuno di noi? Stai bestemmiando da quando abbiamo ripreso a parlare. L'abito cistercense, invece di accarezzarti con la sua santità, ti sta traviando».

Federico fece una smorfia e chiuse gli occhi. «Pensala come ti pare. Io guardo al sodo. Difatti quella crociata non si fece. Ed era quello che volevo».

«Potrai aver simulato la tua malattia, ma non quella di coloro che morirono a terra o sulle navi. Oppure quella devastante tempesta che mandò a picco metà della flotta. Non metto in dubbio che un imperatore possa tutto, ma il fato in certe circostanze ha più potere».

«Tuttavia, quando un imperatore e il fato si ritrovano alleati possono accadere cose imprevedibili». Federico prese a massaggiarsi le mani. Cercava di chiudere le nocche ma non ci riusciva. Così ci pensò Addid.

L'imperatore accennò un ringraziamento e lo fissò. «Se anche fossero morti tutti i cavalieri imbarcati su quelle navi, il papa mi avrebbe costretto a sbarcare in Palestina da solo, pur di tenere il punto. A lui non importava il numero di fedeli che andavano a combattere. A lui importava che ci fossi io. Che l'imperatore del Sacro Romano Impero fosse alla testa foss'anche di quattro malaticci storpi baciati dalla lebbra. Poi potevamo anche morire tutti, potevamo essere massacrati sulla via di Gerusalemme e le nostre teste appiccate lungo i sentieri delle oasi. Questo a lui non importava. Avrebbe trovato un nuovo esercito da spingere alla morte, e un nuovo imperatore per guidarlo». Si fermò. Ansimò. Aveva cominciato a tremare per lo sforzo che gli costava parlare. Ma riprese. «Ero io il fulcro di tutto, e l'unico modo per impedire quella sciocchezza era fingermi malato. Quando ero piccolo non te l'ho mai detto, ma poco prima che ci incontrassimo, mi ero imbattuto nel tuo quartiere in uno dei vostri santoni, a cui raccontai di quanto fosse disgustosa a volte la minestra che i cuochi di corte preparavano e di quanto fosse difficile evitare di ingurgitarla. Mi piaceva quello che mangiavate voi, era tutto molto più saporito, e il confronto col la minestra normanna era impietoso. Così quel vecchio, che Dio lo abbia in gloria, mi insegnò come usare qualche spezia per accentuare il rossore delle gote o il calore sulla fronte in modo da simulare una febbre da cavallo. Su quella nave non feci altro che mettere in pratica quei preziosi insegnamenti. E in ballo non c'era una minestra, ma la vita di migliaia di persone che potevano passare il resto dei loro giorni a fare cose molto più sane e belle che morire per una fede».

«Avresti potuto dirmelo allora».

«Dirti qualcosa che avevi intuito? Se sei la mia guardia del corpo e il mio migliore amico è perché ti reputo una persona molto intelligente e scaltra. Probabilmente perfino più di me». Cercò di ridacchiare. «Non oso immaginare che non avessi capito». Sospirò e chiuse ancora gli occhi.

«In effetti, ne feci cenno a chiusura del diario di bordo che poi mi facesti dare alle fiamme. I pochi che ebbero modo di leggerlo prima non se ne avvidero».

«Diciamo che la malattia diffusa e quella tempesta mi vennero incontro per rafforzare meglio le fondamenta del mio piano».

«Sei un folle. Avrei dovuto capirlo fin da quando cercasti di regalarmi la corona che ti avevano messo in testa il giorno prima».

Addid rise di gusto. Quando smise si accorse che Federico si era addormentato.

Erano così rari i momenti in cui vedeva il suo sovrano riposare senza sofferenze che non voleva negargli una di quelle rare parentesi. Il soldato saraceno si alzò, cercando di non far rumore, e fece per uscire dalla stanza. Ma nell'allontanarsi si accorse di qualcosa di nuovo che giaceva sul comodino alla destra del giaciglio. Una pergamena srotolata. La curiosità lo sopraffece e non poté fare a meno di sbirciare.

Poi che ti piace amore...

Ahmed Addid sorrise. Il cuore di Federico riusciva ancora a nascondere tesori preziosi.

E il soldato saraceno si soffermò a leggere.

Asti, Marca lombarda, maggio 1226

Ti piaceva davvero molto cavalcare. Soprattutto in primavera. Quando i primi fiori facevano capolino tra i cespugli inariditi dall'inverno e gli animali selvatici uscivano guardinghi dal loro letargo. Profumi inediti danzavano con l'afrore delle bestie al galoppo e tu inspiravi a pieni polmoni, sorridendo al sole non più anemico. Mi piaceva osservarti mentre ti compiacevi del nuovo vigore che sentivi passare tre le tue membra e ti nutriva di ottimismo. E quella primavera, all'alba dei tuoi trentadue anni, trovasti molto più che una spinta a guardare al futuro con ottimismo.

Avevi accettato l'invito di Manfredi Lancia a recarti in Piemonte per visitare le città pedemontane che avrebbero potuto rinforzare le fila delle tue alleanze in risposta all'arroccamento ostile della Lega Lombarda. Gli spostamenti tra una città e l'altra, quando il tempo lo permetteva, diventavano sempre il pretesto per una battuta di caccia a cui, per come ti conoscevo, non rinunciavi mai.

Fu una lunga cavalcata quella che ci portò fino ad Asti. La mattina stava volgendo al termine, accompagnata da una piacevole brezza che ci aveva impedito di sudare. La luce del giorno, tersa, quasi trasparente, esaltava tutte le tonalità di verde dei boschi che stavamo attraversando. E proprio quando stavamo già immaginando l'arrosto che avremmo rimediato dalla cacciagione che rigonfiava le bisacce ai fianchi dei nostri cavalli, arrivammo alle porte del castello di Bonifacio di Agliano, cognato di Manfredi. Ma ad attenderci, al contrario di come pensavamo, non c'erano né lui né qualcuno dei suoi dignitari.

Tu fosti il primo a cogliere la curiosa contingenza.

«Sono fanciulle quelle che vedo cavalcare verso di noi, o la fame mi sta già giocando brutti scherzi?», chiedesti facendo rallentare l'andatura del tuo cavallo per scongiurare uno scontro frontale.

Io aguzzai la vista e mi resi conto che avevi ragione. Ci stavano venendo incontro due cavallerizze che montavano i loro destrieri all'amazzone, con tanto di sella e bardamenti degni di scelte templari. Eppure non mostravano alcun imbarazzo nel presentarsi a noi in quel modo, né tanto meno a comandare con carattere i loro animali. «Una madama e una fanciulla, direi», commentai io.

Quando i due cavalli si fermarono davanti ai nostri, la più piccola delle cavallerizze tirò le redini facendo sbuffare il suo animale, che obbedì quasi con sussiego all'ordine impartito. La ragazzina, perché di nulla d'altro poteva trattarsi a prima vista, era giovanissima e decisamente bella, secondo i parametri di voi occidentali. Io preferisco le donne dalla pelle scura e i tratti spigolosi, gli occhi neri e il fisico pieno, ma mi rendevo conto che quelle caratteristiche potessero non essere gradite a voi occidentali, così abituati ai coloriti lattei ereditati da secoli di malattie e carestie, nonché da una dieta che scongiurava per le donne l'uso dei liquori e della carne troppo salata e al sangue.

Non credo che tu abbia fatto gli stessi ragionamenti che feci io. Anzi, ti vidi ammutolire improvvisamente davanti a quel sorriso radioso che ti stava sfidando dall'alto di non più di una quindicina d'anni.

Poi che a voi piace, amore
Ch'io deggia trovare

Non ti accorgesti nemmeno della donna che cavalcava al suo

fianco. Probabilmente una dama di compagnia, o forse una amica chiamata a condividere la sortita fuori dalle mura del castello. Ma a nessuno dei due venne in mente di considerare la situazione al contrario. Nessuno di noi immaginò ruoli invertiti. Poiché la ragazzina ostentava uno sguardo che non poteva sapere di servitù.

Farò onne mia possanza
Ch'io vegna a compimento.

I suoi occhi erano grandi e sembravano immersi in uno stagno colmo di licheni. Il volto era rotondo, radioso, testimone di salute discreta ma non ostentata.

Dato aggio lo meo core
In voi, madonna, amare

Portava lunghi capelli sciolti sulle spalle. Capelli che il riverbero del sole rendeva simili a fitti fili di grano selvaggi intrecciati con foga, e tuttavia, a tratti, capaci di emanare riflessi rossastri che ricordavano il colore delle fragole poco prima di chiedere d'esser colte.

E tutta mia speranza
In vostro piacimento

Una cascata di capelli che incorniciava tratti riservati ma fieri, un naso regolare adagiato con discrezione tra due gote piene e sanguigne.

E non mi partiraggio
Da voi donna valente

Il viso disegnava un ovale quasi perfetto, che terminava con un mento lievemente sporgente su cui una fossetta accennata distoglieva l'attenzione.

Ch'io v'amo dolcemente
E piace a voi ch'io aggia intendimento

Forse una scelta di pudore, per celare allo sguardo di primo acchito una piccola bocca dalle labbra piene e rosate, disegnate forse dal più valente scultore tra gli angeli di Dio.

Valimento mi date, donna fina
Che lo mio core ad esso voi si inchina.

La testa ornata di briglie bionde in foga era delicatamente poggiata su un collo fino, ornato da una collana di pietre preziose che ne misuravano con tocco di piuma la rara circonferenza.

S'io inchino, ragion aggio
Di sì amoroso bene

La ragazzina non mostrava alcun timore nel mostrare un petto che, data la giovane età, lasciava presagire l'imminente sbocciare e urlava silenziosamente la sua prontezza nell'affronto di una maternità. Quei seni già rigogliosi, pur celati dalla seta, spingevano i bordi di un velo di mussolina che costringeva per pudore a distogliere lo sguardo.

Che spero e vo sperando
Che ancora deggio avere

Un corpetto di velluto che richiamava il colore degli occhi stringeva ai fianchi, dove una larga fascia sottolineava la vita stretta e liberava una lunga gonna azzardatamente aperta sui fianchi, probabilmente per permettere di inforcare comodamente la sella.

Allegro il mio coraggio e tutta la mia spene
Fui dato in voi amando

La scollatura dell'abito terminava dove uscivano le maniche lunghe e svasate di una camicia di lino trasparente, attraverso la quale si intravedevano braccia sottili ma non ossute, che terminavano con polsi proporzionati all'elsa di un fioretto.

Ed in vostro volere
E veggio li sembianti

Mi accorsi che la tua attenzione era stata subito attratta da quella cintura di cuoio intrecciato con fibre di seta che le cingeva i fianchi. E, facendo più attenzione, mi resi conto anche del motivo.

Di voi chiarita spera
Che aspetto gioia intera

La sapienza con cui era stata allacciata, forse perfino da colei che la indossava, faceva trasalire i pensieri.

Ed ho fidanza che lo mio servere
Aggia a piacere a voi che siete fiore

Un primo giro all'altezza dei fianchi...

Sor le altre donne e avete più valore
Valor sor l'altre avete

...poi un nodo sulle reni...

E tutta conoscenza
Null'homo non porìa

...poi un secondo giro ancora sui fianchi...

Vostro pregio contare
Di tanto bella siete

...un altro nodo al bacino...

Secondo mia credenza
Non è donna che sia

Una danza, un abbraccio di passione, che si lasciava cadere esausto in strisce che lambivano la terra dove gli zoccoli fremevano.

Alta, sì bella, e pare
Né c'aggia insegnamento

Non portava calze, e la pelle delle sue gambe, liscia come la buccia di una mela, finiva in due stivali di cuoio scamosciato che terminavano in punta.

Di voi, donna sovranna
La vostra cera umana

Ma nonostante lo sfoggio e lo sfarzo così concentrati su un unico corpo femminile, i tuoi occhi non cercavano le forme ma restavano contagiati da quella cintura mai inerte.

Mi dà conforto e facemi allegrare
Allegrare mi posso, donna mia
Più conto me ne tegno tuttavia.

L'imbarazzo sul volto tuo era tale da riuscire a farmi leggere tra le rughe non più giovani il desiderio di essere anche solo per un istante qualcuno di quei fili di seta che danzavano con il cuoio.

«Che tu sia il benvenuto, mio signore», disse proprio la ragazzina confermandoci il suo status rispetto a colei che la accompagnava. Non guardò mai me. Restò assorta nel ricambiare il tuo sguardo. «Il mio signor padre vi attende con impazienza».

Tu non riuscisti a rispondere. Nemmeno se ti fossi trovato improvvisamente di fronte a Ottone avresti reagito in quel modo così disorientato.

«Perdona la foga di mia nipote», intervenne a proposito Manfredi Lancia raggiungendoci con il suo cavallo, «ma sono giorni che le parlano dell'arrivo dell'imperatore, e come tutti i fanciulli l'eccitazione sovrasta le buone maniere».

«Come vi chiamate?», chiedesti allora tu. Mi accorsi con stupore che lasciasti da parte il *tu* per rivolgerti alla ragazza con un *voi*, che era tutto un discorso.

La ragazzina ti sorrise. E quel sorriso spaccò in mille pezzi i cristalli lontani miglia da quel bosco. «Mi chiamo Bianca», fu la sua semplice risposta. Come una lama arroventata che entra in un cuore, devastandolo di piacere.

Florentium, Capitanata, Apulia Normanna, dicembre 1250 d.C.

«Stai leggendo la poesia che scrissi per mia moglie? Ti piace?».
Federico si era svegliato e guardava Ahmed Addid, con la testa poggiata sul cuscino leggermente voltata dalla sua parte.

Il soldato saraceno trasalì per l'imbarazzo e si affrettò a posare di nuovo la pergamena sul comodino dell'amico. «Perdonami...

è solo che l'ho vista lì aperta, e… e stavi dormendo», cominciò a balbettare. «Così, per passare il tempo nell'attesa che ti risvegliassi…».

«Non devi giustificarti, amico mio. Dimmi solo se ti piace», fece Federico.

Addid annuì lentamente. «È bellissima. Davvero».

L'imperatore sorrise blandamente. Voltò la testa e fissò il soffitto. «Piacque anche a lei. Tantissimo». Poi si voltò di nuovo verso l'amico. Di scatto. Una nuova, strana luce negli occhi. «Dicono che la odiavo. Che alla fine la volessi vedere morta. Anzi», aggiunse quasi riuscendo a digrignare i denti, «dicono che l'abbia fatta incatenare, gettare in una cella e poi uccidere». Provò a sollevarsi. «Dicono perfino che si sia tagliata di netto i seni e me li abbia fatti recapitare su un vassoio d'argento, per protestare di come stavo trattando i nostri figli». Non ci riuscì. Ricadde all'indietro. «Ma ti rendi conto? Ti rendi conto? Ti rendi conto?», ripetè come un mantra. «Maledetti. Io che l'amavo più di ogni altra donna che avessi mai incontrato nella mia vita. Io che la consideravo il mio unico tesoro. Come avrei potuto? Come avrei *mai* potuto?». Il tremito che ormai lo aveva avvinghiato da ore si accentuò.

Addid si protese verso il letto. Raccolse la pezza bagnata dalla bacinella, nella quale qualcuno aveva visto bene di cambiare l'acqua della notte, e deterse delicatamente la fronte del sovrano. Federico ansimava per la collera.

«Calmati, amico mio. Calmati. Di cose sul tuo conto ne sono state dette tante, troppe. E noi sappiamo per quale motivo».

Federico fece scattare la mano e afferrò il polso di Addid. «Ma tu… tu mi credi, non è vero? Tu lo sai che io…».

«Federico, non c'è bisogno di chiedermelo in continuazione. La risposta la conosci già». Gli prese delicatamente la mano e la accompagnò di nuovo a distendersi sul giaciglio.

«Io… io però mi sto rendendo conto di una cosa», disse ancora l'imperatore. «Ti ho chiesto di raccontarmi la mia vita, ma ci sono momenti di essa che tu non conosci, che non puoi conoscere. Come farai a giudicare? Come farai a emettere il verdetto finale?»

«Non devo emettere alcun giudizio. Mi hai chiesto di raccontarti la tua vita per come l'ho vista io, e non di emettere una sentenza. E poi è inevitabile che molte cose mi siano oscure». Portò una mano sulla spalla dell'amico, che per tutta risposta rabbrividì. «Per quelle mi fido della tua parola».

«Non puoi fidarti. Non devi fidarti».

«Stai calmo. Anche se avessi avuto accesso alle tue alcove, non avrei mai osato raccontarti il mio punto di vista sui tuoi gusti sessuali e sui tuoi amori. L'operato di un sovrano non si giudica per come si comporta a letto, ma per come si comporta sul suo scranno».

Federico soppesò le ultime parole del soldato saraceno. Poi annuì mestamente. «Tuttavia, forse è il caso che sia io a colmare la lacuna dei tuoi ricordi».

«Se proprio insisti. Ma ti assicuro che non me ne sarei fatto un cruccio».

Federico gli fece cenno di tacere.

«Mi sono sposato tre volte. E in tutti e tre i casi per colpa della ragion di stato», cominciò allora Federico. «Non scelsi nessuna delle mie tre mogli, né desiderai mai di giacere a letto con loro. Due di esse addirittura le conobbi solo il giorno delle nozze». Si fermò un attimo a pensare. «Se proprio dovessi fare una deroga a questo pensiero, direi che l'unica che ho stimato e a cui ho voluto bene, bada che non parlo di amore ma di… amicizia, è stata la prima. Costanza portava il nome di mia madre e forse io la vedevo proprio come una madre, visto che aveva almeno dieci anni più di me, e tra un quindicenne e una venticinquenne la differenza non è proprio la stessa che passa tra un trentenne e una quarantenne. Io ero un bambino. Un re ma un re bambino. Mentre lei era una donna, la regina donna di un re bambino. Non è difficile comprendere in che situazione mi trovassi, non credi?».

Addid annuì.

«Tuttavia, tenevo molto in conto le sue parole», riprese l'imperatore, «anche se poi, come sai, facevo sempre di testa mia. Però alla fine il ricordo che porto di lei è sicuramente il migliore rispetto a tutte le altre. Adesso che ci penso fu l'unica a essere incoronata con me imperatrice».

«Parliamo però solo delle mogli», disse Addid strizzando l'occhio.

«Sì, ma anche questa storia delle mie voglie insaziabili deve essere messa a tacere. Certo, mi piaceva fare sesso con le belle donne. E di belle donne un imperatore ne incontra ogni giorno. E nessuna si sognerebbe nemmeno minimamente di resistergli, foss'anche uno storpio».

«Dunque la storia dell'harem sarebbe falsa? Permettimi, amico mio, ma io ho visto con i miei occhi quelle ragazze velate vagare a corte e le voci su di loro erano, diciamo così, eterogenee».

«Ahmed, quando abbiamo voluto scopare insieme qualche ragazza non ci siamo tirati mai indietro. Non è vero? Ma io non avevo un harem».

«E dunque che ci facevano quelle fanciulle in giro per i tuoi castelli?»

«Una volta uno dei miei confidenti mi riportò una diceria secondo la quale si raccontava in giro che io avessi fatto costruire apposta la mia reggia a Foggia, per dare sfogo ai miei appetiti lontano da occhi indiscreti. Che vi profanassi vergini e bestie, fanciulli e scaltre prostitute. Tutte stupidaggini a cui risposi con una risata e una scrollata di spalle, e mi rendo conto solo ora che invece di prenderla così alla leggera avrei dovuto ribattere con prove concrete che confutassero tali menzogne, magari mandando in giro i miei bardi a raccontare la mia vera vita a corte».

«Per quello che si diceva di Lucera…».

«Ahmed, tu a Lucera ci sei stato. Era la roccaforte dei tuoi soldati. La verità è che molti dei miei sudditi cristiani non sopportavano l'idea che io intrattenessi relazioni di qualche tipo con la comunità musulmana, che avessi maestri musulmani, che accogliessi a corte saggi musulmani e che avessi…la mia guardia personale musulmana». Mosse una mano per chiedere da bere.

Addid riempì la coppa d'acqua, gli sollevò la testa delicatamente e gli portò la coppa alle labbra. «Se ti senti stanco ci fermiamo. Non è necessario…».

«Stanco?», rispose Federico dopo aver bevuto. «Ho dormito fino a ora e oggi è il primo giorno da quando sono arrivato qui che non sento più dolori al ventre. Lasciami approfittare di tale opportunità».

Addid annuì. Non aveva alcuna intenzione di fargli notare che i crampi lancinanti allo stomaco se ne erano andati solo per lasciare il posto a sintomi più subdoli. «Va bene, allora continua pure».

«Dicevamo? Ah, sì… l'harem. Ti ricordi di quell'editto?».

Addid ci pensò su per qualche momento. «Quello sulle schiave saracene di Lucera?»

«Già, proprio quello. Stabiliva che fossero dotate di particolari indumenti da lavoro e dedicate alla tessitura, proprio affinché non girovagassero senza far niente a palazzo. Se le avessi volute *usare* per altri scopi non avrei voluto per alcun motivo farle stancare di giorno. Non credi?».

Il soldato saraceno si lasciò scappare una risatina. «In effetti…».

«Bene, e aggiungo che in realtà quelle schiave erano alle dirette dipendenze delle mie mogli, che commissionavano loro abiti, stoffe e perfino arazzi. E visto che la mia corte si spostava in continuazione, nulla di più logico di portarle con noi». Fissò l'amico. «Fammi capire. La mia corte itinerante ha portato in giro per il regno qualunque tipo di animale esotico. Cammelli, elefanti, scimmie, leoni, cavalli… ma nessuno ha osato dire che io mi portassi a letto un cavallo. Mentre a proposito delle schiave saracene…».

«Andare a letto con una schiava è più facile di farlo con un elefante. Per quanto Caligola potrebbe darci qualche consiglio in merito…».

«Piantala. Hai capito quello che voglio dire».

«Sì, ho capito ma, a parte gli scherzi, non c'era bisogno di spiegarmelo. Ma a questo punto mancano ancora i tasselli delle amanti per completare il mosaico. Non dirmi che nemmeno con loro provavi del trasporto…».

«Al contrario. Le amanti me le sceglievo personalmente. È logico che lo facessi per trasporto. Ricordo Adelaide... e perfino la sorella del sultano Al-Kamil. Se fosse venuto a conoscenza della cosa, probabilmente il trattato che sottoscrivemmo sarebbe saltato».

«O probabilmente no. Chi ti dice che non lo sapesse e che non ne fosse perfino compiaciuto? Del resto, era sua sorella. Difficile tenere un segreto quando si è così vicini per sangue».

«Può darsi, ma sta di fatto che io ho trattato tutti i miei figli in egual modo. Sia quelli nati dai miei matrimoni che quelli nati dalle mie relazioni».

«Quando sarà il momento, non potrò negare questo fatto», intervenne Addid, e poi stette zitto, sperando che l'imperatore comprendesse che si era trattato di una battuta. Ma Federico era troppo assorto nel racconto e la ignorò.

«E poi è arrivata Bianca...», lo imbeccò il musulmano.

«Ricordo quel primo incontro come fosse oggi. Credo che fosse in compagnia di una delle sue sorelle o di una ancella. Ci era venuta incontro per darci il saluto della sua famiglia che ci attendeva al castello. Ricordi?»

«Sì, lo so. Lo ricordo bene», disse Addid evitando di rammentare al sovrano che quell'episodio lo aveva appena raccontato. Federico stava cominciando a manifestare pericolosi vuoti di memoria.

L'imperatore fece una pausa. Poi riprese imbarazzato. «C'è una cosa che non sai, però».

«Abbiamo già detto che ce ne sono molte di cose che non so».

L'imperatore sorrise a stento. Il pallore diafano del suo volto dava la sensazione strana che avesse ingoiato una candela accesa. «Il primo giorno che l'ho incontrata, le ho mentito. La donna che ho amato di più nella mia vita. Non riesco ancora a capacitarmene».

«Accidenti. E come è accaduto?»

«Durante la cena che suo padre ci offerse... ricordi quella cena?»

«La ricordo. E forse ho ancora il sapore di quel vino in bocca, a essere sincero. Non ne ho mai più assaggiato di migliore».

Federico socchiuse gli occhi e scosse la testa per scacciare quell'inopportuno dettaglio. «Quella ragazza che ci aveva accolto alla porta del castello mi era entrata subito nella testa, nel sangue, nelle membra. Ho incontrato molte belle donne nella mia vita, ma nessuna ha suscitato in me la reazione che mi diede la vista di Bianca. Eppure allora era ancora una ragazzina acerba. Una bambina, quasi. Insomma, per fartela breve, a quella cena le raccontai che stavo per ripudiare mia moglie».

Addid ridacchiò. «Per provare a portartela a letto?»

«Già».

«Fatica sprecata. Sei l'imperatore. Tu comandi e le donne aprono le gambe. Funziona così».

«Non volevo che accadesse la stessa cosa con Bianca. Io immaginavo già di amarla e non volevo che fosse costretta a provare qualcosa per me perché ero il suo sovrano. Volevo… corteggiarla».

«Non finirai mai di stupirmi, amico mio», ridacchiò Addid. «Ma come puoi immaginare che ci credesse? La vita dell'imperatore è sulla bocca di tutti. Di te tutti sanno vita, morte e miracoli».

«Morte non ancora, anche se ci siamo vicini. Ma vita e miracoli certamente. Eppure ci credette».

«Magari ci volle credere. O ti lasciò credere di crederci», disse Addid giocando volutamente con le parole.

«Pensala come vuoi, ma funzionò».

«Immagino. E quando riuscisti a farla capitolare?»

«Quella notte stessa».

Addid sgranò gli occhi e fissò il suo sovrano. «Quella notte stessa?», Poi allargò le braccia e guardò il soffitto. «Allah misericordioso. Vuoi farmi credere che mentre tutto il castello russava per smaltire i fagiani e i maiali che suo padre ci aveva propinato, tu gli profanavi la figlia?»

«Veramente dovetti perfino respingere le profferte prima della madre e poi delle sue sorelle. Bianca fu l'unica a non offrirsi».

Addid si alzò per sgranchirsi le gambe. Cominciò a passeggiare per la stanza. «Immagino la scena. La fila di donne alla tua porta che bussano una dopo l'altra, si inchinano e "chiedo scusa, maestà. Vi farebbe cosa gradita se stanotte giacessi con voi nel vostro letto?"».

«Ti assicuro che andò pressappoco così. Ma alla fine fui io ad alzarmi e ad andare a cercare la camera da letto dove dormiva Bianca».

«Va bene. Ma ci fu anche un *dopo*. Un dopo in cui lei viene a sapere che non hai alcuna intenzione di ripudiare tua moglie e che l'hai ingannata per spingerla a concedersi. Che reazione ebbe?»

«Ti basta che concepimmo nei successivi sette anni ben tre figli insieme?»

«Buona risposta, maestà. Ma ti guardasti bene dallo sposarla. Anzi, mentre eravate amanti, sposasti Isabella».

«Questo non è vero. Bianca era già morta quando sposai Isabella». Il tono della risposta dell'imperatore era stato improvvisamente cupo. Come se a parlare fosse stata un'altra persona.

Addid smise di passeggiare per la stanza e si rimise a sedere accanto al letto dell'imperatore. «Visto che sei in vena di confidenze, giochiamo a volto scoperto. È vero o no quello che si disse, che la facesti uccidere o, nel migliore dei casi, la rinchiudesti per sempre in cima a una torre?»

«Sto rispondendo a tutte le tue domande, ma a questa non voglio farlo. Ti ho già detto tutto quello che volevo e potevo».

Addid fece una smorfia. «La ragion di stato...».

«Non è come pensi. La vita degli altri è sempre più complicata di come la immaginiamo. Soprattutto quella di un re».

«Non penso nulla, maestà. Non penso nulla».

«Io ho amato perdutamente Bianca, e non è un segreto che Manfredi sia il mio prediletto tra tutti i figli, legittimi e illegittimi».

«Il figlio prediletto che non si fa mai vedere».

«Abbiamo un legame particolare, noi due. Non c'è giorno della mia vita che io non lo pensi e lui non pensi a me. Lo so, lo sento. Lui sa quando è il momento di essere presente. E credo che adesso sia uno di quei momenti. Vedrai che arriverà, come ha fatto nell'occasione più importante».

E stavolta, a raccontare fu Federico.

Melfi, Regno di Sicilia, agosto 1231 d.C.

Era già notte. Mi trovavo nello studiolo in cui mi rintanavo sempre per concentrarmi quando si trattava di affrontare questioni delicate. La residenza di Melfi era particolarmente adatta a quello scopo, perché era stata concepita come un labirinto di camere in cui si poteva accedere solo attraverso un percorso concentrico. Ma stavolta era diverso. E quel rifugio silenzioso era diventato un campo di battaglia. Stavo leggendo le ultime carte che mi erano state portate dai miei consiglieri legislativi. Ero attorniato da gente che vociava nel tentativo di darmi gli ultimi consigli e ognuno faceva a gara per poter essere colui che mi aveva dato quello definitivo. Il documento che avevo per le mani conteneva tutte le leggi che mi servivano per rimettere in piedi la vita amministrativa, sociale ed economica del regno. Alla fine ne contai oltre duecento. Mancavano due giorni alla presentazione ufficiale e mi trovavo ancora indietro con le bozze. C'erano dei passaggi che non mi convincevano, e nemmeno le arringhe più appassionate dei miei consiglieri riuscivano a farmi cambiare idea. Nei mesi successivi, quel documento sarebbe stato passato al setaccio da giuristi navigati sguinzagliati da amici e nemici, e doveva essere inattaccabile.

Bianca entrò senza bussare, come faceva sempre. L'unica persona a cui una tale impudenza non sarebbe costata una buona dose di frustate. Mi accorsi della sua presenza dal profumo. Se lo era fatto fare dalle sue ancelle pugliesi, che riuscivano a trarre dalle bucce di arancio e limone fermentate nel mosto un'essenza che sapeva di sole e di mare. Inconfondibile. Inebriante. Irresistibile.

Quando i miei consiglieri la videro entrare tacquero, fecero un rapido inchino e si dileguarono. L'arrivo di lei era sempre il segnale che il tempo per gli ossequi era terminato e che la mia attenzione era richiesta altrove. Dove nessuno di loro sarebbe stato mai ammesso.

Mi accarezzò il collo con quelle sue dita piccole e affusolate, tiepide ma capaci comunque di farmi salire un brivido lungo la schiena. Non disse nulla.

«Ti ringrazio», le dissi invece io. «Non sapevo più come levarmeli di torno. Quando parlano tutti insieme non riesco a concentrarmi».

Bianca si chinò sullo scrittoio. Una ciocca dei suoi lunghi capelli biondi scivolò sulla mia spalla e accarezzo ciò che stavo leggendo. Il suo volto sfiorò per un attimo la mia barba incolta. Lo faceva apposta. Lo so. Perché sapeva la reazione che ogni volta suscitava in me. Prima di incontrarla avevo conosciuto molte donne, e molte altre ne avrei conosciute anche in seguito. Ma lei sapeva toccare le mie corde come nessun'altra. L'unica al cui solo pensiero le mie parti intime si indurivano come il manico di un bastone, anche se la sapevo lontana miglia da me. Avrei fatto l'amore con lei a ogni ora del giorno e della notte, in ogni luogo.

E anche questo, lei lo sapeva.

Quella sera lo sapeva.

«Cosa stai scrivendo, amore mio?», mi chiese fingendo come sempre di essere all'oscuro. Qualunque cosa facessi. Era un modo per farsi percepire come fragile e indifesa. Come l'alternativa alle mie preoccupazioni.

Io alzai lo sguardo e incontrai i suoi occhi verdi. Per un attimo il suo profumo mi fece perdere l'equilibrio, ma mi ripresi, ringraziando Dio di essere seduto. «Sto riguardando per l'ennesima volta le norme che dopodomani presenterò al popolo. Sta venendo fuori una cosa enorme. Una vera svolta legislativa per tutto il regno. Oserei dire un vero e proprio corpo costituente», risposi, eccitato per molti motivi contemporaneamente.

«E non sei stanco adesso? Non credi che riposare ti farebbe bene?».

Con quel tono di voce, Bianca avrebbe potuto sfilare le brache a un uomo senza che se ne accorgesse.

«Può darsi, ma non posso fermarmi. Devo finire tutto prima dell'alba. I frati aspettano il testo definitivo, sulla cui trascrizione lavoreranno per tutta la giornata di domani».

«Ma davvero», disse allora lei spostando il tavolino in modo da mettersi tra me e ciò che stavo scrivendo.

La guardai dal basso verso l'alto quando cominciò a sollevare la lunga veste da notte con la quale si era presentata. E aveva visto bene di non portare nulla al di sotto.

«Spero che non sopraggiunga nessun disturbatore, poiché si troverebbe di fronte a uno spettacolo imbarazzante», mi sussurrò gettando all'indietro il collo in modo che le trecce bionde le ricadessero sulla schiena. Si mise a cavallo sulle mie ginocchia e cominciò a slacciare il corpetto. Poi fece lo stesso con le mie brache. «Vedo che come sempre il tuo amico è già pronto alla battaglia», commentò accompagnando le parole con una risatina trillante.

Mi alzai di scatto con lei ancora a cavalcioni. La sedia volò all'indietro, andando a sbattere contro la porta. Se anche qualcuno avesse potuto pensare di ripresentarsi al mio cospetto, quel rumore perentorio era il segnale che sarebbe stato un azzardo pericoloso. Feci ricadere Bianca sul tavolino, la sua schiena ormai nuda a coprire il mio lavoro di mesi. E in un attimo fui dentro di lei.

Lei mi accolse con un sospiro. Schiudendo le labbra. E mi guardò.

«Avanti, mio imperatore. Sono alla tua mercé».

La stessa frase. Ogni volta. Come la prima notte tra le mura silenziose del castello di suo padre.

Devi credermi, Ahmed, Bianca era diversa da tutte le altre. E lo è ancora, nei miei ricordi.

Avrei potuto riconoscere ogni parte di lei a occhi bendati.

Quel suo modo di baciare, con la lingua che si ritraeva per spingere la mia a entrare nella sua bocca per poi adagiarsi sul palato, per fare in modo che fossi io a muovermi e ad accarezzarla disegnando i confini delle sue labbra, soffici come pan di zenzero.

Il suo sapore che ricordava quello del sapone da bucato impastato nella misticanza estiva. Quei denti che ogni tanto andavano fuori controllo per la passione e mi ferivano il labbro inferiore, spingendo entrambi a sentire il sapore salato del mio sangue.

Le sue mani che disegnavano ogni parte del mio corpo con quei polpastrelli piccoli, ma agili e sicuri. Capaci di provocare in me brividi a ripetizione mentre contavano le mie costole, saggiavano i miei muscoli e poi si fermavano per lunghi, interminabili momenti di piacere lungo la mia nuca, poco sotto alla attaccatura dei capelli.

I suoi seni, piccoli ma sodi, che si gonfiavano quando ne succhiavo avidamente i capezzoli, protendendosi verso la mia bocca per chiedere di non smettere.

E posso dirti con grande sicurezza che sapevo riconoscere anche quella piccola ed elastica grotta dove accoglieva il mio membro. Mi rendevo conto che le labbra della sua vagina si gonfiavano per l'eccitazione e poi si aprivano per lasciare che io entrassi e mi lasciassi cullare da quel tepore umido in cui mi sentivo al sicuro. Lontano da coloro che volevano attentare alla mia vita, dagli eserciti che volevano darmi battaglia e dai papi che volevano strapparmi di testa la corona. Dentro di lei, dentro Bianca, io mi sentivo nel mio castello più sicuro. Dove nessuno avrebbe mai potuto farmi del male.

E provai quella sensazione anche quella sera, alla vigilia del giorno in cui avrei presentato al mondo e a Melfi le mie Costituzioni. Venni più volte, senza ritegno, e quando, esausto, mi staccai da lei e reclinai la testa all'indietro sulla sedia che fortunosamente aveva afferrato le mie natiche prima che crollassi a terra, non seppi fare altro che tacere.

Fu lei a parlare. Ma non prima di aver sorriso ancora una volta. Si rivestì lentamente, quasi pudicamente. Poi sollevò la testa e cercò i miei occhi. «Oggi è uno dei miei giorni fertili», fece. E quella frase, me ne resi conto solo nove mesi più tardi, portava il nome del prediletto tra i miei figli.

Florentium, Capitanata, Apulia Normanna, dicembre 1250 d.C.

«Come puoi credere che io abbia potuto anche solo osare di immaginare di poter fare del male a una donna così?», domandò Federico, esausto per quel racconto. «La madre di...».

La porta della stanza da letto dell'imperatore si spalancò senza preavviso. Anche il frate che si era presentato sull'uscio si rese conto dell'inopportunità di quel gesto, ma quando fu troppo tardi. Dal suo sguardo si capiva che la novella che recava era di tale importanza da fargli dimenticare per un fatale istante le buone maniere, il rispetto per il suo sovrano e le regole della discrezione, tutto in una volta.

«Maestà, perdonate l'impudenza ma è giunto...». Un uomo appesantito dalla fatica e dalla stazza lo spinse di lato senza troppi complimenti e varcò la porta con impeto, per poi precipitarsi ai piedi del letto. Si sfilò l'elmo dalla testa e sollevò una mano ancora guantata senza alzare lo sguardo. Tra le dita, un piccolo rotolo di carta pergamena.

«È giunto con uno dei falchi da riporto», disse d'un fiato con una certa fatica. «Vostro figlio Manfredi, appena saputo del vostro... incidente, si è messo in viaggio e sta arrivando. Vuole rassicurarvi che non farà soste pur di raggiungervi il più presto possibile».

Federico strinse le palpebre. Già cominciava a vedere con difficoltà. Ma quell'ostacolo non avrebbe mai potuto impedirgli di riconoscere colui che lo scrutava con la preoccupazione di vene in cui scorre il medesimo sangue. «Manfredi? Che ci fai qui?».

L'uomo si voltò verso Addid, poi tornò a guardare il sovrano. «Ma io...».

Il saraceno lanciò uno sguardo benevolo al messo. Addid e Manfredi si volevano bene perché Addid voleva bene a tutti coloro che sinceramente amavano il suo migliore amico. E Manfredi aveva dato più volte prova di possedere quel genuino sentimento che dovrebbe muovere la relazione tra un padre e un figlio. Tra tutti i figli generati da Federico con mogli e amanti, Manfredi era quello che più di ogni altro aveva trascorso la sua vita accanto al padre. Aveva ricevuto fin da piccolo a corte, proprio su impulso dell'imperatore, una educazione spirituale che gli aveva insegnato a distinguere e a mettere nel giusto ordine le cose materiali e quelle immateriali, battezzando le prime come futili e le seconde come tesori inestimabili. Non c'era stata battuta di caccia che Addid ricordasse, salvo rare eccezioni, in cui Manfredi non accompagnasse il padre ed era stato proprio lui, con la sua giovane insistenza, a convincerlo a scrivere il trattato sulla falconeria che adesso viaggiava in ogni parte d'Europa per erudire cacciatori e domatori di ogni lingua.

Adesso, di fronte a quel letto di sofferenza, Federico si rivolgeva a quel miraggio. Un ragazzo di diciotto anni consapevole di essere in procinto di perdere la persona più importante della sua vita.

«Hai gli occhi di tua madre», disse Federico.

«Già...», la voce del frumentario era rotta dall'emozione. «Se... se posso fare qualcosa...», azzardò confuso.

«Sì, qualcosa puoi farla», disse allora l'imperatore. «Qualunque cosa accada nei prossimi giorni o nelle prossime ore, rammenta quello che ti hanno insegnato i maestri che ho voluto per te». Inghiottì a fatica, ma senza smettere di fissare il suo interlocutore. Poi si riprese. «Noi ci atterremo ai dogmi teologici e filosofici impartitici dai grandi dottori nel palazzo dell'eminente Nostro Padre, imperatore e signore», iniziò a recitare, «sulla natura del mondo, sulla corruzione dei corpi, sulla creazione dell'anima, l'eternità di essa e la sua capacità di raggiungere la perfezione. E adesso calmati e trovati un posto a sedere», continuò. «Il mio amico Ahmed, che tu ben ricordi, mi sta raccontando una bella e avvincente storia. E non credo che morirò prima di averla ascoltata tutta».

Il frumentario tornò a guardare il soldato saraceno e dopo aver ottenuto un'occhiata complice trovò uno sgabello e si sedette, muto, in un angolo.

Addid osservò quel soldato, che avrebbe potuto uccidere

qualcuno a mani nude, lottare contro i singhiozzi. Poi, mosso da pietà, lo invitò a congedarsi. L'altro si alzò e uscì in silenzio, aiutato da un frate che gli aveva aperto la porta.

Nella stanza scese il silenzio.

«Non era mio figlio, vero?», disse alla fine Federico.

«No, mio signore. Era uno dei suoi uomini».

«Con questa poca luce è difficile riconoscere le persone, non trovi?»

«Sì. È così», rispose Addid per spazzare via l'imbarazzo dell'imperatore. Ormai Federico alternava momenti di lucidità ad attimi di confusione. E la lotta tra di essi era sempre più frequente.

«Amico mio, ti sei forse addormentato?», lo sollecitò Federico. «Continua pure il tuo racconto. Se non sbaglio, prima che ti interrompessi con i miei ricordi amorosi, eravamo arrivati alla crociata».

«Ne abbiamo già parlato abbondantemente, mio signore», rispose Addid scegliendo con cura il tono.

Federico si accigliò. «Abbiamo parlato di quella finta. Adesso voglio sentire cosa accadde con quella vera».

San Giovanni d'Acri, Terrasanta, settembre 1228

Quando scorsi i primi cenni del porto di San Giovanni d'Acri feci un sospiro di sollievo e uno strano e incontrollabile rilassamento mi percorse le gambe, al punto che mi dovetti sorreggere al parapetto della nave.

Il viaggio verso la Siria era durato quasi dieci mesi. Nelle intenzioni iniziali avrebbe dovuto essere un viaggio rapido e privo di ostacoli, e invece avevi voluto fare per l'ennesima volta di testa tua, ordinando a tutta la flotta di fare una sosta non prevista a Cipro. L'isola non era più sotto il controllo della famiglia imperiale da quando tuo padre Enrico aveva avuto la bella idea di affidarne il governo in feudo al duca Amalrico da Lusignano. Un personaggio improbabile, che si era rivelato a lungo andare anche inetto e subdolo, al punto da perdere completamente il controllo e di fatto cancellare l'isola dalla mappa delle regioni dell'impero.

Tu avevi deciso di risolvere la questione. E quale miglior momento per farlo di un viaggio verso la Terrasanta con al seguito centocinquanta galee gonfie di cavalieri, baronetti, duchi, preti e marinai a cui per mesi avevamo sottratto birra e femmine?

Mi avevi spiegato, senza convincermi molto, che volevi usare l'isola come base d'appoggio per la crociata, ma al momento ti sfuggiva il dettaglio che quell'isola non era più tua. Tuttavia non ti eri perso d'animo e, in barba a tutti i consigli dei tuoi saggi, sia a terra che sulla nave, avevi deciso ostinatamente di puntare su Cipro.

In quel tempo il vero reggente dell'isola era un tutore di un re dodicenne, tale Giovanni d'Ibelin. Tu facesti leva sulla sua parentela con la defunta imperatrice, Isabella di Brienne, per mettere le carte in tavola e alla fine, con mio grande stupore, ottenesti per un'altra volta ciò che volevi. Naturalmente quando dico che *facesti leva* non parlo di iniziative diplomatiche. Ricordo che una prima volta tentasti di farlo uccidere con tutti i suoi figli e una seconda lo costringesti a riparare nella rocca di Dieu d'Amour. Insomma, per farla breve, alla fine riuscisti a convincerlo. Come si dice, con le buone o con le cattive.

Cipro non solo poteva diventare una testa di ponte per il resto del viaggio in Siria e base logistica di rifornimenti e avvicendamenti, ma rappresentava un forziere di potenziali tributi e truppe. Difatti alla regina madre Alice fu affidata la reggenza dell'isola e adesso…

Adesso la nave che batteva la bandiera della famiglia reale di Cipro era proprio di fianco alla nostra e sulla tolda quell'idiota e codardo di Giovanni d'Ibelin aveva assunto una posa che poteva convincere tutti che fosse stata una sua decisione, seguirti fino in Terrasanta.

Comunque sia, tra galee e altre navi di più piccolo cabotaggio il porto di San Giovanni d'Acri si preparava ad accogliere oltre cento prue. A comandarle non c'erano certo ragazzini di primo pelo.

Al tuo fianco ricordo che c'erano sicuramente Enrico di Malta, e sulla nostra nave eri accompagnato da Bernardo, arcivescovo di Palermo, che per tutto il viaggio non aveva fatto altro che magnificare il suo elmo forgiato da mastri siciliani, su cui era stata praticata una suggestiva croce al posto della classica visiera orizzontale. Ma c'era anche Jacopo da Capua e anche... va bene, adesso tutti non li ricordo, ma sono sicuro invece di chi ci stesse aspettando a terra.

Scendemmo dalla nave, naturalmente per primi, e fosti tu a posare sulla sabbia il primo stivale della spedizione in Terrasanta. Davanti alle mura della fortezza di San Giovanni erano già state approntate le tende per gli equipaggi e i cavalieri e una immensa folla di gente si era radunata per festeggiare i cosiddetti salvatori. Mentre tu salutavi spingendo al piccolo trotto il tuo cavallo, potevo scorgere personaggi di ogni tipo. Pellegrini scalzi vestiti di stracci, chierici dai volti smunti per la fame e perfino qualche improvvisato crociato, che aveva dipinto con pigmenti di risulta o sangue di bue croci sbilenche su tuniche che un tempo lontano erano state bianche.

«Un branco di luridi pezzenti. Distinti da coloro che sono appena arrivati solo da un titolo nobiliare», commentai a bassa voce.

«Dovresti sentirti», mi rispondesti tu cominciando a gettare monete tra la folla.

«Pensi che stia esagerando?».

Ti voltasti dalla mia parte. Ma non prima di aver gettato tra le mani alzate perfino il sacchetto vuoto. «Affatto. Per questo dovresti sentirti», concludesti con una risata.

Nei pressi della porta pretoria della fortezza d'Acri, alcuni cavalieri ci vennero incontro, ma si fermarono prima di raggiungerci. Scesero tutti da cavallo e proseguirono a piedi.

Tra di loro c'erano alcuni dei tuoi amici più fidati. C'era Ermanno di Salza, un po' appesantito dall'ultima volta che lo avevo visto in Italia, oppure i suoi scudieri avevano preso male le misure quando avevano commissionato la sua armatura nuova.

Come sempre, stringeva l'elmo al fianco. Si diceva che non se ne privasse nemmeno quando si recava alla latrina. E poi riconobbi Tommaso di Acerra, il tuo luogotenente imperiale in Siria. Un piccoletto che portava sempre stivali sapientemente rialzati per non sfigurare di fronte ai suoi soldati, ma che poteva sfoggiare un cipiglio degno delle migliori battaglie che non aveva mai combattuto. E infine c'era Riccardo Filangieri, forse l'unico tra tanti che aveva assaggiato davvero il campo di battaglia e che aveva guidato un primo gruppo di cinquecento cavalieri, che avevano avuto il compito di preparare il terreno all'arrivo dell'imperatore.

Se c'è una cosa buona in una guerra, oltre al fatto di sfoltire le fila degli idioti che se la fanno, è senza dubbio la capacità di cancellare momentaneamente tutte le rivalità tra gli alleati. Per questo vedere i capi dei tre più potenti ordini cavallereschi inginocchiarsi l'uno accanto all'altro nell'attesa di baciarti i piedi non aveva prezzo, per me.

E tu assecondasti subito le mie aspettative. Scendesti da cavallo rifiutando l'aiuto di uno scudiero e passasti in rassegna i vessilli teutonici, templari e giovanniti che erano stati schierati davanti a te. Per un lungo momento, la scomunica che pesava sulla tua testa parve da tutti dimenticata e perfino il patriarca di San Giovanni, accompagnato da una folta delegazione di vescovi e chierici, alla fine prese coraggio e si presentò per salutarti. Naturalmente, badando bene a non baciare nulla che ti appartenesse, anche se mostrò tutta la sua buona volontà consigliandoti per il meglio di mandare un'ambasceria a Roma per comunicare al papa del buon esito della spedizione. Con il messaggio sottinteso di ripensare alla scomunica e di scioglierti dall'ingiusto peso.

«Ha risposto di no. Ti rendi conto di cosa è capace quel gran bastardo?».

Ricevesti la risposta del papa all'uscita dalla chiesa dove avevi partecipato, accompagnato da pochi rappresentanti degli ordini cavallereschi al tuo servizio, alla messa del vespro. Io ti aspettavo di fuori, con in mano un rotolo di pergamena che recava il sigillo pontificio che mi scottava tra le mani.

Lo apristi quasi strappandolo e poi leggesti avidamente. Prima di commentare sputasti a terra, e questo non mi parve un buon segno circa ciò che c'era scritto in quella missiva, che per arrivare presto fino a te aveva ammazzato due cavalli.

«Forse hai sbagliato ambasciatori», dissi, assicurandomi che coloro che erano al tuo seguito non ci ascoltassero. Per quanto per me fosse assolutamente normale, di solito un re o, al meglio, un imperatore, non ricevono consigli da una guardia. Anche se personale.

«Ho sbagliato ambasciatori? Ma se ci ho mandato Enrico di Malta e l'arcivescovo di Bari», rispondesti stizzito. «Se avessi mandato te e una scorta di guerrieri saraceni avrei probabilmente ottenuto un risultato migliore».

Rimasi in silenzio per alcuni istanti, il capo chino.

«C'è dell'altro?», facesti allora tu.

Io annuii. «Sì. I nostri frumentari hanno portato notizie contrastanti dai confini. Pare che circolino alcuni minoriti di missione papalina, che stanno predicando contro di te con il sostegno del patriarca di Gerusalemme».

«Ah sì? E che dicono questi idioti?»

«Dicono che non avresti il diritto di guidare cavalieri cristiani, data la scomunica», risposi esitando.

«E tu che ne pensi? Credi che sia giusto quello che dicono? Credi che io sia indegno?»

«Non conta quello che penso o dico io. Conta quello che sta accadendo. E sta accadendo che le loro prediche hanno già fatto breccia tra i primi gruppi di cavalieri templari e giovanniti».

«Non avevo dubbi. Cagasotto pusillanimi». Gettasti via il messaggio come fosse un osso di pollo appena spolpato.

«Forse aveva ragione stamani il gran maestro, che presagiva una reazione negativa da parte di papa Gregorio», proseguisti rivolgendoti al capitano dei teutonici che avevi ospitato a pranzo nella tua dimora «Dovrei rispondere al papa che io impartisco ordini non in nome mio ma in nome di Dio e della cristianità, e che si opponga allora, se ne ha il coraggio. Altrimenti», concludesti quella sera, «farò a meno di templari e giovanniti e mi farò bastare i miei valenti cavalieri tedeschi e quei soldati genovesi e pisani, che tutto sommato hanno attraversato il Mediterraneo per venire in mio aiuto. Parliamo pur sempre di cinquecento cavalieri e centomila fanti. E se non bastasse farò arrivare da Lucera anche i miei guerrieri saraceni».

Sapevamo entrambi che si trattava in ogni caso di un esercito insufficiente per i tuoi piani di battaglia, poiché il nemico – il tuo nemico – poteva fare affidamento su un esercito almeno dieci volte più grande, ma quella risposta istintiva confidava nel fatto che alla fine il papa avrebbe chinato il capo di fronte alla ragione.

Ma i papi chiedono lumi a Dio prima di decidere. E Dio non è mai stato un tipo ragionevole.

Florentium, Capitanata, Apulia Normanna, dicembre 1250 d.C.

«Ognuno di noi ha una parte in questa commedia. E il papa recitava come meglio poteva la sua». Federico provò ad allungare un braccio per prendere da solo la brocca dell'acqua, ma a metà percorso le dita della mano mancarono la presa e la brocca cadde a terra, frantumandosi in mille pezzi di coccio.

Addid si precipitò vicino all'imperatore, per raccogliere quanto restava della brocca e asciugare l'acqua che cominciava a infiltrarsi tra le piastre di marmo del pavimento. Richiamata dal fragore, una monaca si affacciò dalla porta della stanza. «Me ne occupo io», disse entrando.

«Nessuno deve occuparsi di niente», protestò Federico. «Mi è solo scivolata. Da stamattina sento le mani intorpidite. Forse avrei bisogno di mangiare qualcosa di solido, ma Giovanni mi fa servire solo brodaglia».

«Lo fa per il vostro bene, maestà», disse la monaca rimboccandogli le lenzuola. L'imperatore bevve dalla coppa l'acqua che c'era rimasta, ma la sputò. «Che schifo. È calda. Chiama gli sgranarosario e fatti portare una brocca piena di acqua fresca».

Fu Addid a recarsi all'uscio per richiamare i frati e impartire la volontà dell'imperatore. Qualcuno di loro entrò nella stanza per terminare il lavoro che egli aveva iniziato, e alla fine sul pavimento non restò nemmeno una macchia umida o un solo, piccolo pezzo di terracotta.

«Va bene, ma non sarà una brocca in frantumi a interrompere il tuo racconto, vero amico mio?», disse Federico quando tutti se ne furono andati. «Rimettiti a sedere e continuiamo. La faccenda si fa interessante», aggiunse come se fosse all'oscuro di tutto.

Addid lo scrutò e si lasciò sfuggire un sorriso. Quello che era stato l'uomo più potente della terra pareva ora un bambino che ascoltava stupito la favola che la balia gli racconta per la centesima volta.

«Eravamo rimasti al papa», disse il soldato saraceno.

«Eravamo rimasti al fatto che cercavo di spiegarti come in realtà nei miei confronti non fosse una questione personale», commentò l'imperatore. «io o un altro sarebbe stato lo stesso. Il papa ragionava nell'ottica del suo piccolo regno di bigotti».

«E quelle lettere che riuscisti a intercettare tramite i tuoi frumentari? Non ti fecero adirare nemmeno un po'?»

«Adirare forse sì. Ma non potrei dire che non me lo aspettavo». Federico alzò le spalle, per quanto la posizione a letto glielo permettesse. «Chiedere al sultano di non abbandonare mai Gerusalemme come favore alla Chiesa cattolica, a qualunque costo, fu un'iniziativa stupefacente ed esilarante allo stesso tempo». L'imperatore scosse il capo. «Alle volte starsene chiusi in una stanza a pregare ininterrottamente per tutto il giorno circondati da paggi, servi e vassalli che ripetono le litanie a capo chino distoglie dalla percezione della realtà. Davvero Gregorio pensava di poter avere un qualche minimo tipo di ascendente sul sultano, tanto da chiedere un favore a colui che invece avrebbe dovuto continuare a considerare il suo peggior nemico?»

«Diamine», esclamò Addid, «prima gli manda contro centinaia di navi imbottite di ferraglia armata e poi gli chiede un favore a danno di chi ha inviato a combatterlo».

«Una follia, appunto», concordò l'imperatore. «Considerando poi i rapporti che a quel tempo c'erano tra di noi».

«In realtà, a quei tempi i rapporti erano diplomatici, ma non ancora amichevoli».

«Ma quella vicenda dei villaggi saccheggiati li cambiò repentinamente».

Terrasanta, confine con i territori musulmani, inverno 1228

Quell'inverno decidesti di spingerti oltre i confini dei territori controllati dai crociati. In molti cercammo di dissuaderti, ma tu non sentisti ragioni. Eri molto nervoso e gli ultimi avvenimenti, di cui avevamo notizie scarse e di seconda mano, ti fecero precipitare in un vortice di incertezza.

«Stavolta il papa ha passato il segno», dicesti mentre la colonna a cavallo che guidavi avanzava lentamente nel fango. Aveva piovuto da poco e gli zoccoli affondavano nella melma di almeno un palmo, costringendo i cavalli ad arrancare.

«Potrebbero essere notizie false. Potrebbero essere opera di qualcuno che vuole attentare alla tua lucidità», cercai di calmarti mentre provavo a dissimulare la preoccupazione che mi faceva muovere in continuazione lo sguardo intorno a noi. La paura di un agguato era appollaiata sulla mia spalla come un corvo da quando avevamo lasciato la fortezza di San Giovanni. Entrare in territorio nemico era un azzardo senza precedenti. Soprattutto se operato con un solo pugno di soldati. Ma tu eri convinto che i musulmani non avrebbero mai attaccato una spedizione guidata dal capo dei loro nemici. Era contrario al loro codice d'onore. Forse avevi ragione, ma io ero preoccupato lo stesso e non mi sentivo dell'umore adatto per intavolare una discussione sulle scelte diplomatiche del papa.

«Li hanno visti, Ahmed. Li hanno visti», ribattesti tu indignato. «Il papa ha lasciato che le sue truppe sconfinassero nei miei territori siciliani. È una dichiarazione di guerra bella e buona».

«Non è la prima volta che qualche *clavisegnato* smarrisce la strada di casa. Te lo ebbe a scrivere proprio il papa non molto tempo fa».

«Sì, ma quando ciò accadeva io ero seduto sul trono nella mia residenza di Palermo o di Foggia, e non a mille miglia di distanza, per giunta su preghiera dello stesso individuo che quei soldati li dovrebbe comandare».

In quel momento scorgemmo le sagome basse delle costruzioni bianche di un villaggio. Come prevedevamo, nessuno ci venne incontro per salutarci, come sarebbe accaduto nel caso che fossimo incappati in un insediamento cristiano. I musulmani ci odiavano, e la presenza di soldati saraceni tra le fila dei loro nemici contribuiva a tenere alta la tensione.

«Dobbiamo fare rifornimento di acqua. Spero che non vogliano negarcela», dicesti tu.

«Come potrebbero?», chiesi io con un certo sarcasmo.

«Ricordati che sono nemici solo sulla carta. Al momento siamo ancora alle vie diplomatiche e mi auguro che la situazione non muti», facesti tu, spronando il cavallo in modo che tutti ti seguissero.

Giungemmo presto al villaggio. Le strade erano deserte. Non si vedevano nemmeno quei pochi capi di bestiame, pecore e capre che i musulmani usavano lasciare libere di pascolare tra le case. Tutte le finestre erano chiuse e regnava un silenzio irreale.

«La prima freccia che sento partire, se non porta il mio nome sulla punta, giuro che metto a ferro e fuoco questa fogna», protestai io.

«Fino a qualche tempo fa erano tuoi fratelli. Adesso è una fogna», mi facesti notare tu. «Questo possono fare, le cattive frequentazioni?».

Chinai il capo sulla sella. «Hai ragione, maledizione. Straparlo».

«Comunque non ci arriverà alcuna freccia. Li vedo, tutti nascosti in casa che ci spiano attraverso le finestre socchiuse. Hanno paura e basta».

Ad un tratto una sagoma comparve in lontananza. Un uomo. Vecchio abbastanza da lasciare sorreggersi da un bastone. Coraggioso abbastanza da venirci incontro da solo.

I tuoi uomini dell'avanscoperta si disposero in fila davanti ai nostri cavalli per farti da scudo.

«Toglietevi di mezzo», dicesti tu stizzito. «Non vedete come è malridotto? Cosa potrebbe farmi?».

I soldati obbedirono e si fecero da parte.

Il vecchio continuò a camminare imperterrito verso di noi, con il suo andamento lento e barcollante, affaticato da una gamba che, per cause a noi ignote, aveva perso definitivamente lo smalto di un tempo.

Quando fu proprio davanti a noi si fermò, senza temere che con i nostri cavalli gli finissimo addosso. Poi, inaspettatamente, lasciò cadere il bastone e si inginocchiò.

«Abbiate pietà di noi, mio signore», disse in un dialetto che tu riuscivi a capire perfettamente. «I vostri amici hanno già preso tutto quello che potevamo dare. Non ci è rimasto più nulla. Solo il latte per sfamare i bambini e l'acqua per alleviare la sete dei vecchi».

Tu aspettasti che finisse e sospirasti per annusare l'aria. Ti guardasti intorno. «Sai con chi stai parlando?», chiedesti nel suo stesso dialetto.

Il vecchio ti scrutò dal basso verso l'alto. «Sei un cavaliere cristiano. O forse mi sbaglio?». Guardò alle tue spalle per studiare le insegne che venivano ostentate dai tuoi vessilliferi.

«Non è un semplice cavaliere cristiano», intervenni allora io. «È il comandante di tutti i cavalieri cristiani di Terrasanta e di tutti i cavalieri cristiani del mondo conosciuto. Sei al cospetto dell'imperatore del Sacro Romano Impero, Federico di Swabia».

Il vecchio restò in ginocchio e diede un'altra occhiata al tuo cavallo. «Buon per voi. Ciò non toglie che abbiamo finito tutto e non abbiamo più niente da darvi, tranne il sangue che ancora per poco scorre nelle nostre vene».

«Cosa è successo da queste parti?», chiedesti.

Il vecchio sollevò un sopracciglio. La posizione inginocchiata cominciava a stargli scomoda per via della gamba malferma che doveva fargli molto male. «Mio signore, voi mi state canzonando. Se è una forma di tortura che avete scelto…».

«Piantala e rispondi alla mia domanda», fosti perentorio.

Il vecchio lanciò allora uno sguardo al bastone.

«Puoi alzarti», lo esortasti.

Il vecchio annuì, afferrò il bastone e con non poca fatica si alzò, lento come un bradipo, mentre tu socchiudevi gli occhi nervosamente nell'attesa.

«Ecco, mio signore. Due giorni fa i vostri amici…».

«Non ho amici da queste parti».

«Ma erano vestiti come lo siete voi. Con quelle armature scintillanti e quelle vesti bianche. E gli scudi, sì, gli scudi su cui disegnate l'immagine del vostro Dio».

«Ne sei certo? E cosa volevano?»

«Cosa volevano? Tutto. E tutto hanno preso. Cibo, vino, pelli, grano, acqua. Sono passati due volte, non contenti. E alla fine hanno desistito solo perché non c'era più nulla da prendere».

Tu ti voltasti dalla mia parte. «Chi possono essere? Io non darei mai un ordine del genere. Nel pieno delle trattative con il sultano, sarebbe una follia».

«Sai da che parte sono andati?», chiesi allora io.

Il vecchio si voltò e indicò il punto dove il sole tramonta. «Li ho sentiti dire che dovevano visitare altri villaggi della zona. Avevano una mappa».

Tu stringesti a due mani il pomo della sella del tuo cavallo. Se ti fosse stato possibile, lo avresti stritolato. Le cose non stavano andando bene. Anzi, stavano peggiorando, lentamente ma inesorabilmente. Le voci di irruzioni di soldati papalini nel tuo regno giungevano quotidianamente al tuo quartier generale in Terrasanta, e le trattative con i nemici del cristianesimo, come li chiamava il papa, andavano a rilento, anche per colpa di questioni interne che tenevano il sultano impegnato in guerra su ben due fronti familiari. E in autunno ci si era messa anche una terribile carestia, dovuta al fatto che le ripetute tempeste di mare avevano impedito l'arrivo delle navi da carico con gli approvvigionamenti sperati. Probabilmente alcuni piccoli gruppi di soldati, spinti dalla fame e dalla disperazione, avevano superato le linee e avevano cominciato a saccheggiare i villaggi musulmani. Una cosa che non ritenevi tollerabile, sia moralmente che diplomaticamente.

«Ci vorrà davvero poco prima che questa storia finisca per arrivare all'orecchio del sultano», commentasti dopo aver sputato per terra per sfogare tutto il nervosismo che avevi accumulato. «E quando accadrà, tutta l'impalcatura che abbiamo eretto fino a ora con fatica crollerà. Per colpa di quattro disperati che non sanno praticare il digiuno per cui hanno giurato quando sono stati investiti cavalieri».

«Cosa intendi fare?», chiesi mentre il vecchio osservava ora incuriosito il nostro dialogo.

Tu abbassasti lo sguardo e ti rivolgesti direttamente a lui. «Qualcuno nel tuo villaggio sarebbe in grado di riconoscerli?»

«Qualcuno? Direi praticamente tutti. Le nostre donne soprattutto», aggiunse facendomi venire un brivido lungo la schiena.

«Allora trovami un volontario che sia disposto a venire con noi», aggiungesti.

Il vecchio mosse lo sguardo tra me e te più volte. Incredulo. «Dunque non ci saccheggerete di nuovo?».

Tu tirasti le redini del cavallo. L'animale si stava innervosendo per l'eccessiva sosta. «Al contrario. Fatemi una lista dettagliata di tutto quello che vi è stato sottratto e ve lo riporteremo, fino all'ultima oncia. E così faremo per tutti i villaggi che hanno subito la vostra stessa sorte». Gli puntasti il dito contro. «Ma a una condizione», proseguisti con tono fermo. «Voi manderete immediatamente un emissario alla corte del sultano per dire che ciò che avete subito non è opera di Federico ma che, anzi, egli vi sta aiutando a recuperare tutto il maltolto. E che il vostro messo sappia correre almeno come i nostri cavalli. Altrimenti non rivedrete nulla».

Decidesti che ci saremmo dovuti fermare comunque per far riposare le bestie. Gli abitanti del villaggio, quando il vecchio fece loro i giusti segnali, tornarono fuori dalle loro case. E alla fine riuscirono anche a trovare un po' d'acqua per dissetarci. Tuttavia ripartimmo presto. I soldati traditori non dovevano guadagnare troppo terreno, anche se la sosta nei villaggi per saccheggiarli avrebbe fatto perdere loro il tempo che invece noi eravamo in grado di recuperare.

Quando ci rimettemmo in cammino lanciasti un'ultima occhiata al villaggio che ci aveva accolto. «Avrebbero potuto non fidarsi».

«Noi siamo diversi da voi», ribattei io con un certo sarcasmo.

«Voi? Voi chi?»

«Noi musulmani».

«Voi musulmani pregate il Dio che preghiamo noi, così come gli ebrei. Solo che lo chiamate in modo diverso. Il Libro è il nostro punto in comune, ma pare che a molti in testa non voglia entrare». Strattonasti il cavallo per farlo partire. «Gli abitanti di questo villaggio si sono comportati bene con noi non perché musulmani, ma perché interpreti puntuali delle scritture comuni». Aspettasti di vedere da parte mia un cenno che ti rassicurasse sul fatto che avevo capito e che ero d'accordo. Anche se devo confessarti che ancora oggi non lo sono molto. Tuttavia, all'epoca accondiscesi, sia perché eri il mio imperatore e sia perché si stava facendo tardi e non avevo alcuna intenzione di cavalcare di notte.

«Scegli un paio di uomini e rimandali al quartier generale», ordinasti infine. «Voglio che i nostri carpentieri si mettano all'opera per forgiare la migliore spada e il miglior elmo che abbiano mai plasmato. E voglio anche che realizzino un'armatura da lasciare senza fiato. Scriverò personalmente una lettera di scuse per Malik Al-Kamil e ci scriverò che...», ti fermasti per pensare.

«Che affidi le tue armi e le tue difese nelle sue mani in segno di scusa. Noi faremmo così», ti suggerii.

«Già. Voi», concludesti tu lanciandoti al galoppo in testa a tutti gli altri.

Florentium, Capitanata, Apulia Normanna, dicembre 1250 d.C.

«Alla fine recuperammo tutto quello che era stato sottratto ai villaggi musulmani del confine», disse Federico stringendo la mano destra che continuava a intorpidirsi.

«Ma decidesti di non punire i soldati che si erano resi protagonisti di quel gesto infame», rispose Addid scuotendo la testa. «Quella volta non ti capii».

«Avrei dovuto punire un gesto disperato? Quegli uomini avevano fame e sete».

«Anche la gente di quei villaggi».

Federico fece una smorfia. «È questo che causa le guerre. L'ostinazione nel voler scambiare un gesto disperato per un gesto ostile. Invece io stavo lavorando su un altro piano. L'accordo con il sultano viaggiava su un'altra strada: quella della comprensione delle ragioni di tutti. Quando accade questo miracolo, una soluzione è possibile per tutto».

Addid versò altra acqua dalla nuova brocca che i frati avevano portato. «In effetti il sultano gradì molto tutti i regali che gli facesti recapitare. Probabilmente quel gesto diede inizio a una nuova era nei vostri rapporti. Fu molto sagace da parte tua».

Federico bevve a due mani dalla coppa, ma Addid fu costretto a sorreggerla da sotto per impedire che la presa dell'imperatore cedesse.

«Tra le tante cose che non sai c'è anche quella che ha a che fare con i rapporti tra me e Al-Kamil», disse Federico dopo aver letteralmente scolato la coppa. Mentre il soldato musulmano seguiva i suoi gesti, lo assalì una sensazione di ingiustificato ottimismo. Quando era arrivato le condizioni dell'imperatore gli erano sembrate pessime. Il suo medico personale aveva rincarato la dose e la situazione sembrava in costante peggioramento. Ma adesso qualcosa stava cambiando. Federico non era più costretto alle interminabili sedute sulla sedia bucata e riusciva a mangiare ogni tanto perfino qualcosa di solido senza che i crampi alla base dello stomaco lo facessero urlare. D'altra parte, il suo colorito continuava a impallidire e le forze ad abbandonarlo. Farlo parlare era un azzardo ma, Addid ne era alquanto consapevole, anche un modo per tenerlo in vita in attesa di quello che i cristiani come lui chiamavano un *miracolo*.

«Che vuoi dire?», chiese il soldato musulmano con un tono

che sembrava voler scacciare i brutti pensieri che si accalcavano nella sua mente.

«I nostri rapporti, a quel tempo, erano la diretta conseguenza di due anni di scambi diplomatici sempre più serrati», spiegò l'imperatore. «Credi davvero che mi sarebbe bastato inviargli in regalo una bella spada per evitare una rappresaglia?»

«Dunque vi conoscevate già?», chiese Addid con una certa sorpresa.

«Personalmente non ancora. Ma da molto tempo la mia corte e quella del Cairo si scambiavano emissari che venivano reciprocamente ospitati».

«Il motivo?»

«Il motivo? Il fascino. Questo era il motivo. Io e Al-Kamil eravamo semplicemente affascinati l'uno dall'altro. All'inizio lo scambio di missive e di diplomatici aveva avuto una ragione politica. C'era da risolvere una contesa interna che opponeva il sultano d'Egitto agli altri sovrani ayyubidi. Tre fratelli in discordia che se le davano di santa ragione. Un giorno mi arrivò un dispaccio diplomatico in cui Al-Kamil mi chiedeva aiuto».

«Il sultano d'Egitto che chiede aiuto militare all'imperatore dei cristiani contro un altro sultano? Scelta originale. Non c'è che dire».

«Al-Kamil si era alleato con Al-Ashraf contro il terzo fratello, che era sultano di Damasco. Questi però era riuscito ad assicurarsi l'aiuto militare dei Coresmiesi. Al-Ashraf si ritrovò così intrappolato tra l'esercito del fratello di Damasco e quello dei Coresmiesi. Per aiutarlo, Al-Kamil mi offrì il regno di Gerusalemme».

«E faceste l'accordo».

«Sì, ma non servì a nulla, perché nel frattempo le cose cambiarono. Il fratello cattivo morì, lasciando il potere nelle mani di un ragazzino che Al-Kamil seppe raggirare abilmente per riprendersi Gerusalemme. A quel punto non aveva più bisogno di me».

«Due anni di diplomazia buttati al vento. Tutto tempo perso».

«Affatto. Perché nel frattempo diventammo davvero amici. Al di là dei rapporti diplomatici e degli interessi politici, nelle lettere che ci scambiavamo eravamo riusciti a rivelarci ciò che davvero eravamo: due uomini desiderosi di conoscere».

«E io che pensavo che quella lettera che trovasti a San Giovanni d'Acri fosse il frutto dell'intenso lavoro diplomatico», fece Addid. «Un modo per dirti che accettava un accordo».

Federico scosse la testa e fece un bonario sorriso. «No, quella lettera era un invito. Lui desiderava conoscermi di persona. E anche io. Ma eravamo due sovrani contrapposti e dovevamo trovare un pretesto. E impiegammo cinque mesi di negoziati estenuanti prima di riuscirci».

Addid incrociò le braccia al petto. Come se avesse appena terminato l'ultima portata di un pasto luculliano. «Già. Ma alla fine vedere arrivare al nostro campo quell'uomo fu incredibile».

«Ancora più incredibile fu vedere cosa aveva portato».

«Aspetta... si chiamava...».

«Fahr-ed-Din. Si chiamava Far-ed-Din ed era uno dei suoi diplomatici più fidati», ricordò Federico con sorprendente lucidità. «Era lo stesso che quando ero arrivato a San Giovanni d'Acri si era fatto trovare sulla spiaggia con la lettera di benvenuto firmata di suo pugno da Al-Kamil».

«La lettera in cui scriveva che ti considerava un amico».

«Sì, proprio quella. In quella occasione mi aveva sorpreso, ma non quanto quel giorno». L'imperatore lasciò vagare lo sguardo da qualche parte nella stanza. Il pomeriggio invernale aveva cacciato via la luce del giorno in anticipo e le fiammelle delle candele riverberavano sui muri per cominciare un lavoro che avrebbero condotto fino all'alba tentando di rubare la scena ai due bracieri perennemente accesi. «Arrivò da noi con doni al cui confronto ciò che io avevo pensato per il suo sultano erano davvero solo briciole. Ricordo ancora adesso lo stupore che mi colse quando mi mostrò quelle coppe forgiate nell'oro e quelle stoffe così morbide e lucenti da farmi invidiare di non poter essere alla mia corte a Palermo, per poterle trasformare immediatamente in vesti regali. E quelle scimitarre... stringere un'elsa tempestata di pietre di un colore che non avevo mai visto. Rimasi senza fiato. Come perfino adesso che provo a rammentare».

«Dimentichi gli animali».

«No, non li dimentico. Quell'emiro arrivò con una carovana che si faceva annunciare da miglia di distanza. Orsi, scimmie, cammelli e perfino un elefante. Dovetti costringere molti degli uomini a condividere le tende pur di trovare uno spazio per poter custodire tutte quelle bestie. Ma erano così incredibilmente belle che non avevo alcuna intenzione di privarmene. Ero convinto fin dal primo momento che si erano presentate al campo che le avrei riportate con me in Italia. Fossi stato anche costretto a lasciare indietro dei soldati».

«Fu lui con la sua eloquenza a convincerti, oppure fu colpa di quei doni che ti obnubilarono la vista e il pensiero?»

«Nessuna delle due cose», rispose l'imperatore sospirando. «Non fu né il suo lungo discorso, per quanto ricco di elementi inoppugnabili e nemmeno la magnificenza di ciò che Al-Kamil aveva voluto regalarmi per suo tramite come viatico».

«E allora perché decidesti di recarti da lui?».

Federico cercò lo sguardo dell'amico saraceno. «Proprio non ricordi? Eppure sei tu quello che dovrebbe raccontare». Si fermò solo per un istante «Fu per te. Fu per merito tuo che alla fine decisi di recarmi a Giaffa».

Yaffa, Giudea, inverno 1228 d.C.

«Sei ancora convinto che sia una buona idea?», mi chiedesti per l'ennesima volta quando ci ritrovammo a osservare la magnificenza delle mura di quella città.

«Chiedermelo ancora, come hai fatto per tutto il viaggio, non cambierà le mie risposte. Ne sei consapevole?», feci io guardandomi intorno per rendermi conto di dove fossero le guardie.

Avevamo lasciato il campo delle truppe cristiane in piena notte con l'idea di arrivare all'accampamento musulmano alle prime luci dell'alba. Senza scorta, senza truppe al seguito. Era stata una tua iniziativa. Altro che mia. Io avevo solo fatto una proposta. Avevo immaginato che forse, visto che la vostra frequentazione epistolare aveva ormai antiche origini, sarebbe stato utile un confronto di persona, tra due uomini che finalmente, dopo tante parole, si guardavano negli occhi. E tu avevi accolto la proposta, ma l'avevi messa in pratica in modo creativo. Grazie a un dettaglio non trascurabile: entrambi i vostri accampamenti erano stati eretti, per ironia della sorte, alla medesima distanza da Giaffa.

Durante i negoziati invernali avevi fatto avanzare le truppe, lentamente ma costantemente. Un po' per evitare che i tuoi uomini se ne stessero con le mani in mano, e un po' perché un negoziato senza prove di forza non può mai essere un negoziato efficace.

Ne avevamo parlato spesso e tu ti eri mostrato sempre convinto che alla fine qualcosa sarebbe accaduto. Alla fine, il tuo amico Al-Kamil ti avrebbe dato ragione. Ma stava passando troppo tempo. Il papa era impaziente, il cibo stava finendo, il freddo ci stava circondando e il terrore che un episodio stupido ma imprevedibile potesse scatenare l'inferno, mandando a monte tutto quello che avevi incasellato fino a quel momento, ti stava facendo perdere il sonno. Così una sera, attorno a un fuoco, ti eri ritrovato per l'ennesima volta a fumare con l'ormai confidente Fahr-ed-Din. Meno male che mi hai ricordato il suo nome, perché non mi entrerà mai in testa.

«Ho fatto tutto quello che è in mio potere», ti aveva detto prendendo una boccata di fumo che sapeva di anice prima di passarti il narghilé, «ma siamo arrivati a un punto morto della trattativa. Farti visita è per me un piacere incommensurabile, mio signore, ma se dicessi che ciò possa ancora giovare alla trattativa, ti mentirei».

«È la stessa cosa che immagino abbiano detto Tomaso di Acerra e Baliano di Sidone al tuo sultano a Nablus», facesti tu raccogliendo la lunga pipa islamica.

«Per quanto possa continuare a pensare e a cercare, non riesco a trovare la strada per…».

«Dovete incontrarvi». Intervenni senza nemmeno accorgermene. Ero sovrappensiero quando accadde. E mi ritrovai a pensare ad alta voce. Con estremo imbarazzo aprii le mani e chinai il capo. «Perdonatemi. Non volevo intromettermi». Per quanto le delegazioni dei vostri incontri fossero allargate su vostra stessa richiesta, il seguito di una missione diplomatica non ha mai diritto alla parola, che è lasciata sempre e solo all'unico rappresentante deputato. A maggior ragione se si tratta di un sovrano. Per questo mi sentivo un verme che aveva osato strisciare alla luce del sole da sotto un masso, al cui riparo era rimasto da quando era nato.

«Invece non è una cattiva idea. Impensabile. Irrealizzabile, lo ammetto», fece l'emiro, «ma sono convinto che, se per qualche incredibile coincidenza riusciste a parlare tra di voi, sareste in grado di trovare una via», commentò invece l'emiro. «Per quanto se anche solo una piccola delegazione di cavalieri cristiani osasse varcare l'immaginaria linea di confine tra i nostri schieramenti scatenerebbe un conflitto che nessuna opera diplomatica potrebbe più rimettere a posto».

A quel punto mi sentii in diritto di proseguire. «Potreste preannunciare l'arrivo come missione diplomatica», feci spostando lo sguardo più volte tra lui e te. «Del resto, quante volte è accaduto? Voi», aggiunsi rivolgendomi direttamente all'emiro, «siete qui proprio grazie a questo».

«Io sono stato scelto, come il tuo imperatore ha scelto i suoi rappresentanti», mi rispose lui. «I sovrani non trattano tra loro, ma sanciscono ciò che altri hanno trattato. È così dall'inizio dei secoli, e cambiare questa tradizione indebolirebbe irrimediabilmente entrambi agli occhi di chi non aspetta altro che una loro caduta: per voi il papa e i suoi accoliti, per il mio sultano i suoi parenti serpenti, che bivaccano impunemente a Damasco».

Si fermò. Per riflettere giocherellò con un pezzo di legno bruciato in mezzo ai carboni ancora incandescenti. «Siete ormai entrambi quasi in vista di Giaffa. Per quante rassicurazioni vi possa dare, io non posso parlare a nome di tutte le bande di predoni che ballano da mesi intorno alla città. Sareste in costante pericolo di agguati», disse l'emiro, «così come spingereste chi non ama il dialogo diplomatico a tentare di prendere di sorpresa il vostro quartier generale in vostra assenza». L'emiro si lasciò andare a una risatina amara. «Per quanto debba ammettere che il vostro uomo ha ragione, e che un incontro forse sbloccherebbe la situazione», si tirò indietro appoggiandosi sui gomiti per guardare le stelle, «è indubitabile che nella vita tutto ciò che è palesemente giusto diventi, per colpa degli uomini, irrealizzabile».

«Nulla è irrealizzabile», dicesti all'improvviso intervenendo finalmente nella conversazione. «Si tratta solo di capire il modo più adatto per riuscirci».

E il tuo modo più adatto me lo ritrovai a guardare sotto le mura di Giaffa alla fine di quel freddo gennaio.

Mi avevi fatto vestire come un mercante siriano e mi avevi messo sotto al culo una durissima sella a tre pomi, e sotto ad essa un cammello irascibile. Nascosti da turbanti colorati, vesti lunghe come lenzuola e stivali da pecorai, ci aggiravamo intorno ai bastioni del principale porto della Palestina alla ricerca di un modo per accedere all'accampamento del sultano Al-Kamil. Avevi esortato l'emiro tuo amico a non rivelare i tuoi piani a nessuno. Ma dall'alto della tua esperienza, per la quale avevi quasi perso la vita nell'agguato nei pressi del fiume Lambro, con una scusa avevi prolungato il suo soggiorno al tuo quartier generale, facendo in modo di partire prima di lui. Se anche ci fosse stata la benché minima possibilità che si trattasse di una spia o un traditore, circostanza che in seguito si rivelò infondata, non avrebbe avuto il tempo materiale per avvisare i suoi presunti amici.

Le luci di un sentiero di fiaccole ci guidarono all'accampamento di Al-Kamil. Si trattava di una vera e propria città ambulante, fatta di grandi tende a cono disposte lungo strade concentriche. Mentre i nostri cammelli avanzavano con circospezione verso il primo posto di blocco visibile, ci giungevano alle orecchie le voci delle preghiere del tramonto recitate all'interno di una moschea di fortuna, piazzata chissà dove al centro dell'accampamento.

Come era prevedibile, ci venne incontro un drappello di soldati a cavallo. L'ufficiale in testa mi scrutò con curiosità. «Non mi pare di riconoscervi. Non potete proseguire. Andatevene», disse pronunciando le tre frasi senza pause.

Aveva la pelle più scura della mia e una lunga barba che terminava in una cascata di riccioli, segno di una cura quotidiana maniacale. Se non avesse riconosciuto sul mio volto tratti amici probabilmente la sua reazione nei nostri confronti sarebbe stata diversa.

«Siamo qui per far visita al sultano», dicesti tu «perché siamo latori di una importante ambasciata».

Non ti presentasti. Parlasti con tono neutro ed estrema calma.

«Siete ambasciatori?», domandò la guardia con riluttanza. «Non mi risulta che il sultano aspetti visite diplomatiche. In ogni caso, dov'è il lasciapassare? Senza lasciapassare non potete proseguire», insistette la guardia musulmana, mentre i cavalli dei suoi uomini alle sue spalle cominciavano a scalpitare.

«Hai compreso bene, soldato», gli rispondesti tu, «ma non abbiamo un lasciapassare. Tuttavia, sono certo che il sultano ci riceverà quando saprà che…».

«Senza un'autorizzazione non potete entrare nel campo. E se insistete sarò costretto a ricacciarvi indietro con la forza», esclamò la guardia sfoderando la sua scimitarra.

«Stai calmo, soldato», facesti allora tu. «Non c'è bisogno di venire alle mani». Portasti la mano al collo e armeggiasti con cura per toglierti la collana che brillava tra le pieghe della sciarpa. «Ti prego di portare questa al sultano e di dirgli che l'uomo a cui l'ha regalata lo attende al confine del campo», dicesti distendendo il braccio, con il gioiello ben in mostra nel palmo aperto. «Sono sicuro che tornerai con buone notizie».

La guardia musulmana afferrò la collana e la mostrò alla luce della luna. «È magnifica. Chi te l'ha…?»

«Fai come ti dico, soldato», lo interrompesti.

La guardia ci pensò per qualche momento ma poi obbedì. Fece voltare il cavallo e tornò indietro, seguita dagli altri.

«Potrebbe non tornare mai più», sussurrai io. «Quella collana è davvero una grossa tentazione».

«Tornerà. È un saraceno, non un occidentale».

Raccolsi il complimento indiretto in silenzio.

Tornò il silenzio. Interrotto solo a tratti dallo scoppiettio delle fiaccole. Poi, udimmo di nuovo un rumore di zoccoli. E vedemmo la guardia che si era portata via la collana ritornare. Ma stavolta accompagnata da due cavalli sellati ma senza fantino.

«Salite. Il sultano vi attende», tagliò corto. «Tutto il resto», aggiunse riferendosi ai nostri poveri cammelli, «resterà qui».

Facemmo come ci aveva chiesto ed entrammo nel villaggio al piccolo trotto. I soldati dell'armata nemica ci scrutarono di sottecchi, indaffarati nelle loro faccende, fino a quando i nostri cavalli non si fermarono e fummo fatti scendere. Le guardie che ci avevano scortato ci accompagnarono a una grande tenda rossa, sulla cui cima sventolavano lunghe lingue di velluto dorato con incisi versi del Corano. Un uomo piccolo e tozzo aspettava davanti all'accesso. Teneva tra le mani la tua collana. Alla sua vista, le guardie si dileguarono.

«Non volevo crederci», disse l'uomo soppesando il gioiello. «Ma non potevi essere che tu». Indossava un corpetto di cuoio trapuntato su una lunga veste di velluto, su cui in fili d'oro erano tracciati meravigliosi motivi floreali. Le maniche del corpetto finivano all'altezza dei gomiti con bracciali di seta bianca. Ai piedi portava alti stivali senza suola e in testa un elmo a forma di coppa, sulla cui punta era annodata una salvietta di cotone bianco che scendeva fino alle spalle. Fece qualche passo e ti porse la collana. «Questa è tua».

Tu la prendesti e la rimettesti al collo. «Ti immaginavo diverso».

«Devo prenderlo come un complimento o come una critica?», disse Al-Kamil accennando un sorriso.

Tu non rispondesti. Allora il sultano ti invitò a entrare nella tenda. Ma quando fu il mio turno mi lanciò uno sguardo perplesso.

«Chi è costui?»

«La mia guardia del corpo. Puoi fidarti», lo rassicurasti.

«Un sovrano nemico nella mia tenda accompagnato da un sicario».

Il sultano ridacchiò, ci diede le spalle e ci fece strada all'interno della tenda. Tre bracieri incandescenti ne delimitavano il perimetro rotondo. Il centro era dominato da un grande tavolino basso e rotondo realizzato da un mosaico di ossa animali lavorate, levigate e lucidate alla perfezione. Attorno ad esso, una corona di cuscini di velluto di tanti colori.

«Scegliete pure quello che preferite. Ho ordinato di portarci una bevanda calda. Il viaggio vi avrà sicuramente infreddoliti».

Tu scegliesti un cuscino nero e ti sedesti a gambe incrociate. Ti guardasti intorno. La tenda, a parte noi tre, era vuota.

«Non sembri sorpreso di vedermi», dicesti.

«Si trattava solo di capire quando sarebbe accaduto, ma ero certo che prima o poi ci saremmo incontrati», fece il sultano. «Forse mi sarei aspettato un percorso più lineare».

«Nessuno sa che sono qui».

«Saggia decisione», si limitò a commentare il sultano. Aveva il viso rotondo che ricordava le fattezze di un maialino, ma due grandi occhi scuri e penetranti che denotavano una personalità fuori dal comune.

Una schiava entrò senza farsi annunciare, e senza alzare lo sguardo su di noi posò un vassoio sul tavolo. C'erano una caraffa fumante e tre piccole coppe d'avorio.

La schiava si allontanò in fretta, senza mai darci le spalle. Ma non prima di avermi lanciato un'occhiata che... va bene, questo non è importante. Quando fu sparita fuori dalla tenda, il sultano cominciò a versare il liquido caldo nelle coppe. Era verde e sapeva di menta e anice.

«Questa è una bevanda che ha un forte significato simbolico per la mia gente», commentò posando la brocca. «Si serve solo nelle occasioni speciali, e immagino», aggiunse alzando lo sguardo su di te, «che questa lo sia. Tuttavia», aggiunse prendendo la coppa più vicina, «ti sorprenderà sapere che non sei il primo occidentale a cui l'abbia offerta».

«E con chi devo condividere questo onore?»

«Accadde a Damietta, quasi una decina di anni fa, quando ero assediato dai tuoi crociati».

«E mentre eri sotto assedio sorseggiavi bevande calde con i tuoi nemici?»

«Non si trattava di un nemico, pur essendo un occidentale come te. Era un religioso ma non un prete. Era un *rahib*. Voi li chiamate... aspetta», Si passò la mano sul mento perfettamente rasato. «Frate. Ecco, sì».

«Un frate, dunque».

«Sì, e sembrava conoscermi molto bene. Non era venuto lì per caso. Mi raccontò che si era imbarcato su una nave di crociati bolognesi con lo scopo di venire a parlarmi. Mi spiegò che io, più di molti altri e forse più dei suoi fratelli in Cristo, potevo comprendere le sue parole. Mi disse che a parer suo, io ero un sovrano colto e illuminato. Aveva una voce piacevole, non perdeva mai la calma e sapeva ascoltare. Per questo l'incontro durò parecchi giorni e alla fine quasi mi dispiacque di doverlo congedare. Ricordo ancora il suo nome: Francesco». Sorrise guardando il passato che sfilava davanti a suoi occhi. «Cercò in tutti i modi di convertirmi, ma in cambio ricevette solo qualche dono. Però lo ricordo come una persona saggia e fuori dagli schemi. Uno come noi due, non ti pare? Altrimenti questo incontro non avrebbe luogo».

«E come mai il nostro incontro ti riporta alla mente quell'episodio così lontano nel tempo?»

«Perché fu l'ultima persona che ricordi con la quale parlai di pace. Da allora ho sempre dovuto discutere di spostamenti di truppe, di assedi, di ritirate. E mi auguro che oggi io e te faremo un'eccezione che mi porterà indietro di dieci anni. Dimmi che ho ragione».

«Abbiamo avuto tanto tempo per parlare di pace ma, per quante lettere ci siamo scambiati, per quanti diplomatici abbiamo accolto, la situazione non si è sbloccata e io oggi, più che venire a parlarti di pace, vengo a dirti che la situazione è disperata e che non abbiamo più molto tempo per porre rimedio a tutti gli errori commessi. Dunque, vogliamo davvero arrivare a una pace?»

«C'è una domanda che potresti farmi e che sarebbe un buon viatico per la nostra discussione», disse il sultano sorseggiando la bevanda calda. «E non è se vogliamo fare la pace, ma: cosa ci ha impedito fino a ora di trovare la pace?»

«Negli ultimi anni ci siamo scambiati molte missive e da quanto ho letto, ho capito che condividiamo molte convinzioni. Prima tra tutte quella di un Dio a cui abbiamo solo dato un nome diverso».

«Il Libro è il Libro. Non c'è dubbio».

«Dunque entrambi auspichiamo una Gerusalemme benedetta da Dio e non bagnata di sangue in suo onore».

Io ascoltavo in silenzio mentre sorseggiavo la bevanda che il sultano ci aveva offerto. Il suo sapore speziato mi riportava alla mente ricordi persi della mia infanzia. E un mondo di cui mi avevano raccontato ma che non avevo mai visto con i miei occhi. Fino a quella sera.

«Lo sai, mio buon imperatore dei cristiani?», riprese il sultano. «Io non ho mai perso la fiducia nel potere della diplomazia, che ritengo di gran lunga più forte del potere delle armi. Le guerre mietono morti di cui ben presto ci si dimentica, mentre le strette di mano consolidano rapporti che possono durare millenni».

«È qualcosa scritto sul Corano?», chiedesti tu assaggiando la bevanda che Al-Kamil ci aveva offerto.

«No, è quello che penso io. Alle volte riesco anche a camminare in sentieri non segnati dal Libro e dal suo profeta. Forse è questo che disturba i parenti che mi danno battaglia», disse il sultano tamburellandosi la pancia prominente. «Ma una cosa la posso aggiungere. E stavolta, lo ammetto, è una citazione del Libro». Fece una pausa per dare più solennità a quello che stava per dire. «Tendere alla pace non è altro che portare fino alle estreme conseguenze l'esercizio della regalità che compete a entrambi, allo scopo di rendere vivo il progetto divino di realizzare una società giusta e propedeutica alla fine dei tempi».

«Vuoi dirmi che dobbiamo trovare un accordo per non far adirare Dio?»

«Dovrebbe essere così, ma apprezzo molto il pragmatismo che ho potuto leggere tra le righe della missiva che mi hai inviato in risposta al mio messaggio di benvenuto, che dimostra come i motivi per fare la pace possano essere molti e tutti di grande importanza per il bene non solo degli dei ma anche degli uomini».

«Davvero sono riuscito a rivelare tutto questo?»

Il sultano giocherellò con la coppa che aveva in mano. Ormai vuota, la posò sul tavolino e la riempì di nuovo. Stavolta il liquido non sprigionò altro fumo. La bevanda si stava raffreddando. «Immagino che la prima intenzione alla base del tono di quella lettera fosse quella di mandarmi un messaggio chiaro: stiamo avanzando verso Gerusalemme e non recederemo di un passo anche se non dovessimo raggiungere la pace».

«Difatti».

«Ma dalle tue parole emerge altro, anche se la cosa non è voluta. La dote che ti riconosco e che probabilmente sarà il primo motivo per cui alla fine ci accorderemo: sei una persona sincera come poche ne ho incontrate nella mia vita di soldato, politico e sovrano».

«Continuo a non comprendere».

Il sultano si alzò con qualche difficoltà dal cuscino in cui era sprofondato e andò in un angolo della tenda dove c'era un tavolino di legno intarsiato di scaglie d'ebano e avorio. Frugò tra le carte accatastate senza un logico ordine e alla fine afferrò una pergamena srotolata.

«*Io sono tuo amico* – mi scrivi – *Tu non ignori quanto io sia più in alto degli altri sovrani d'Occidente. Sei stato tu a invitarmi a venire e tutti i re e il papa sanno del mio viaggio e delle sue aspettative*». Lasciò cadere la pergamena tra le altre e allargò le braccia. «Nella lettera hai scritto con grande sincerità che non puoi tornare a casa senza nulla in mano, perché il tuo credito nei confronti del papa andrebbe in frantumi. E mi chiedi un pretesto *al fine che al mio ritorno possa alzare la testa fra i re*. E questo pretesto si chiama Gerusalemme. Dunque, alla fine questa pace si farà perché lo vuole Dio, ma passando attraverso quei piccoli dettagli insignificanti che attengono al volere degli uomini. Uno di questi è la ragion di stato per cui né tu né io possiamo presentarci ai nostri sudditi con una sconfitta. Dobbiamo entrambi perdere, ma dobbiamo entrambi dimostrare che abbiamo vinto. In questo modo la sconfitta si trasformerà realmente in una vittoria».

«Hai impiegato due anni di trattative per comprendere tutto questo?»

«Affatto. Io questo l'ho capito da quando ho letto quella lettera, ma volevo che tu capissi le ragioni della mia lentezza. C'è un tempo per la guerra e un tempo per la pace. Non è possibile fare la pace in tempo di guerra come non è possibile fare la guerra quando ormai la pace è inevitabile».

«E adesso quale tempo abbiamo davanti?», chiedesti.

«La risposta la conosci, anche se non lo sai», concluse il sultano. Poi si avvicinò e ti mise una mano sulla spalla. «Vieni fuori con me. Voglio farti vedere una cosa». Mi guardò. «Se vuoi può seguirci anche lui, ma che resti a debita distanza».

Non mostrai alcuna reazione e vi seguii in silenzio fuori dalla tenda. Il sultano ti portò in un punto del villaggio da cui si poteva osservare la costa.

«Da quando siete arrivati dalle nostre parti avete preso possesso di molte delle nostre città», disse Al-Kamil senza un tono di particolare accusa. «Ma prendere non significa conquistare. Puoi prendere una donna con la forza, ma questo non ti consentirà di conquistare ugualmente il suo cuore. Conquistare», continuò disegnando con i polpastrelli l'orizzonte che si perdeva sul mare, «significa arrivare a conoscere qualcosa o qualcuno nel suo intimo più profondo. E mentre voi avete preso il porto di Yaffa, noi ne abbiamo conquistato la storia. Per questo, per quanto potrà essere terreno dei vostri vessilli, resterà patria delle nostre tradizioni». Fece un altro passo, dando le spalle all'imperatore.

«Yaffa è una città costruita su terrazze con l'intento di innalzarsi il più possibile verso Dio. I suoi alti bastioni non devono trarti in inganno. È una città fragile e curiosa, entusiasta e fedele. Protesa sul mare come una bambina che voglia a tutti i costi tuffarsi, pur sapendo che non potrà mai farlo».

«È molto bello ascoltare come parli delle vostre tradizioni», dicesti allora tu. «Da piccolo ho conosciuto a Palermo un uomo che mi raccontava le tradizioni islamiche con lo stesso fervore».

«Ma io non ti sto parlando di una tradizione islamica. Ti sto raccontando una città che appartiene anche a te, anche se non lo sai».

Tu provasti a ribattere ma il sultano te lo impedì afferrandoti per un braccio per farti arrivare accanto a lui. «La vedi quella roccia? Quella che sembra un grosso uncino...».

«La vedo...».

«Ebbene, quella non è la roccia di Maometto, ma la roccia di Andromeda. La leggenda narra che su quelle rocce annerite fosse incatenata come vittima sacrificale da offrire a un mostro. La stessa leggenda afferma che Perseo la salvò. Non una mia leggenda ma una tua leggenda, una leggenda che viene dalle tue tradizioni». Si interruppe. «Dunque che cosa vogliamo conquistare o difendere, se tutto questo è già vostro e già nostro?».

Tu restasti a guardare in lontananza. Si potevano vedere anche, piccolissime, alcune delle navi che danzavano sulle onde che baciavano il porto. Scafi enormi che potevano contenere carichi capaci di sfamare intere città per mesi ma che apparivano in quel momento piccoli esseri scintillanti in balia di corde malferme. Poi parlasti.

«Sigleremo la nostra pace all'interno di quelle mura. La firmeremo a Yaffa. Adesso».

Al-Kamil ti sorrise e ti mise una mano sulla spalla. «Ecco arrivato il tempo della pace».

Florentium, Capitanata, Apulia Normanna, dicembre 1250 d.C.

«In realtà l'accordo di pace lo siglammo il 18 febbraio, qualche settimana più tardi, per dare tempo agli scribi di completare tutti i dettagli del documento», disse Federico assaporando ancora gli strascichi del racconto che Addid aveva appena concluso, «ma devo ammettere che hai colto nel segno: l'incontro di quella notte, insensato, disperato, forse perfino inopportuno secondo le regole dei rapporti tra sovrani, fu determinante per sbloccare la situazione».

«Mi sarebbe piaciuto vedere la faccia del papa quando gli hanno riportato la notizia che ce l'avevi fatta», rispose Addid.

«Il papa era all'angolo. Qualunque cosa avesse detto sarebbe stata quella sbagliata. L'accordo resse per meno tempo di quanto avrei sperato, ma rappresentò qualcosa di mai visto».

«Dieci anni, dieci mesi, dieci settimane e dieci giorni: il massimo di tregua che la legge islamica prevede si possa concedere agli infedeli».

«Dieci anni volano. E sono volati. Ma la base di quell'intesa regge ancora oggi, nonostante tutto».

Addid strinse le palpebre. «Ci credi? Ne ricordo ancora a memoria i termini. Quel giorno a Giaffa, quando tu e il sultano vi alternaste nel leggerne i capisaldi alla folla radunata intorno a voi, resta per me indimenticabile».

Federico portò le mani al petto e premette le dita contro la carne. Come se quel gesto istintivo potesse aiutarlo a catturare più aria di quanto non gli permettevano ormai i suoi polmoni affranti. «Il sultano consegna Gerusalemme all'imperatore affinché ne disponga in qualunque modo e la munisca di nuove mura», cominciò a recitare.

«L'imperatore non occuperà Geemelata, ovvero il Tempio di Salomone, il Tempio di Dio e lo spazio tra essi che non potrà essere occupato da cristiani di qualunque razza», lo seguì Addid, «ma resterà nella disponibilità dei musulmani affinché vi possano recitare le loro preghiere senza alcun divieto. Pertanto, le chiavi delle porte di tali templi saranno custodite dai musulmani».

«A nessun saraceno sarà vietato di recarsi liberamente a Betlemme in pellegrinaggio».

«I cristiani potranno visitare il Tempio di Dio per recitare le preghiere della loro fede».

«A Gerusalemme i musulmani saranno giudicati dai musulmani loro fratelli».

«L'imperatore non presterà aiuto a chiunque, cristiano o musulmano, voglia muovere guerra contro i musulmani, ovunque si trovino e qualunque sia il motivo della contesa né mai fornirà armi, soldati o vettovaglie a chi voglia intraprendere tale disegno».

«L'imperatore si impegna a richiamare chi mediterà di attaccare le terre del sultano o le terre dei suoi alleati e vieterà di farlo al proprio esercito e ai suoi sudditi».

«Se qualcuno tra i cristiani trasgredirà i patti convenuti l'imperatore si impegna a esercitare personalmente la punizione e a difendere il sultano come un alleato».

«Tripoli, al-Marqad, Chateau Blanc, Burj Safitha, Tortosa, Antiochia e i loro territori», Federico e la sua guardia personale declamarono a una sola voce l'ultimo passo dell'accordo, «tanto in pace che in guerra, sono lasciati al loro destino e l'imperatore si impegna a vietare ai suoi sudditi di prendere le loro parti».

I due scoppiarono a ridere. La risata del saraceno durò più a lungo mentre quella di Federico terminò con un sibilo e un violento accesso di tosse.

Addid cambiò espressione, ma un cenno dell'altro lo rassicurò. «Eppure l'accordo fu considerato come una sconfitta da entrambe le parti. Si lamentò segretamente il papa, che avrebbe voluto un bagno di sangue, ma non poté dirlo in pubblico perché ciò avrebbe comportato il rinnegare le basi stesse della dottrina che il suo ufficio rappresentava. E si lamentarono i sudditi del sultano. Eppure non avremmo potuto concludere un'intesa più equilibrata. I musulmani si riprendevano il monte del Tempio dove sorgevano la moschea di al-Aqsa e la Cupola della Roccia, che erano tra i luoghi più santi dell'Islam e che in precedenza erano state trasformate dai re di Gerusalemme in palazzi e chiese. Un'onta che in quel modo sarebbe stata cancellata. I cristiani però potevano tornare a visitare il monte del Tempio per pregare, e Gerusalemme sarebbe stata circondata da insediamenti islamici. Hebron restava in mani musulmane mentre ai cristiani tornavano Betlemme e Nazareth. Nonostante i piagnistei del papa, io riuscivo con quell'accordo a ridare ai cristiani le tre città sacre della loro fede, i luoghi della natività, dell'annunciazione e della crocifissione di Cristo. E senza spendere nemmeno una goccia di sangue». Federico tossì ancora. Stavolta si fermò. «Non ce la faccio più a parlare. Oggi ho osato troppo».

«Riposa, amico mio. Hai incaricato me di raccontare, non dimenticarlo», fece Addid con il tono di chi sta rimproverando un bambino che ha appena fatto una marachella.

Federico gli rispose scrollando la testa. Poi la lasciò ricadere sul cuscino con un lungo sospiro. «E sia. Allora entriamo a Gerusalemme, se non ti dispiace. Fu quello il giorno in cui il papa mi mostrò tutta la sua gratitudine per ciò che avevo fatto», concluse con un ghigno.

Gerusalemme, Giudea, 17 marzo 1229 d.C.

L'estate era ancora molto lontana, eppure l'afa aveva cavalcato con noi per tutto il viaggio che ci aveva portati a Gerusalemme. Eravamo stati costretti a fermarci almeno tre volte per far riposare i cavalli, che avanzavano sgocciolando bava dal morso. Alcuni di loro erano stramazzati al suolo per la fatica e non si erano più rialzati. Ma ritengo che più che del sole, la colpa fosse stata della cocciutaggine dei tuoi cavalieri tedeschi, che con qualunque clima si rifiutavano di privarsi delle loro pesantissime corazze e di quegli ingombranti elmi che li facevano sembrare tacchini che fanno la ruota. Armature possenti che in una carica frontale facevano una invidiabile figura, ma pesanti per i cavalli e anche per coloro che le indossavano, rendendo in altre circostanze i loro movimenti lenti e macchinosi. Un dettaglio che ultimamente aveva rallegrato soprattutto i miei fratelli in Allah che avevano capito come affrontare i tedeschi in battaglia, vestendo leggerissime armature di lino e scaglie di cuoio che gli permettevano di aggirarli come pali infissi nella terra. Ma, come sai bene per il sangue che in parte ti scorre nelle vene, ai tedeschi non puoi far cambiare idea nemmeno invocando gli dei, e dunque quel giorno almeno una ventina di loro avevano dovuto abbandonare il viaggio prima dell'arrivo perché impossibilitati a proseguire a piedi. I miei soldati saraceni, gli unici insieme ai cavalieri teutonici che avevano deciso di seguire un imperatore scomunicato alla conquista della città santa, se li guardavano imprecare all'ombra di un albero di qualche oasi che ci capitava sul cammino, per poi tornare a scrutare la via con la medesima, incrollabile flemma.

Avevamo una scorta militare, è vero, ma non c'erano solo soldati al nostro seguito. Durante il tragitto si era formata dietro di noi una lunga coda di pellegrini, raccolti ovunque passassimo, che sembrava non avere alcuna remora ad accompagnare un sovrano maledetto dal papa. La possibilità di visitare la chiesa del Santo Sepolcro dove avevi deciso di farti incoronare era troppo allettante per lasciarsela scappare. In altre circostanze, un viaggio senza scorta avrebbe rappresentato per qualunque fedele cristiano un suicidio annunciato, ma marciare sgranando il rosario circondati da soldati in armatura è un'altra cosa.

«Non vedevano proprio l'ora che arrivassi», facesti tu non appena i nostri cavalli varcarono le porte di Gerusalemme.

Mi guardai intorno prima di risponderti. I rintocchi a morto delle campane delle chiese della città ci erano venuti incontro ancor prima di riuscire a vedere le mura del fortilizio esterno. Adesso, quel suono era accompagnato dalla vista di decine di croci rovesciate piantate a terra o sospese come impiccati sui tetti delle case, per segnare il cammino che ti separava dal Sepolcro. Il segno che si riserva all'anticristo.

A quel tempo stavi già cominciando a perdere i capelli, che

comunque non erano mai stati troppi sulla tua testa. Ora la malattia ti ha debilitato, ma non è che tu sia mai stato quello che si potrebbe definire un gran fusto. Sei sempre stato piccolo di statura, un po' stortignaccolo nei movimenti, e poi quel rossore lentigginoso che hai ereditato dal sangue normanno ti faceva sembrare sempre più piccolo dell'età che realmente avevi. Non vedevi molto bene, e avevi gioito quando uno dei tuoi studiosi arabi di corte ti aveva proposto uno strano oggetto rotondo forgiato dal vetro con il quale riuscivi a ingrandire le cose mettendolo davanti agli occhi. Insomma, nonostante fossi ormai imperatore, era pur sempre peldicarota che si recava al tempio dei cristiani per farsi mettere in testa l'ennesima corona. Ma questo i preti di ogni rango sostenuti dal papa non potevano saperlo. Per loro eri lo sfidante di Dio.

«In compenso, la gente pare sia invece dalla tua parte», risposi alla fine, voltandomi per osservare la lunga fila di pellegrini che camminava dietro alla coda del nostro ultimo cavaliere.

Tu scrollasti la testa. «Guarda con più attenzione», mi dicesti indicando la folla che aveva formato due ali al nostro passaggio. I chierici e i preti voltati di spalle, gli altri con gli sguardi debitamente distanti da noi. «La gente è dalla parte di chi la paga meglio o di chi la minaccia in modo più veemente».

Eppure avevi fatto le cose davvero perbene. Prima di metterti in viaggio per Gerusalemme avevi aspettato che l'emissario di Al-Kamil ti consegnasse il via libera scritto del tuo amico sultano che ti aveva risposto che ad attenderti nella Città Santa avresti trovato il qadi di Nablus, Shams ad-din, capo religioso tra i più stimati e naturalmente una tua vecchia conoscenza, visto che da qualche anno passavi più tempo a disquisire con i musulmani che con i cristiani. Una frequentazione che la tua permanenza in Terrasanta aveva rafforzato considerevolmente.

Ancora oggi non sono convinto che i miei fratelli in Allah, salvo rare eccezioni, avessero per te una così alta considerazione. O almeno la considerazione che tu ritenevi avessero. Probabilmente ti consideravano una persona pragmatica e razionale, che usava la fede come strumento per la politica. A un musulmano questo ragionamento non può mai piacere. Per lui, qualunque sia il credo, un fedele deve essere sempre sincero nel suo rapporto con Dio. Probabilmente la verità, come sempre, stava nel mezzo, e tu non facevi altro che approfittare della tua fede per trarne benefici per il regno. Potrei definirti un ateo devoto, se questo termine avesse un senso.

Distratto da ciò che mi stavi facendo notare, non mi accorsi della delegazione che ci stava venendo incontro. A guidarla era proprio Shams ad-din, che aveva scelto per l'occasione i paramenti sacri più belli che avessi mai visto indosso a un imam.

«Allah U Akbar», disse inchinandosi davanti al tuo cavallo.

Tu scendesti di sella con un salto e lo raggiungesti. Lo stringesti per le spalle e lo invitasti a tornare in posizione eretta. «Sì, Dio è davvero più grande di ogni cosa che potesse impedirmi di essere qui oggi».

«Sono molto felice di rivedervi, maestà», disse il sacerdote mescolando parole formali e parole d'affetto per l'uomo che ormai era da anni suo personale amico.

Tu ti guardasti intorno. La folla non si era diradata ma non osava emettere un fiato. «Quando sono entrato in città mi aspettavo di trovare l'accoglienza che ho avuto da parte dei miei fratelli, ma non mi aspettavo il tacer dei muezzin», dicesti facendo una smorfia. «A meno che non rispondano al vero le parole pronunciate dal mio buon amico Al-Kamil ai suoi sudditi, quando ha detto di avermi concesso nulla più di qualche chiesa e un pugno di edifici in rovina».

L'imam fece una breve risata. «Sapete bene quale sia il linguaggio della diplomazia. È come quello di un buon padre di famiglia che si rivolge alla moglie con il sorriso e ai figli col cipiglio». Poi tornò serio. «Sono stato io stesso a dare l'ordine di non pronunciare preghiere al vostro arrivo. Per il rispetto che porto alla vostra fede».

Tu gli sorridesti. «La mia fede non può impedire la vostra. Apprezzo il gesto, ma devo confessarvi che già assaporavo l'estasi di farmi cullare stanotte dai canti dei muezzin che chiamano a raccolta i fedeli per le orazioni notturne».

«È molto nobile da parte vostra, ma il giorno è ancora lungo per un imperatore».

E in effetti aveva ragione. Non tornasti più a cavallo, decidendo di proseguire a piedi al fianco di Shams. Noi restammo invece in sella, per essere pronti a qualunque evenienza. Evenienza che non si verificò.

Il problema di tutta quella storia non fu alla fine la presenza di ostacoli, ma la loro assenza.

I più importanti rappresentanti della fede islamica con cui avevi stretto i patti erano presenti, mentre invece il papa aveva dato ordine a tutti i suoi rappresentati più elevati in Terrasanta di girare al largo di Gerusalemme in occasione del tuo arrivo.

Per questo non mi meravigliò affatto vedere la chiesa del Santo Sepolcro quasi completamente vuota al tuo ingresso.

Shams e i suoi accompagnatori restarono fuori, mentre tu entrasti accompagnato dal gran maestro dell'Ordine teutonico, Ermanno di Salza, che ormai era diventato la tua ombra. Entrai anche io. Mi dicesti che era un riconoscimento dovuto, nonostante la mia fede mi avrebbe più volentieri attirato verso una moschea, in onore della fedeltà dei tuoi soldati saraceni che ti avevano accompagnato per tutto il viaggio.

Eri scomunicato e dunque non potesti assistere alla funzione religiosa che si era svolta come preludio alla cerimonia. Ma trovasti ad attenderti una chiesa piena di candele accese, che proiettavano le loro luci calde sulle colonne e sui soffitti come se quel luogo sacro fosse un enorme camino in cui scoppiettasse una pudica brace. Una luminosità che si faceva accompagnare con discrezione dal profumo dell'incenso bruciato ai quattro angoli della navata principale. Mi resi conto immediatamente dell'assenza dei simboli templari e giovanniti. I cavalieri del Tempio e quelli dell'Ordine di San Giovanni avevano seguito alla lettera gli ordini arrivati loro per conto del papa da parte del patriarca. Ma c'erano i mantelli bianchi dei tuoi fedeli cavalieri teutonici, che occupavano le prime tre file dei banchi. E insieme a loro potei contare i vescovi a te devoti, e tanti pellegrini che si ritrovarono almeno per una volta fianco a fianco ai soldati. Avevano intonato un bellissimo canto che riecheggiava in tutta la chiesa e sembrava quasi accompagnare il ritmo del passo dei tuoi stivali, che silenziosamente ti portarono fino all'altare dove era stata deposta quella che sarebbe diventata la tua corona. La guardasti dando le spalle all'uditorio. Il tuo lungo mantello rosso forse celò alla vista di tutti un momento di commozione. Poi ti voltasti. E ogni sentimento contrastante era già scomparso dal tuo volto, che era tornato a essere quello dell'imperatore.

E così potei assistere all'incoronazione.

Non durò a lungo.

Prendesti con le tue stesse mani la corona di re di Gerusalemme e te la mettesti in testa. Un po' come avevi fatto tanti anni prima in quel vicolo di Palermo con la corona di re di Sicilia. Senza l'aiuto di nessuno e davanti solo agli occhi dei tuoi amici più fedeli. Vista l'assenza del patriarca, non casuale, non ricevesti l'olio consacrato che avrebbe dovuto concludere il rito, ma a giudicare da quello che dicesti poco dopo, non credo che te ne importò più di tanto.

Visto che il cerimoniale era saltato e non certo per colpa tua, decidesti di fare un'altra digressione e rivolgendoti ai pochi presenti cominciasti a parlare. Avevi una pergamena tra le mani. Ma non la apristi, parlando a braccio.

«Oggi l'assenza di qualcuno in questo sacro luogo è latrice di un messaggio che non ho difficoltà a ricevere», cominciasti, «purtuttavia ho molta difficoltà a comprenderlo. Mi chiedo quale sia l'orizzonte ultimo di una crociata, e se in realtà tutti riteniamo che ne abbia uno in via univoca. Ho seri dubbi e non da oggi, a tal proposito. Per alcuni una crociata è un mezzo, mentre per altri un fine. Io, da quando ho giurato la mia volontà di sostenerne una, ho sempre creduto che potesse rappresentare uno strumento per accompagnare la missione principale della regalità e dunque la ricerca di un mondo di pace e giustizia. Altri invece, e ne ho visto le prove oggi entrando in Gerusalemme, credono che una crociata sia un modo per affermare una superiorità. Quelle croci rovesciate, quelle campane a morto, quei pellegrini che davano le spalle ai miei soldati mi hanno ferito. Se i miei cavalieri avessero avuto l'ordine di sguainare le spade, vi sareste accorti tutti che nessuna delle loro lame è sporca di sangue. Chi, prima di me, era mai riuscito a varcare le mura della Città Santa senza tributare al fato un sacrificio di vite? E chi prima di me aveva mai avuto una tale opposizione non già da parte dei suoi nemici, ma da parte di chi avrebbe dovuto essere suo amico e perfino marciare al suo fianco, invece di nascondersi all'ombra di simboli religiosi di un Dio a cui non si è mai chiesto di esprimere una opinione al riguardo? Mi rendo conto della posizione del Santo Padre», continuasti citando per la prima volta esplicitamente il papa, «così come mi rendo conto dei motivi della sua collera, anche se continuo a credere che sia malriposta. Ad Aquisgrana feci un giuramento, e oggi sono qui davanti a voi con la dimostrazione di averlo mantenuto. Ma non riesco a comprendere se le motivazioni di ciò che ho giurato siano le stesse di chi mi chiese di giurare. La comunità cristiana in Terrasanta è salva. Così come la comunità musulmana. Può rappresentare forse questo per un buon credente un problema? Non siamo forse tutti devoti allo stesso Dio anche se lo chiamiamo in modo diverso? E se è così, il suo richiamo alla pace e alla fratellanza non è forse rivolto a tutti? Io ho operato nel nome del regno che guido, della Chiesa che ossequio ma anche e soprattutto del Dio in cui credo. La mia subordinazione è esclusiva nei suoi confronti e non trasferibile. Dunque io oggi sono fiero di ciò che ho fatto di fronte al popolo dei miei sudditi, e grato di fronte a Dio per avermi concesso il privilegio di agire in suo nome». Ti fermasti per riprendere fiato. I fedeli in chiesa avevano ascoltato fino a quel momento in perfetto silenzio e i banchi, lentamente, si erano tutti riempiti, lasciando perfino molti in piedi. L'eco delle tue parole aveva richiamato anche coloro che avevano deciso di aspettare fuori, rinunciando a quel gesto di ribellione che qualcuno, da Roma, aveva loro ordinato.

«Io oggi vi offro una pace santa al posto di una guerra santa. Una pace che per dieci anni, dieci mesi, dieci settimane e dieci giorni almeno, consentirà ai vostri figli di vivere senza il rischio di lasciarsi alle spalle vedove o orfani e di pregare ogni giorno un Dio magnanimo che ovunque abbia potuto, ha intimato a coloro che creò di aborrire la guerra». Ti sistemasti la corona sulla testa. Avevi cominciato a sudare per il caldo e per la tensione, ma vedevo nel tuo sguardo una convinzione sempre più crescente in ciò che stavi dicendo. Perché le occhiate che ti ricambiavano tra i banchi della chiesa del Santo Sepolcro rinvigorivano la tua scelta. «L'ultima volta che ho visto il sultano Al-Kamil», aggiungesti cercando tra la folla il *qadi* che ti aveva portato i suoi saluti in città «abbiamo parlato di tante cose. Devo ammettere che i nostri interessi comuni, come sanno i miei più fedeli collaboratori, sono tantissimi e spaziano dalla matematica alla filosofia, dall'arte alle scienze. Ma l'ultima cosa che mi ha detto nel salutarmi non ha avuto a che fare con tali discipline. Egli mi ha guardato e ha alzato una mano». E così facesti anche tu mimando quel gesto ai fedeli. «Il cuore del credente è tra due dita di Dio». Il tuo pollice e il tuo indice raccolsero la prospettiva di tutta la chiesa. «E io oggi, tra queste due dita riesco a comprendere tutti voi. Mi auguro che riesca a farlo anche il papa».

Lasciasti ricadere il braccio. E come se si fosse trattato di un segno, la chiesa riprese a cantare.

Io non smisi di fissarti. E tu, per un breve istante, ricambiasti il mio sguardo. «Ma tu guarda peldicarota…», sussurrai io fingendo di pregare. Un ragazzino senza famiglia che era diventato re. Un giovanotto solitario e senza amici che era diventato sovrano delle genti. Un imperatore scomunicato, scortato da Dio.

Florentium, Capitanata, Apulia Normanna, dicembre 1250 d.C.

«Hai dimenticato un passaggio di quel discorso. Non secondario», protestò Federico bonariamente.

«I nostri ricordi riguardano sempre le cose che ci colpiscono di più», gli rispose Addid. «Non è per questo che hai chiesto a me di raccontare la tua storia invece di farlo personalmente?».

L'imperatore si sollevò a sedere sul materasso. Lo fece da solo, con grande sorpresa da parte del soldato saraceno. Poi indicò la cassa nella quale aveva già chiesto a Addid di rovistare per trovare la sua corona. «La pergamena legata con nastro dorato».

Addid annuì e obbedì al suo sovrano. Aprì di nuovo la cassa, e stavolta non gli fu difficile trovare ciò che gli era stato chiesto. Tirò il nastro dorato e la pergamena si sciolse, diffondendo nell'aria un odore di vecchio e polvere. Il soldato saraceno si accorse che le parole erano scritte con pigmenti vegetali, quegli stessi pigmenti che aveva imparato a usare quando, da ragazzino, i suoi maestri musulmani gli avevano insegnato a scrivere nella lingua del Profeta. Fin da quando l'aveva aperta la prima volta, il soldato saraceno avrebbe voluto chiedere al suo sovrano il motivo per cui quella cassa si trovasse proprio lì. Ma non nella sua stanza da letto, lì a Castel Fiorentino. Alcuni degli oggetti più importanti della sua vita, invece di stare a Foggia o a Palermo erano custoditi in una vecchia cassa in uno degli avamposti più sperduti del suo regno.

«Dammela», disse Federico.

Addid gli consegnò la pergamena.

L'imperatore la scorse velocemente. «Ecco. Leggi da qui», disse indicando un punto dello scritto.

Ahmed Addid annuì. «Guardate, è giunto il giorno della salvezza», cominciò esitando, ma poi proseguì quando l'imperatore annuì vigorosamente. «Guardate, è giunto il giorno della salvezza e i veri cristiani la riceveranno dal loro Dio e signore affinché il mondo sappia e comprenda che è lui e nessun altro a concedere salvezza ai propri servitori, quando e come lui lo voglia. Nella sua particolare grazia e misericordia», Addid si accorse che Federico stava ripetendo a bassa voce le stesse parole che egli stava leggendo, «Egli ci ha misericordiosamente innalzato tra i principi della terra, cosicché mentre noi ci affidiamo al giubilo di questo alto onore che secondo il diritto ci compete, si sparga tra le genti la certezza che tutto ciò non può essere altro che opera della mano di Dio». Stavolta Addid si fermò e fu solo l'imperatore a proseguire. A memoria.

«E poiché la sua misericordia tutto di sé impronta, d'ora innanzi i credenti della vera fede devono riconoscere e proclamare per ogni dove che Colui, benedetto per l'eternità, ci ha visitato e di noi ha fatto il pilastro della salvezza nella dimora di David».

L'imperatore tacque. Fuori aveva ripreso a nevicare, e quel silenzio fu accompagnato da un sottile fruscio di aria smossa da abile tempesta.

«Non ti dice nulla?», riprese poi.

Il soldato saraceno restò in silenzio per alcuni istanti e poi scosse il capo. «Sono un soldato, non un filosofo. Devo ammettere che questo passo proprio non lo rammentavo. Figurati se riesco a comprenderne il significato».

Federico sorrise. Le sue labbra livide si tirarono innaturalmente. Non beveva più da parecchie ore, per evitare che i suoi intestini reagissero malamente. Ma questo lo stava disidratando sempre di più, al punto che la pelle del suo viso appariva come una maschera di cuoio di quelle che i suoi avi portavano in battaglia per spaventare il nemico. «Invece il papa il significato di quelle parole lo colse immediatamente», cominciò a spiegare. «Prima di tutto affermavo che nessuno tranne Dio può operare la salvezza, dunque nemmeno il papa o la sua Chiesa. Poi che fu la grazia di Dio a elevarmi al rango di sovrano e non quella del pontefice. E per finire che, proprio per questo motivo, il mio diritto alla sovranità e alle scelte che da esso mi derivavano non erano in alcun modo sindacabili da nessuno se non da Dio stesso».

«Interessante interpretazione. Non ci avevo pensato. Ma è per questo che tu sei imperatore e io un semplice soldato», fece Addid ridacchiando.

Federico lo seguì. «Mi recavo spesso nella chiesa della Martorana, quando mi trovavo a Palermo. Ci andavo anche da piccolo, per la verità soprattutto quando faceva caldo e volevo trovare un po' di refrigerio. Ma la scusa di una preghiera non veniva mai contestata dai miei precettori. Ebbene», proseguì l'imperatore, «in quella chiesa c'è un dipinto che raffigura il mio avo Ruggero nell'atto di ricevere la corona direttamente dalle mani di Gesù Cristo. Con quell'immagine i miei predecessori normanni vollero tramandare a tutti coloro che gli sarebbero succeduti la determinazione che la sovranità era stata concessa loro da Dio, e che solo Dio avrebbe potuto concederla ai loro successori. Io questo non lo dimenticai, quel giorno a Gerusalemme, e lo rimarcai affinché non lo dimenticasse nemmeno colui che aveva cercato di bandirmi dal mondo in rappresentanza di un Dio che non la pensava come lui».

«La corona in testa all'anticristo», recitò Addid. «Quante volte l'ho sentito dire dopo quel giorno?»

«Devo aver incaricato uno dei miei scribi di collezionare in un documento tutte le definizioni che sono state date sul mio conto. Anche quello dovrebbe essere in quel baule, oppure è nascosto da qualche parte negli archivi della mia reggia di Palermo».

«Lo *stupor mundi*».

«Quella è una delle definizioni che mi piacciono di più. Sicuramente meglio di anticristo».

«Ti scandalizza se ti dico che meriti entrambe? Se la vedi da due punti di vista opposti...».

«Hai ragione, ma mentre l'epiteto di anticristo è tutto farina del mio sacco, delle mie scelte e delle mie decisioni politiche, l'altro deriva da un grande lavoro che coinvolge tutta la mia curia. Io non sarei mai stato definito lo stupore del mondo se non mi fossi circondato da folli, incredibili visionari».

«Così però ti sminuisci inutilmente. Tu li scegliesti. La tua reggia non era un porto di mare. Per certi versi io posso esserti perfino testimone».

«Lo so a chi ti riferisci», fece Federico lasciandosi cadere di nuovo sul materasso. «Da lui ebbe inizio il tutto. E forse, tutto finì».

«Ma io non conosco la sua storia».

«E nemmeno quella degli altri».

«Degli altri?»

Federico annuì. «Devi scendere nei sotterranei. Fatti accompagnare dai frati. Puoi dire loro che hai il mio permesso», disse con quel sorrisetto che Addid aveva conosciuto tanti decenni prima nei vicoli di Palermo. «Troverai un piccolo forziere di legno con intarsi di corno d'elefante. Saprai trovare la chiave. Aprilo. Prendi tutto ciò che trovi e poi torna qui da me». Socchiuse gli occhi. «Questo mi permetterà di riposare un po', assaporando il ricordo della mia incoronazione che così vividamente mi hai fatto ritornare alla memoria».

Addid non si mosse.

«Vai, ho detto. Non abbiamo ancora molto tempo».

Il soldato saraceno fu scosso da quelle parole. Si alzò e uscì dalla stanza senza replicare. Parlò con i frati come l'imperatore gli aveva ordinato e uno di questi, per nulla sorpreso dalla sua richiesta, si offrì di accompagnarlo nelle cantine.

Non abbiamo ancora molto tempo.

Ripeté quella frase per ogni gradino che scendeva, ogni volta con un brivido. Poi il frate che lo precedeva si fermò davanti a una piccola porta di legno, barrata con lastre di ferro inchiodate alla meglio. Il rumore di un chiavistello che non veniva smosso da tempo precedette l'apertura verso una piccola camera colma di casse. Il frate gli fece strada con la torcia che aveva sfilato da una manica nel muro e gli indicò un ripiano di pietra in fondo alla stanza, custodito dal buio.

Addid prese dalle mani dell'uomo la torcia e si avventurò nell'oscurità, mentre l'altro recedeva fino a uscire dalla cantina.

La luce della fiamma rivelò presto l'oggetto che Federico gli aveva descritto. Ma la chiave? Dove poteva essere?

Addid si guardò intorno. Un falcone imbalsamato faceva bella mostra su un ripiano a favore di luce, proprio nel punto della cantina dove una grata, disposta molto in alto, nei giorni migliori lasciava passare la luce del sole. Dall'altra parte, una pila di pergamene impolverate. Ai loro piedi c'era uno scudo che doveva avere veduto molte battaglie, ma che Addid non ricordava di aver mai visto al braccio del suo imperatore. Elmi di ogni genere e di ogni condizione: lucidi, ammaccati, privi di visiera. Perfino vecchi abiti da infante. Che se ne faceva Federico di tutta quella roba inutile? Poteva capire se si fosse trattato di cose a lui appartenute, ma quelle reliquie che significato potevano avere?

Poi la vide. Una vecchia fionda. Un pezzo di legno marcio a forma di V, alle cui estremità superiori era annodata una corda di cuoio marcito. Se qualcuno avesse provato a tenderla per scoccare un proiettile, il legno si sarebbe sgretolato ancor prima che quella corda si fosse strappata. Era appoggiata su un ripiano distante dalla porta. È assurdo dove e come si ripongano le cose che apparentemente non hanno alcun valore. Ma Addid sapeva cosa significava quella fionda. Era stata la prima arma che Federico aveva usato in battaglia. Quando ancora non aveva compiuto cinque anni. Ed era stato lui a insegnargli come farlo.

Addid si avvicinò alla fionda e protese la luce della torcia. Così vide il sacchetto. Era di velluto nero, ormai macchiato al punto da diventare quasi grigio. Lo prese con delicatezza e lo soppesò. Le sue dita riconobbero un oggetto di ferro. E quando lo aprì, quell'oggetto si rivelò una chiave.

Addid non fece troppe congetture. Sapeva che quella era la chiave che avrebbe aperto lo scrigno.

Quando sollevò il coperchio, si sarebbe aspettato di trovare qualche altra pergamena, e invece trovò un singolare oggetto rettangolare, di quelli fatti di lastre di pelle annodate tra loro da anelli di corda, con custodie di legno inciso su cui venivano passate colate di argento e oro che andavano a riempire i solchi per trasformarli in disegni o parole. Nella reggia palermitana di Federico gli piaceva ammirare tutti quei frati che si riunivano in biblioteca e in silenzio e a capo chino, passavano le intere giornate a copiare testi da arrotolare. Quell'oggetto, di cui non avrebbe saputo dire il nome, era invece molto simile a un dono ricevuto da Federico da parte del sultano d'Egitto. Ma, a quanto pareva, il sovrano era riuscito a migliorarne i meccanismi. Adesso ce lo aveva di fronte. In tutta la sua sontuosità. Perché Federico lo voleva?

Il soldato saraceno lo sollevò con la mano sinistra per metterlo ancora più a favore della sua torcia. Era pesante e sapeva di
polvere. Le parole sulla prima lastra, la più dura, erano rivoli
d'oro. Un titolo. Come quello di una delle poesie che Federico
scriveva per diletto.

A quel punto avrebbe dovuto tornare indietro. Il frate avrebbe
richiuso la cantina mentre lui ripercorreva le scale verso la stanza dell'imperatore. Ma la curiosità lo vinse, e Addid si fermò a
leggere.

ATTO QUARTO

I VIANDANTI
DELL'IMPERATORE

ELIA DA CORTONA, IL ROSSO, IL BIANCO E IL NERO

Assisi, 1239 d.C.

Elias Bonusbaro esaminò ancora una volta il progetto della basilica superiore. Lo faceva ogni mattina, le lodi dell'alba, quando si recava a pregare sulla tomba di Francesco. La chiesa, che era stata ordinata dal papa proprio per celebrare la rapida santità del frate, stava costando centinaia di maestranze e il denaro sufficiente a condurre una crociata, e tutta la responsabilità del risultato finale era stata piazzata sulle sue spalle. Quelle di un uomo piccolo e magro, che non sapeva disfarsi di quell'espressione malinconica che nemmeno la lunga barba nera che si era fatto crescere fin da giovanissimo riusciva a nascondere. Aveva egli stesso disegnato il progetto della chiesa, immaginando un cammino ascendente che dalla cripta, dove riposavano le spoglie del frate che era stato suo maestro, avrebbe portato i fedeli fino alla basilica superiore. Ma mentre per i primi due strati i lavori avevano proceduto speditamente, tanto da permettere, nel giro di un paio d'anni dalla posa della prima pietra, la benedizione del papa, per la basilica superiore stavano andando a rilento. Va bene che il luogo dove si era deciso di porre le fondamenta del sacro luogo di preghiera veniva da tutti chiamato colle dell'Inferno, ma Bonusbaro immaginava che la presenza di un frate fresco di santità avrebbe facilmente avuto la meglio su tali superstizioni. Anche se fossero risultate più che dicerie.

Eppure, c'era qualcosa che non andava in quel progetto. All'apparenza sembrava perfetto, ma il suo istinto gli diceva che stava ignorando un dettaglio fondamentale. Sicuramente ce lo aveva davanti agli occhi ma, come accade spesso in questi casi, il modo migliore per nascondersi è restare davanti alla vista.

Faceva caldo, quella mattina, e nonostante la cripta si trovasse ben più sotto del livello della strada, Elias Bonusbaro non riusciva a smettere di sudare. Probabilmente era anche colpa della tensione generata dall'arrivo di una missiva, che annunciava l'ennesimo viaggio di Gregorio per far visita ai lavori. La pressione di quell'uomo stava diventando asfissiante come tutte le pretese che aveva sollevato in corso d'opera, che l'architetto di quella chiesa aveva dovuto arginare con l'abile utilizzo delle sue conoscenze in fatto di muratoria.

«Frate Elia, è giunto un uomo», fece una voce alle sue spalle. Nella semioscurità della cripta, il timbro di voce del più vecchio tra i fratelli della congregazione risuonò come l'improvviso ruggito di un leone.

Bonusbaro trasalì ma non si voltò. «Digli che in questo momento ho da fare. Se si tratta di un voto, di una benedizione o di una preghiera, ricordagli che il sabato è l'unico giorno in cui i fedeli sono ammessi al cospetto della tomba di frate Francesco», rispose. «Di san Francesco», si corresse subito dopo.

«Non penso che sia giunto fin qui per pregare», rispose il vecchio frate. «È armato e scortato da una ventina di soldati».

«Anche i soldati pregano. Anzi, è la cosa che fanno con maggiore frequenza oltre all'ammazzarsi tra loro. E sono così abili da riuscire sempre a trovare una via di comunicazione tra le due cose».

«Comprendo, frate Elia, ma in questo caso si tratta di soldati saraceni. Ho paura che non capirebbero le obiezioni fatte per essere comprese da un buon cristiano e… ho appena acceso tutte le candele, innaffiato le piante nel chiostro e lavato i pavimenti della…».

«Ho capito, ho capito. Non sono fiere ma esseri umani». A quel punto Bonusbaro si voltò per mostrare la sua migliore espressione melanconica. «Fallo entrare, ma non permettere che lo facciano anche gli altri. Non farlo passare per la chiesa. E non gli far toccare alcun simbolo benedetto, o mi toccherà ribenedirlo. Lo attenderò qui».

«Tuttavia, non mi ha detto il suo nome. Devo insistere?»

«Non ce n'è bisogno».

Il vecchio frate annuì con un breve inchino e sparì.

Bonusbaro tornò a immergersi nel progetto della basilica, perdendo la cognizione del tempo.

«Ho notato con quanta cura avete evitato che attraversassi questa splendida chiesa», disse a un tratto una voce ferma e profonda. «La notizia della mia scomunica ha viaggiato in sella a un puledro instancabile, a quanto pare».

«È difficile che qualcuno riceva due scomuniche nell'arco della stessa vita. Forse è per questo che la notizia si è diffusa così velocemente».

La voce profonda si trasformò in una risata. A quell'uomo piacevano gli individui che non tremavano in sua presenza. Lo trovava un segno di intelligenza. Il rumore di stivali con battisuola di ferro si avvicinò alle spalle del frate. Poi una mano guantata raccolse il progetto e due occhi chiari furono subito rapiti da quel concerto di linee di fuga.

«Benvenuto, maestà», fece Bonusbaro. «A cosa devo la visita dell'imperatore? Non mi direte che siete venuto a chiedere l'intercessione di Francesco per la vostra causa? Ho idea che nemmeno lo Spirito Santo farebbe cambiare idea al papa, stavolta».

«Non sono riuscito a convincerlo da vivo, figuriamoci adesso che è nelle grazie del Padre», fece Federico.

Bonusbaro sollevò un sopracciglio. «Che volete dire?»

«Vi sembrerà strano, ma io ho conosciuto quest'uomo ancor prima che capitasse a voi», disse l'imperatore indicando con lo sguardo il sarcofago di Francesco. «E per quanto in mio potere abbia fatto per provare a farlo cedere, non ci sono riuscito».

«Dunque, il papa ha ragione. Siete davvero l'anticristo».

«Ma quale anticristo. Ho solo provato a offrirgli una lauta cena, una femmina per scaldare il letto e un comodo giaciglio per la notte quando venne a trovarmi, ma rifiutò tutto e se ne restò rannicchiato nella paglia della stalla in attesa dell'alba.

Devo dire che nemmeno a un mio vecchio amico arabo andò meglio».

«Perché siete qui allora?».

Federico spostò lo sguardo sul frate. «Provai io a convincere lui, ma alla fine fu lui a convincere me».

«Una decisione insolita per chi è stato appena cacciato fuori dalla Chiesa per l'ennesima volta».

Federico restituì al frate il progetto della basilica superiore. «Ditemi, Elia, voi credete più nella Chiesa o in Dio?»

«La Chiesa siamo tutti noi. Credere in essa è la diretta conseguenza del credere in Dio, e non può essere considerato parte di un moto alternativo».

«E il papa lo sa che voi pensate queste cose?».

Bonusbaro sospirò. «Se non siete venuto per pregare sulla tomba di Francesco, posso sapere che siete venuto a fare qui? Oltre a indagare su come la pensi a proposito dell'infallibilità del pontefice».

Federico additò il progetto. «Posso vederlo meglio?».

Bonusbaro glielo porse con un'alzata di spalle. «Fate pure. Il giudizio dell'imperatore sarebbe per me dono preziosissimo», disse cambiando tono di voce.

Federico prese tra le mani la mappa. «Non fate l'adulatore. Con me non serve».

L'altro tacque, ma con la coda dell'occhio non poté fare a meno di osservare che l'imperatore, dopo qualche momento di studio, aveva cominciato a seguire le linee del progetto con i polpastrelli guantati. Aveva avuto modo già in passato di incontrare Federico, ma era stato un incontro fugace, a debita distanza, senza che potesse scambiare con lui più di qualche occhiata da lontano. Gli erano giunti all'orecchio sussurri sulla possibilità che l'imperatore volesse incontrarlo, ma aveva sempre dubitato che tali possibilità si sarebbero trasformate in probabilità. Quando il suo confratello aveva parlato di scorta saracena, aveva capito che quelle probabilità si stavano trasformando in certezze. Chi altri se non Federico si sarebbe fatto scortare da un manipolo di miscredenti a cavallo in terra cristiana?

«Questa idea che dal piccolo nasca il grande è interessante», disse a un tratto l'imperatore.

«Come dite?»

«Avanti, non siate sciocco. È evidente. La cripta rappresenta il seme da cui germoglia la pianta, e cioè il resto dell'edificio. Sia nella parte inferiore che in quella superiore».

Il frate sollevò un sopracciglio. «Questo progetto lo hanno visto in molti, ma nessuno aveva mai fatto un'osservazione del genere».

«Forse perché spesso guardare non significa vedere», fece l'imperatore voltandosi verso il frate. «Ma ditemi, ho ragione? È questa l'idea della costruzione?»

«Sì, è così. Ma adesso datemi quella mappa», fece il frate tendendo la mano. Il braccio fu colto da un impercettibile tremito.

«La parola *cripta* deriva da *krypte*, che a sua volta è derivata da *kryptein*, che significa "nascondere"», gli rispose Federico, evitando che il frate riuscisse ad afferrare la pergamena. «Una sintesi tra l'umano e il divino. Che non può mai avvenire alla luce del sole, ma solo nel profondo, dove si trova l'essenza divina di ogni uomo. Così la parte spirituale di ognuno di noi è obbligata ad ascendere, e in questo luogo il percorso non poteva che avvenire sovrastando la scintilla con qualcosa che salisse al cielo, ovvero una prima basilica inferiore e adesso, tra non molto, una basilica superiore».

L'imperatore a quel punto lasciò che il frate si riprendesse il progetto. «Come... come fate a sapere queste cose? Voi siete...».

«Un politico? Un soldato? Un sovrano? Nulla di importante, non è così? La verità è in mano di pochi e nascosta a tutti».

Bonusbaro cercò di dissimulare tutta la sua sorpresa. «Avevate già visto questo progetto, non è vero?».

L'imperatore si avvicinò al sarcofago di Francesco e si inginocchiò, dando le spalle al frate. Si segnò e giunse le mani. «Ho visto molte cose prima di venire qui, oggi. E probabilmente anche il vostro progetto. Ma non mi pare che abbiate cercato di celarlo come un segreto». Si voltò solo per un momento, sfoderando un cauto sorriso. «Siete stato sempre certo che nessuno avrebbe potuto scovare ciò che è nascosto alla luce del sole e difeso dall'ignoranza».

Il frate non rispose.

«Il vostro cuore batte così forte che posso sentirlo da qui», proseguì l'imperatore. «Per paura o per sorpresa?»

«Per incredulità. Che altro sapete?»

«Su di voi? Molte cose». L'imperatore si segnò una seconda volta e si rialzò, voltandosi verso Elias. «Avete studiato diritto a Bologna, e ad Assisi avete esercitato il mestiere di notaio. Ma avete studiato arte sacra in Siria, dove siete rimasto per due anni con il rango di ministro provinciale per la custodia della Terrasanta».

«Non intendevo questo. Che altro... pensate di sapere?», insistette il frate indietreggiando.

L'imperatore annuì. «Ma certo. La confraternita. Avete affidato ai vostri confratelli la costruzione di tutto quanto ci circonda. Aspettate... Libera Muratoria, non è così che si chiama?»

«Abbassate la voce, maestà. Ve ne prego. Se anche solo una di queste affermazioni risalisse le scale di questa cripta io verrei...», disse il frate guardandosi intorno. La cripta era vuota e le luci delle poche candele facevano sembrare i due uomini come spettri vaganti nella semioscurità.

«Non abbiate timore. Non sono venuto qui per smascherarvi. Così come non ho intenzione di dire a nessuno delle vostre particolari attenzioni per chiunque si presenti a voi dall'alto di studi di scienza o ciurmeria».

«Sono dicerie. Ma possono diventare accuse molto gravi».

«La ricerca dell'inconoscibile e l'esercizio della sapienza non possono essere un reato. Immaginare che Dio ci punisca perché esercitiamo i doni che ci ha concesso sarebbe un'eresia».

«Avete una concezione di Dio molto diversa da quella che ha il papa».

«E la mia concezione coincide con la vostra?»

«Può darsi, ma tutto il resto sono congetture. Create ad arte per danneggiare la mia reputazione».

Federico si avvicinò al frate e gli mise una mano sulla spalla.

«Dodici torrioni di pietra rossa intorno a una costruzione di pietra bianca. In cui racchiudere», si voltò per indicare il sarcofago, «il nero». Passò oltre al frate e si avvicinò all'ingresso della cripta. «Rosso, bianco e nero. Rubedo, Albedo, Nigredo: le tre opere alchemiche». Sospirò. «Se volete posso accompagnarvi lungo il perimetro della basilica inferiore per mostrarvi altre singolari coincidenze, come le stelle a sei punte raffigurate sul pavimento».

«La raffigurazione dell'elevazione dell'uomo: un triangolo di fuoco ascendente e un triangolo di acqua discendente, da cui hanno origine gli elementi della vita», cedette alla fine il frate.

«Molto bene. Ho idea dunque che non sia necessario aggiungere altro. Non vi pare?» L'imperatore riprese a camminare. Davanti ai battenti della cripta si fermò ancora, richiamato dall'ultima domanda di Bonusbaro.

«Non siete venuto fino a qui per osservare l'andamento dei lavori o per esaminarne il progetto. Che volete da me?».

L'imperatore si voltò e allargò le braccia. «Che avete intenzione di fare, Elias Bonusbaro?»

«Perdonatemi. Sono un pessimo ospite», disse il frate affrettandosi a raggiungere il sovrano.

«Non intendevo questo, amico mio. Voglio sapere che cosa volete fare del vostro futuro. Io vedo due possibilità. Due sentieri che divergono. Il primo conduce a una vita di servitù per portare acqua a una visione vecchia del mondo e della fede. In tal caso sareste in compagnia del vostro amato pontefice. Ma non credo che sia quello che più vi piacerebbe».

«E... e l'altro?»

«Un sentiero più impervio. E sconosciuto. Ed esaltante». Fu egli stesso ad aprire la porta della cripta e un impertinente raggio di sole finalmente illuminò i volti dei due uomini. «Abbandonate tutto e venite con me».

LEONARDO FIBONACCI, VUOTO COME IL VENTO

Algeri, 1181 d.C.

Leonardo aveva lasciato Algeri alle prime luci dell'alba. Aveva preso in prestito un mulo e si era preoccupato soltanto di riempire una borraccia d'acqua, nonostante il viaggio si preannunciasse piuttosto lungo. Non aveva detto nulla a suo padre, ma era convinto che dopo tre giorni di duro lavoro per sistemare le scartoffie della dogana, un giorno di riposo lontano da casa non avrebbe rappresentato uno sgarbo imperdonabile.

Leonardo non aveva compiuto nemmeno dieci anni, quando prese quella decisione. Troppo piccolo per intraprendere da solo un viaggio senza scorta verso uno dei più remoti villaggi algerini. Ma non altrettanto piccolo per imparare i rudimenti del calcolo, che già padroneggiava come i suoi coetanei facevano con una fionda, o la lingua della popolazione delle terre dove Guglielmo dei Bonacci, suo padre, aveva deciso di trasferirsi per svolgere il noioso lavoro di *publicus scriba pro pisanis mercatoribus* per conto dei traffici commerciali dei suoi concittadini. Non sapendo a chi lasciarlo e rendendosi conto che due braccia in più servono sempre, Guglielmo aveva deciso di tirarsi dietro anche il pargoletto, che però non aveva mai manifestato particolare interesse per il lavoro del genitore, preferendo ai registri di carico ben altri calcoli matematici, forse più difficili, ma certamente meno noiosi. La matematica e i numeri lo divertivano più di ogni altra cosa. Trovava affascinanti le possibilità che scaturivano da inediti accoppiamenti, azzardate somme o improvvide sequenze. Quando vedeva le sue ipotesi trasformarsi in certezze sui fogli di pergamena, che compilava forsennatamente ogni volta che suo padre gli concedeva qualche ora di riposo, credeva di toccare il cielo con un dito. Fino a quando un giorno, in una minuscola osteria di Algeri, un vecchio cieco e forse un po' pazzo gli aveva raccontato una storia che lo aveva lasciato senza fiato. La storia di un uomo che aveva scoperto un nuovo numero che avrebbe stravolto tutte le conoscenze fino a quel momento raggiunte nel campo dei calcoli. Un numero così importante e prezioso da rasentare il divino. Colui che lo aveva scoperto lo aveva chiamato *il numero del vento* e ne aveva custodito la natura in un libro nascosto dentro a un pozzo inaccessibile.

Per questo, quella mattina d'estate, Leonardo aveva deciso di intraprendere quel viaggio a dorso di mulo: con il solo scopo di raggiungere il villaggio dove quel vecchio cieco gli aveva detto che abitava quell'uomo, di cui non conosceva il nome o come fosse fatto, né dove abitasse davvero. Ma tutto questo, per Leonardo, non poteva rappresentare un problema. Come tutte le cose impossibili nella mente di un bambino.

Leonardo arrivò al villaggio che gli aveva indicato il vecchio molto prima del tramonto. E ciò gli permise di iniziare subito le ricerche. Conosceva ormai molto bene l'arabo e molti dei dialetti locali, che servivano a suo padre per dialogare con i commercianti africani protagonisti degli scambi commerciali con Pisa. Nell'arte del mercanteggiare, gli aveva spiegato fino allo sfinimento Guglielmo il doganiere, non bastava saper fare di calcolo o riempire moduli, ma occorreva entrare nell'anima dei clienti, e la chiave più adatta per farlo era parlare la loro lingua.

Tuttavia, la ricerca si rivelò subito infruttuosa. Nessuno sapeva nulla di matematici, pozzi o numeri segreti. Quello in cui era capitato era un poverissimo villaggio di frontiera, dove i tesori più preziosi erano le pecore e i cammelli e dove i più ricchi potevano ostentare perfino una macina per il grano. Ma non poteva sbagliarsi, a meno di non ritenere le informazioni del vecchio menzognere. Gliele aveva fatte ripetere a più riprese, da ubriaco come da sobrio, e l'uomo non aveva cambiato versione. Mai.

Quello in cui si trovava era proprio il villaggio in cui dimorava l'uomo della matematica. Per quanto nessuno, compreso il piccolo Leonardo, sapesse come diamine si chiamava.

Il sole tramontò e Leonardo prese una difficile decisione. Non poteva tornare indietro a mani vuote, ma non poteva nemmeno permettere che la notte sopraggiungesse senza il suo ritorno a casa. Suo padre poteva già essere in pena per la sua sorte, la sorte di due braccia sottratte al lavoro di ufficio del mattino seguente. Ma doveva insistere. Non lo faceva forse ogni volta che un calcolo non gli riusciva al primo tentativo? Così decise di cercarsi un angolo riparato dove passare la notte – il clima della stagione gli sarebbe stato di aiuto – per poi darsi ancora un giorno per le ricerche. Giurò che se non avesse trovato quell'uomo di cui tanto aveva sentito parlare entro la giornata successiva, allora davvero sarebbe tornato a casa.

Leonardo si sistemò vicino a una stalla, solo per sentire ogni tanto il richiamo rassicurante degli armenti, poi tirò fuori dalla piccola sacca che si era portato dietro i suoi fogli di pergamena. Guardò la volta stellata priva di nuvole e cominciò istintivamente a contare gli astri, disegnando immaginarie linee di collegamento tra loro. Aveva sempre pensato, a differenza di quanto i suoi maestri volevano fargli credere, che la matematica e la geometria fossero collegate tra loro. E prima o poi avrebbe trovato le forze per dimostrarlo. E così, con quei fogli grezzi in mano e gli occhi rivolti all'oscurità, senza nemmeno rendersene conto, dopo qualche ora si addormentò.

Non riuscì a rendersi conto di cosa lo avesse improvvisamente svegliato. Sentì il suo stomaco rumoreggiare con forza e immaginò che fosse colpa della fame. Ma poi, quando la vista si abituò al rovente sole del mattino che gli schiaffeggiava la faccia, si rese conto dell'uomo che gli stava di fronte. In piedi. E aveva in mano alcuni dei suoi fogli, che per il resto erano sparsi tutti intorno, probabilmente per colpa del vento della notte.

«Dove hai preso questa roba?», disse l'uomo in un dialetto

che somigliava molto a quello che parlavano alcuni mercanti che arrivano alla dogana dal sud dell'Algeria.

Leonardo sbadigliò. Si stirò e schioccò le labbra un paio di volte per l'arsura. Cercò a tentoni la borraccia, bevve le ultime gocce d'acqua rimaste e poi la lasciò cadere. «È mia».

L'altro rimase per un attimo sorpreso dalla capacità di quel ragazzino di rispondergli a tono, e per giunta nella sua stessa lingua, ma poi riprese l'atteggiamento inquisitorio. «Non credo proprio. Che se ne fa un piccolo mendicante di scritti del genere? Li hai rubati a qualche viandante che nella fuga ha perso i bagagli?»

«Guardami. Ti sembro in grado di mettere in fuga un viandante?», ribatté Leonardo allargando le braccia.

L'altro si guardò intorno. «Potresti avere dei complici».

Leonardo sbuffò. «Prendili se vuoi. Tanto posso rifarli. Ma ti avverto che non sono buoni per incartare le uova o lo sterco di capra. Sono fogli troppo duri, e col sole seccano».

L'uomo lasciò scorrere tutto, ma tornò su un passaggio che a quanto pare lo aveva colpito particolarmente. «Puoi rifarli?»

«Ma sì. Li faccio ogni sera. Mi serve per prendere sonno».

L'uomo si avvicinò, e aiutato dal vento raccolse altri fogli. Continuò ad avanzare senza staccare l'attenzione da quello che leggeva. «E tu per prendere sonno scrivi di algebra e di geometria greca?».

Leonardo scrutò l'uomo dal basso verso l'altro. Man mano che si avvicinava, riusciva a carpirne meglio i connotati, dato che la sua forma copriva il sole. Un tipo non troppo alto, non troppo piazzato, non troppo vecchio. Uno che si sarebbe potuto confondere senza nemmeno nascondersi in una piazza affollata da un mercato itinerante. E quell'uomo aveva riconosciuto la natura dei suoi calcoli matematici.

No, non poteva essere. Non poteva essere stato così fortunato da permettere al fato di venirgli incontro. Ma l'altra ipotesi, quella cioè che tutti i maschi adulti di quel villaggio fossero esperti di algebra, gli sembrava ancora più sconveniente e assurda della prima.

Così azzardò. «Sto cercando una persona».

«Qui tutti cercano qualcuno. Per chiedere soldi, per restituire soldi, per barattare capre o per saldare vecchi conti».

«Io sto cercando una persona particolare. Sono venuto apposta da Algeri». Indicò il mulo che brucava tranquillamente ai margini della stalla, dove gli altri animali non lo avevano fatto entrare.

«Qui tutti sono particolari. O almeno credono di esserlo. Altrimenti se ne starebbero altrove. E per uno come me è più facile trovare riparo in mezzo alla gente strana».

Quell'uomo aveva un bel caratterino, ma il fatto che conoscesse qualcosa della materia che lo appassionava non glielo faceva risultare troppo antipatico. Tutti gli studiosi sono scontrosi e antipatici, e lo sarebbe diventato anche lui. Ci stava già lavorando.

«Un vecchio ad Algeri mi ha detto che da queste parti vive un uomo che dice di aver scoperto un nuovo numero».

«Un nuovo numero? Non esistono nuovi numeri».

«E invece a quanto pare sì. Anzi, pare che gli abbia anche dato un nome. Lo ha chiamato *numero vuoto*».

«E tu che ne sai?»

«Te l'ho detto. Me lo ha raccontato un vecchio in un'osteria ad Algeri».

«Vorresti farmi credere che alla tua età, invece di andartene a zonzo nel deserto o a fare danno con i tuoi amichetti in giro, passi il tuo tempo a parlare con i vecchi nelle osterie?»

«Se il tema è la matematica, sì. Come hai potuto vedere, è una cosa che mi appassiona».

L'uomo si avvicinò ancora. Si inginocchiò e restituì al ragazzino i calcoli sparsi dal vento. «Vuoi farmi credere davvero che sei in grado di fare questi calcoli? Che non li hai solo imparati a memoria come una cantilena? Che non li hai rubati a qualcuno?»

«Fa così caldo che rispondere in modo diverso a tutte e tre le domande mi avrebbe fatto fatica. Per fortuna posso risponderti una volta sola: sì».

L'uomo cercò intorno e scelse una pergamena scritta solo in parte. «Fammi vedere che sai fare», disse prima di chiedere a Leonardo di risolvere un teorema euclideo.

Il ragazzino cercò la punta con la quale aveva inciso nella notte e cominciò a scrivere e a tracciare. L'uomo non arrivò a contare fino a cento che aveva già la soluzione in mano.

«Si chiama Zefito».

«No, quello è il teorema sulla…».

«Il numero. Il numero che stai cercando si chiama Zefito. Ma non è un nuovo numero. Come ti ho detto, non esistono nuovi numeri». Guardò il cielo. «È come se un astronomo dicesse di aver scoperto una nuova stella o un nuovo pianeta. Quella stella e quei pianeti sono sempre stati lì. Solo che lui non sapeva dove guardare. Perché guardare non è mai automaticamente come vedere».

Leonardo scrutò l'uomo. «Sei tu l'uomo che sto cercando?»

«Perché ti interessa quel numero?».

«Non lo so».

«La migliore risposta possibile», ribatté l'uomo. Si alzò. «Andiamo. Ho visto che hai finito l'acqua. C'è un pozzo qui vicino».

Pisa, 1225 d.C.

«Maestà, siatene certo. Non ve ne pentirete». Maestro Giovanni da Palermo sudava copiosamente, eppure continuava ostinatamente a camminare lungo quella viuzza arrostita dal sole e soffocata dalle pietre. Alle sue spalle, un manipolo di soldati, che faticavano a tenere il passo così com'erano infagottati in quella ferraglia che chiamavano armatura, e un giovane sovrano dai capelli rossi che non aveva compiuto nemmeno trent'anni e che invece non tradiva la minima fatica, ma sembrava solo annoiato.

Uno dei soldati scivolò e cadde a terra. Qualcuno tra i suoi compagni faticò a soffocare una risata. Fu lo stesso Federico ad aiutarlo a rialzarsi mentre maestro Giovanni, già lontano, osservava il siparietto con impazienza.

«Ve lo avevo detto di portare con voi un bagaglio leggero, maestà», fece l'uomo.

«Credete che mi avrebbero lasciato girovagare per le strade di questa città senza una scorta?», gli chiese di rimando il sovrano quando il soldato che aveva aiutato chinò lo sguardo per evitare l'insistenza dei suoi occhi. «E poi, come avrei fatto a difendermi adeguatamente?», concluse, ridicolizzando definitivamente il malcapitato che aveva osato scivolare davanti ai suoi piedi.

Sarebbe ingiusto e sbagliato dire che Federico odiasse la Toscana. Della Toscana odiava soprattutto quel caldo insopportabile, che in certi periodi dell'anno non lasciava tregua nonostante le mura di pietra alte e robuste delle sue città cercassero inutilmente di porvi riparo. Per farlo dovevano però invischiarsi in stradine tortuose, labirintiche, strette e perennemente in salita, in cui l'odore di malta si mischiava a quello di polvere e sterco. Pisa, naturalmente, era ben altro rispetto a questo, ma la zona dove maestro Giovanni si stava ficcando rispondeva egregiamente alla sconsolante descrizione che aveva traumatizzato la memoria del sovrano. Perché era in quei quartieri, periferici e assolati, spogli e silenziosi, che abitava l'uomo che era stato in grado di spingere un re a deviare la strada che lo stava portando dal papa e a lasciare che gran parte di un esercito si accampasse fuori dalle mura di una città quasi ostile.

«Ecco, ci siamo», disse a un tratto la guida del sovrano. Giovanni da Palermo si asciugò nervosamente il sudore che gli colava sulla faccia da sotto una cuffia che solo improvvido zelo avrebbe spinto a indossare con quel caldo. L'uomo si era fermato davanti a una porta di legno, anonima, a un solo battente, al cui centro pendeva un batocchio a forma di anello e ai cui lati facevano bella mostra altrettante cerniere a forma di quadrato. Dopo aver sospirato un paio di volte per riprendere il fiato, quasi sovrastato dal rumore di ferraglia prodotto dalle picche della scorta che si sistemava a difesa del re, l'uomo provò a smuovere quel batocchio. Ma era così pesante che fu costretto a usare entrambe le mani.

Maestro Giovanni attese e non successe nulla. Così si voltò per regalare a Federico un sorriso che voleva essere tranquillizzante, ma che servì solo a mostrare al sovrano che i suoi capelli, confusamente ostili alla cuffia, erano fradici di umida fatica.

L'uomo che aveva guidato il sovrano fin davanti a quella piccola porta ottusa bussò di nuovo. E di nuovo. E di nuovo.

«Andate via. Non aspetto nessuno. Non voglio vedere nessuno», strillò una voce dall'interno.

L'uomo che aveva bussato ritentò. Ostinatamente. Ma solo per ricevere sempre la stessa risposta.

Fino a quando Federico non lo raggiunse per spingerlo da parte.

«Faccio io. Non ho fatto tutta questa strada per restare impalato davanti a questa...», osservò i quadrati e poi il cerchio e sorrise quasi compiaciuto «...davanti a questa porta». Batté con il pugno sul legno. In diverse sequenze. Prima una volta, poi ancora una, poi due, poi tre, poi cinque e infine otto volte. Lasciando un congruo spazio di silenzio tra ciascuna di esse.

Si udì un tramestio di chiavistelli. La porta si aprì lentamente. E si affacciò un profilo barbuto dal naso adunco. Gli occhi febbrili guardarono in giro, oltre le figure che gli si paravano di fronte. Poi si posarono sulla porta. «Chi è stato? Chi ha bussato in quel modo?».

Maestro Giovanni da Palermo impostò la voce con un breve colpo di tosse. «Mastro Bigollo, sua maestà l'imperatore, vi fa l'onore di una sua visita e vorrebbe...».

«State zitto e rispondete alla domanda», ringhiò l'altro sputandogli quasi sugli stivali. «Chi è stato a bussare?»

«Sono stato io», intervenne allora Federico. Si era tolto l'elmo con i simboli imperiali e aveva lasciato sulla testa la cuffia di lino, che sapeva essere molto utile anche per celare la lenta ma inesorabile calvizie che lo stava accompagnando da qualche anno.

«Rifatelo», disse allora colui che la guida di Federico aveva chiamato Bigollo. «Rifatelo», insistette.

Federico annuì e ripeté la bussata. Esattamente nei termini precedenti. Un colpo, ancora un colpo, due, tre, cinque e otto. Poi allargò le braccia.

«E dopo? Per quante altre volte avreste battuto?», lo incalzò il Bigollo.

«Ovviamente tredici», rispose sicuro Federico.

Il Bigollo masticò qualcosa che aveva ancora in bocca e poi sputò l'ultimo residuo di tabacco. Poi aprì meglio la porta. «Entrate. Ma gli altri restano fuori. Qui dentro è troppo angusto per tutte quelle armature».

«Ma...», Maestro Giovanni provò a protestare. Federico lo fece tacere con un colpetto bonario sulla spalla. «State tranquillo e aspettatemi qui. Non credo che lo spettro di Ottone sia dentro ad attendermi. E poi ho la mia spada». Attraversò la porta e cominciò a sfilarsi i guanti, mentre si abituava a una luce soffusa e cominciava a godere del fresco senza sole. Prima che il suo accompagnatore potesse seguirlo, l'ospite gli richiuse la porta in faccia.

«Come conoscete quella sequenza?», disse quando fu tornato il silenzio.

« Ho letto il vostro manuale. Ho ricordato male?», disse Federico cercando una sedia.

Il Bigollo afferrò uno sgabello impolverato. Ci soffiò sopra e lo consegnò nelle mani dell'imperatore. «Avete sete?», gli chiese in aggiunta. «Posso darvi solo dell'acqua però. Io non bevo altro», concluse con un tono superficialmente polemico.

Federico soffiò sullo sgabello producendo una nuvola di fumo grigio e lo mise a terra per poi posarci le terga. «Fate bene. Non c'è nulla di peggio in certi frangenti che perdere la lucidità mentale. L'acqua andrà benissimo».

L'uomo cercò in giro e tornò con una caraffa mezza piena e un bicchiere di legno che aveva visto tempi migliori. Versò l'acqua e la offrì all'imperatore con un ghigno che mostrò una falla nell'arcata superiore. Nel bicchiere cadde anche un ragno morto.

Federico non si scompose. Prese il bicchiere e lo portò alle labbra riversando in gola tutto il suo contenuto.

«Avete letto il mio manuale. Dunque? Che posso fare per voi? Maestà...», l'ultima parola scandita come un insulto cordiale.

«Ho bisogno che risolviate per me alcuni problemi». Gli porse un rotolo di carta pecora che aveva custodito fino a quel momento sotto al giustacuore.

L'uomo in piedi prese il rotolo, lo aprì e lesse rapidamente. «Equazioni quadrate e cubiche», commentò sollevando un sopracciglio. «Perché cercate le soluzioni di questi quesiti matematici? A cosa possono esservi utili? Siete un sovrano. Non avete bisogno di nulla, e qualora dovesse accadere non dovete fare altro che ordinare».

«La conoscenza non si può ordinare».

«Non è una risposta».

«Allora provo a rispondere come faceste voi molti anni fa all'uomo che incontraste nei pressi di Algeri. Non lo so».

L'uomo in piedi spalancò la bocca per la sorpresa. Faticò moltissimo a non darlo a intendere. «Come fate a conoscere quella storia? Io non l'ho mai raccontata a nessuno».

«È stato lui a raccontarla a me. Prima che morisse, povero vecchio. È per questo che poi ho cercato il vostro manuale. Del resto lo avete scritto con il suo aiuto». Cercò uno strapuntino dove posare il bicchiere. «*Liber Abaci*. Vergato in Pisa da messer Leonardo de Bonacci», recitò l'imperatore eccedendo volutamente con l'enfasi.

«Sono contento che vi abbia incuriosito, ma non sono un giullare di corte e non potete venire qui a farmi fare di conto per passare il vostro tempo. Io ho molto lavoro da fare».

«Non ne dubito, e non oserei mai distogliervi da esso. Anche perché sono molto incuriosito di sapere come va a finire il racconto».

«Il racconto?»

«Leggendo il vostro manuale, così come leggendo quelli di altri esperti, mi sono reso conto che la matematica racconta molte storie e tutte queste storie fanno parte di un unico, grande racconto di cui nessuno di noi conosce ancora il finale».

«Anche questo… come fate a…?»

«Sì, in effetti lo ha detto Al-Khwarizmi».

«Avete letto anche le sue opere?», chiese ancora più stupito Leonardo Fibonacci.

«Ma naturalmente. E quelle di Abu Kamil. Per quanto trovi

azzardata la sua teoria sui rapporti tra le estensioni figurate. Non correlare matematica e geometria per venirne a capo è praticamente...».

«Impossibile», concluse la frase Fibonacci.

Federico annuì. «Sapete la cosa che più mi affascina del vostro approccio alla matematica? Questa idea che il mondo della teoria e quello della materia siano indissolubilmente collegati tra loro. Non vi è nulla al mondo che non possa essere rappresentato da un'equazione. Non vi è fenomeno che non possa essere plasmato in una successione di numeri». Si alzò anche lui. «Sono venuto fin qui semplicemente per farvi una domanda. Cosa c'entra la matematica con Dio? E chi è venuto prima?».

Palermo, 1228 d.C.

«La gara di scienza e matematica indetta dall'imperatore ha il suo vincitore», decretò il ciambellano di fronte a una folla di dignitari. La sala del trono della reggia palermitana di Federico era piena come un uovo. C'erano tutti i partecipanti alla gara che lo stesso sovrano aveva voluto, ma anche i personaggi più influenti del regno e i più importanti collaboratori e consulenti di corte.

Federico era comodamente assiso sul suo trono, con la gamba sinistra accavallata al bracciolo sinistro che andava avanti e indietro come un pendolo e la destra piantata a terra a battere il tempo delle parole del ciambellano. Sorrideva quasi beffardo, passando in rassegna tutti coloro che avevano osato partecipare alla contesa per saggiarne le espressioni nervose e tirate del volto. Ma a un certo punto si fermò a osservarne uno in particolare, che sembrava presente quasi di malavoglia e che, mentre tutto il resto degli astanti fissava il trono, continuava a prendere appunti su una gualcita carta di pecora come se si trovasse altrove. Federico sospirò, aspettando che il ciambellano pronunciasse proprio il suo nome. Nonostante non conoscesse gli esiti della contesa, avendo voluto restare fuori dalla insigne giuria che aveva selezionato tra i suoi più fedeli collaboratori, era certo che alla fine in quella sala gremita solo quel nome avrebbe potuto essere scandito.

«Il vincitore, a insindacabile parere della giuria, è Leonardo Pisano detto il Fibonacci», proclamò il ciambellano di corte con enfasi.

La sala del trono si sciolse in un lungo e fragoroso applauso. Qualcuno cominciò a battere i piedi sul pavimento di marmo, provocando un rumore sordo che si diffuse lungo tutto il perimetro andando a scuotere lievemente perfino il trono imperiale.

Qualcun altro dovette svegliare Fibonacci, che invece non si era accorto di niente. Il matematico si guardò intorno spaesato interrompendo i calcoli che stava facendo e una voce nell'orecchio gli suggerì il motivo per cui tutti si erano messi a guardarlo. Fu spinto quasi a forza ad avvicinarsi al trono dove, nel frattempo, Federico aveva raccolto dalle mani di un servo un sacchetto di monete d'oro e una collana con un medaglione rotondo su cui era inciso un sole radiante. Il premio per la gara.

Fibonacci si fermò davanti all'imperatore, gli occhi affaticati da un'attenzione spasmodica alle cifre che li avevano impegnati solo fino a qualche attimo prima. Ci mise del tempo per mettere a fuoco il sovrano. E solo allora si accorse che egli gli stava sorridendo bonariamente.

Federico scese dalla pedana su cui si trovava il trono e mise al collo di Fibonacci la collana solare. Poi gli consegnò tra le mani il sacchetto di monete. Una cifra che, a giudicare dal peso, poteva valere un anno di paga di un serio professionista del regno.

Fibonacci sfiorò la collana con le dita e fece tintinnare il sacchetto come se si trattasse di un trastullo. Ma il suo sguardo era già altrove, il suo pensiero era ormai altrove. Come accadeva sempre. Un corpo che sovente non si accompagnava allo spirito vagante.

«La prima volta che vi incontrai», esordì Federico, «vi chiesi se venisse prima la matematica oppure Dio. Ma in tutto questo tempo, voi non avete mai risposto alla mia domanda. Pensate che oggi, facendo leva sulla particolare circostanza in cui ci troviamo, possa essere giunto il momento di colmare tale lacuna?»

Fibonacci si grattò un orecchio. Un gesto che faceva ogni volta che cercava di concentrarsi su quanto lo circondava, strappando l'attenzione dai calcoli. Aveva ormai abbondantemente superato l'età della maturità, entrando prepotentemente in quella della vecchiezza, e l'imperatore si era accorto che il corpo e la mente del suo consigliere spesso evitavano di incontrarsi.

«Non c'è una risposta, maestà», disse lo studioso. «Posso solo rammentare ciò che Platone scrisse a tal proposito nel *Timeo*: i tre termini della proporzione divina sono di necessità gli stessi e poiché sono gli stessi, non sono che uno».

«Che tradotto per noi poveri mortali significa...?»

«Dio e la matematica sono la stessa cosa».

PIER DELLE VIGNE, IL LOGOTETA

Bologna, 1221 d.C.

«Sono certo di farvi cosa gradita, maestà».

L'arcivescovo Bernardo da Palermo incedeva nel lungo corridoio reggendo a due mani il grosso crocifisso d'oro che gli pendeva dal collo, per evitare che la pancia prominente lo facesse sobbalzare a ogni passo. Al suo fianco, Federico sosteneva l'andatura in silenzio.

Di solito le aule e la biblioteca della scuola di diritto canonico e civile erano piene, a quell'ora, ma quel giorno si stava svolgendo in aula magna un avvenimento a cui nessuno avrebbe voluto mancare.

I passi dell'arcivescovo rimbombarono nell'ambiente deserto.

«Mi ha inviato proprio lo scorso mese una petizione», proseguì l'alto prelato, «e per quanto ne riceva a decine nel corso di una sola giornata, non ho potuto fare a meno del restare colpito dallo stile di questo ragazzo».

«Quanti anni ha?», chiese l'imperatore.

«In realtà non troppo giovane». Poi, rammentando di avere di fronte un sovrano di ventisette anni, si corresse: «Naturalmente per i canoni della gente comune».

«E per quale motivo dovrebbe interessarmi?»

«Ho fatto alcune ricerche», proseguì Bernardo da Palermo. «È nato a Capua ed è figlio di un giudice, dunque persona dai natali di alto livello culturale e professionale. Insomma, come dire, non esce fuori da una porcilaia, se comprendete quel che intendo dire», proseguì con una risatina educata. «Sapendo che state selezionando dei giovani per rafforzare la cancelleria di corte, mi sono permesso di attirare la vostra attenzione. Naturalmente non c'è alcun secondo fine da parte mia, nessuna raccomandazione di cui tenere conto. Insomma», concluse fermandosi davanti a una alta porta a due battenti, «qualunque scelta vorrete prendere, nessuno se la prenderà a male». Poi spinse la porta e l'imperatore si ritrovò nell'aula magna dell'Università.

L'esedra era piena in ogni ordine di posti. C'erano studenti anche in piedi e seduti a terra davanti alla prima fila. E perfino ai lati. L'imperatore fu costretto a guardarsi i piedi per non inciampare in forme accartocciate. Tutti gli occhi erano rivolti alla cattedra sopraelevata, dove un giovanotto vestito con abiti dimessi stava per prendere la parola.

Diamine, era entrato il sovrano. Eppure nessuno si voltò dalla sua parte. L'attrazione che suscitava colui che si ergeva in cattedra pareva fatale.

Federico lo osservò in silenzio. La prima cosa che lo colpì fu lo sguardo. Nonostante si trovasse di fronte a più di un centinaio di persone, i suoi occhi sembravano sostenere la concentrazione di sguardi senza difficoltà. Sembrava un guerriero solitario di fronte a una moltitudine di nemici.

Poi cominciò a parlare, e per lunghi minuti dissertò di poesia, letteratura, versi.

«E cosa pensate che possa fare di utile alla mia corte questo ragazzo?», chiese Federico.

«Qualunque cosa vi aggradi. Scrivano, cancelliere, notaio…».

La voce del ragazzo che parlava era squillante, ferma e sicura. Federico aveva conosciuto molti dotti che poi si erano fermati alla sua corte. La gran parte dimostrava di conoscere le cose di cui parlava. Quel ragazzo dava invece l'impressione di dominarle.

«Come avete detto che si chiama?»

«Pietro», fece l'arcivescovo. «Datemi retta, prendetelo con voi e non ve ne pentirete».

Melfi, agosto 1231 d.C.

Il variopinto corteo imperiale si era avventurato in quei tortuosi sentieri di montagna dalle prime luci dell'alba. Prima del mezzodì, si ritrovò davanti alle mura della città di Melfi. Un castello isolato, dalle mura grigie e anonime, che da qualche giorno era però sulla bocca di ogni dignitario del regno perché avrebbe ospitato l'evento che tutti attendevano con trepidazione.

Federico era già stato a Melfi qualche mese prima. Vi aveva soggiornato a lungo, per riordinare le idee alla base del nuovo *corpus juris* che si apprestava a presentare al mondo.

Dall'inverno dell'anno precedente aveva messo al lavoro oltre quaranta giuristi, i più esperti delle sue provincie, con il compito di riprendere in mano tutte le leggi vigenti, le norme orali, le consuetudini e perfino le costituzioni siculo-normanne e i modelli legislativi canonici. Troppe, confuse, incongruenti, qualche volta perfino contrastanti tra loro. Occorreva mettere ordine. E per farlo ci voleva una persona in grado di reggere con piglio tutte le forze centrifughe che avrebbero dato qualunque cosa per rovinare quel lavoro. Ci voleva un esperto dal polso fermo e dal sangue freddo, capace di raccogliere i consigli con la stessa naturalezza con cui era capace di gettarli dalla finestra. Irreprensibile, imperturbabile.

Quell'uomo, Federico lo aveva trovato e da poco lo aveva nominato supremo giudice di corte.

«Che cosa dice il papa?», fece l'imperatore spronando annoiato il suo cavallo. L'uomo che cavalcava al suo fianco abbassò il cappuccio e si affrettò a cercare tra le pieghe del mantello un rotolo serrato da un legaccio di cuoio. Il sigillo papale scintillò di riflessi cremisi alla luce del sole prima di venire spezzato da un movimento rapido di due dita. L'uomo lesse prima di pronunciarsi.

«Il vostro silenzio non mi fa presagire nulla di buono, messer Pier delle Vigne».

«In effetti, né più né altro rispetto a ciò che vi attendevate come reazione alla vostra decisione».

«Leggete, dunque. Non tenetemi in ansia», ridacchiò l'imperatore con un certo sarcasmo.

Pier delle Vigne annuì. «Ci è giunto all'orecchio», cominciò, «che tu, di tua iniziativa, o fuorviato da mali consiglieri, intendi proclamare nuove leggi, donde necessariamente segue che ti si deve chiamare…». L'uomo si interruppe. Sul suo volto si disegnò una smorfia di imbarazzo.

«Non temete, amico mio. Proseguite pure a leggere», lo spronò l'imperatore. «Non vi farò di certo colpa del pensiero altrui».

Pier delle Vigne strinse le labbra. «…donde necessariamente segue che vi si deve chiamare un persecutore della Chiesa e un sovvertitore della libertà dello Stato e che, in tal modo, con le medesime tue forze, infierisci contro te stesso. Invero, se a ciò sei stato determinato di tua iniziativa, noi fortemente temiamo che la grazia di Dio ti abbia abbandonato, poiché insieme alla salvezza, vai smarrendo la tua medesima reputazione». Il gran giustiziere di corte tacque. Chiuse gli occhi mentre il cavallo lo sbatacchiava indolente da una parte all'altra della sella. Attese in silenzio la reazione dell'imperatore.

Federico scoppiò in una fragorosa risata, che attirò l'attenzione dei cavalieri del corteo a lui più vicino. Pier delle Vigne lo osservò con un certo imbarazzo.

«Ero di malumore stamani», fece l'imperatore, «ma questa missiva mi ha cambiato la giornata», concluse senza smettere di ridere.

«Non so come facciate a reagire sempre così, maestà», fece Pier delle Vigne. «Un giorno o l'altro lo stomaco vi si corromperà, a forza di ingoiare rospi».

«Può darsi, ma nel frattempo mi divertirò un mondo», concluse l'imperatore. «E non c'è niente di meglio del condividere il divertimento con amici fidati. Non credete?».

Il logoteta scrutò l'imperatore, strinse le palpebre e poi annuì, limitandosi a un movimento della testa.

Rocca di San Miniato, Pisa, febbraio 1247 d.C.

Il prigioniero fu gettato nella cella come un sacco di patate. Ruzzolò per diversi passi, facendo tintinnare sul pavimento di fredda pietra le catene che gli serravano i polsi, per poi andare a fermarsi contro la parete più lontana. Sopra la sua testa, una piccola inferriata gettava nell'ambiente angusto di quella prigione una fioca luce diurna, ma il prigioniero non poteva vederla. Prima di essere rinchiuso, era stato accecato con uno spillone rovente.

Entrambi gli occhi. Nella pubblica piazza. Davanti alla gente. Per ordine dell'uomo che un tempo era stato il suo imperatore.

Pier delle Vigne stava cominciando ad abituarsi al buio. Al termine del rituale con il quale gli era stata strappata per sempre la vista, era svenuto. Si era ripreso pochi istanti prima di essere rinchiuso in cella, e quando era accaduto si era accorto che il dolore lancinante che gli aveva fatto perdere il senno stava scomparendo, e le orbite dove languivano due sfere ormai sgonfie e rinsecchite si erano pietosamente ricoperte di croste sanguinolente. Gli faceva ancora male la testa, ma avrebbe potuto riconoscere quei passi anche se un carpentiere avesse deciso di aprire bottega nella sua testa.

Federico stava arrivando. A passo svelto. Il suo passo più nervoso.

La porta della cella si spalancò con un rumore simile a quello di un tuono. Un respiro ansante attraversò la soglia e si fermò davanti al prigioniero.

«Richiudete la cella e lasciateci soli», ordinò Federico.

Un rumore identico a quello che aveva udito prima e poi Pier delle Vigne si rese conto di essere rimasto solo con il suo imperatore. Al buio. Legato. Cieco.

«Perché?», chiese Federico.

«Maestà, vi supplico», piagnucolò Pier delle Vigne. «Qualunque cosa vi abbiano riferito, non è vera. Io sono innocente».

«Non sapete nemmeno di quale accusa vi ritenga colpevole e già cercate di professare la vostra estraneità ai fatti? Avanti, dunque. Per cosa sareste... innocente?».

Il logoteta abbassò la testa. Sospirò e alcune gocce di sangue semisolide caddero silenziosamente sugli stracci che gli avevano lasciato per coprire le sue nudità. «Posso avere un po' d'acqua?»

«No».

L'altro incassò la risposta e annuì.

Federico scattò in avanti. Lo afferrò per il collo e lo sollevò da terra. Pietro era stato tenuto a digiuno per giorni e adesso pesava come un ragazzino dimagrito dagli stenti. Non scalciò nemmeno. Sperava solo che la stretta fosse così forte da togliergli il fiato. Finalmente.

«Io avevo riposto in voi tutta la mia fiducia», lo incalzò l'imperatore. «Io vi avevo scelto tra tanti. Io vi avevo fatto diventare uno degli uomini più potenti del mio regno».

Lasciò la presa e il prigioniero fu abbracciato dalla forza di gravità. Ma non ricadde a terra. Si afflosciò.

«Maestà, mi rendo conto che ormai è tardi», disse dopo aver a lungo tossito, «e che qualunque cosa io dica non ridarà a voi la fiducia e a me la vista, ma vi assicuro, vi giuro che non ho mai nemmeno osato pensare di congiurare alle vostre spalle con le fazioni guelfe e con il papa. Io sono una vostra creatura. Mi avete forgiato, plasmato. Come potete pensare solo lontanamente che vi possa aver tradito. Quanto a quelle voci sul fatto che avrei tentato di avvelenarvi con un infuso...».

«Stupidaggini. Non ci ho mai creduto», lo interruppe l'imperatore. «Quanto a quell'incontro a Lione con il pontefice, sanno tutti che vi ci avevo mandato io stesso».

Pier delle Vigne sollevò la testa e in qualche modo, con le orbite vuote, cercò lo sguardo del sovrano. «Ma allora...?».

Federico si avvicinò alla porta della cella e batté il pugno sul legno rinforzato di ferro un paio di volte. «Sapete cosa mi spinse a offrirvi l'opportunità di venire alla mia corte?».

Il logoteta tirò su con il naso. «Immagino la conòscenza, l'eloquenza, la preparazione giuridica».

«Sciocchezze. Quando accadde eravate ancora un fusto acerbo. Tutto questo avvenne dopo». Il chiavistello della cella cominciò a muoversi. «Io colsi nei vostri occhi una luce diversa. Qualcosa che mi affascinò. La luce della trasparenza di pensiero. Io vedevo in voi la mia ombra più sana, quella che non avrebbe mai potuto, che non poteva e non doveva mai scendere a compromessi.

Eravate creta fresca tra le dita dei miei pensieri. Capivo che se vi avessi modellato come volevo, sareste diventato il fulcro di tutti gli ingranaggi del mio regno. E alla fine così è stato». La porta della cella finalmente si aprì. Una guardia consegnò a Federico un manoscritto molto voluminoso legato da un laccio di cuoio, che girava intorno al plico almeno due o tre volte. «Voi pensate che la più grande soddisfazione me l'abbiate data aiutandomi a realizzare le Costituzioni, ma non è così. Devo ammettere che si trattò di un eccellente lavoro, di cui vi riconoscerò sempre il merito. Ma ciò in cui non avete mai avuto rivali è l'onestà intellettuale e materiale». Soppesò il plico tra le mani. Sembrava pesante. Con un cenno del capo invitò la guardia a sparire e la cella si richiuse. «Per anni avete applicato le leggi contro la corruzione in modo indefesso, avete comminato personalmente le pene per coloro che se ne discostavano, avete ripulito la peggior feccia del mio regno. Quel riflesso che avevo colto nei vostri occhi ha brillato davvero. A lungo. In modo potente».

«Per questo li avete accecati dunque?», fece il logoteta con il sarcasmo che gli era rimasto.

«Li ho accecati perché ho scoperto che quella luce si è spenta». Gettò il plico davanti al prigioniero inginocchiato. Il laccio di cuoio si ruppe e i fogli di pergamena si sparsero intorno al cieco. L'uomo, nonostante le catene, li sfiorò con i polpastrelli.

«Cosa sono?»

«Prove».

«Prove?»

«Prove in base alle quali i miei contabili hanno scoperto che avete sottratto alle casse dello stato ingenti somme di denaro da destinare a opere mai realizzate. Con la scusa di sottrarli al controllo dei corrotti, vi siete appropriato di terreni e fondi. Nel flusso delle certificazioni di un lavoro mastodontico, tante piccole gocce, invisibili a occhio disattento. Avete lasciato che dal carro cadessero le briciole per poi raccoglierle in un sacchetto, che è diventato con il tempo un sacco tanto grande che nemmeno un altro carro avrebbe saputo trasportare». Federico era un fiume in piena. Passeggiava davanti al prigioniero calpestando quei fogli che con scrupolo gli aveva appena rinfacciato. «Avete messo talmente tanto zelo nel combattere i corrotti che alla fine siete entrato nella loro ombra confondendovi con essi».

«Non fatevi corrodere dall'invidia di coloro che vorrebbero essere al mio posto».

«In questo momento, se poteste vedervi, nessuno vorrebbe essere al vostro posto».

Pier delle Vigne sospirò e sputò un grumo di sangue. «Non è vero niente, e se mai ho potuto fare qualche scelta azzardata non è stato per farvi del danno».

«I possedimenti dell'Ordine Ospedaliero dell'Altopascio sono una scelta azzardata?»

«Come...?»

«Pietro, io non vi ho fatto accecare perché avete tradito me, e non vi farò giustiziare perché mi avete mancato di rispetto, mi avete mentito, avete approfittato indegnamente della mia fiducia», proseguì l'imperatore. «Se ciò avverrà sarà solo per un motivo». Si abbassò per sedersi sui glutei. «Avete tradito le leggi che voi stesso avevate creato con entusiasmo per proteggere il popolo. Quel popolo per il quale ho dato tutta la mia vita, a cui ho offerto il mio potere. Voi, Pier delle Vigne, morirete perché avete tradito il popolo».

L'imperatore si alzò. Si incamminò verso la porta della cella. Al suo cenno la prigione si riaprì. Il logoteta seguì i passi nel buio. Il respiro di Federico si fermò prima di uscire. «Ho disposto la vostra liberazione per domani. Avrete nuovi vestiti, un pasto caldo e una scorta che vi condurrà in esilio. Tuttavia», aggiunse abbassando la voce fino a renderla quasi un sussurro, «se vi è rimasto un minimo di dignità, non costringetevi a invecchiare».

Federico uscì dalla cella. La porta si richiuse. L'imperatore si incamminò nel lungo corridoio. Alle sue spalle, un prigioniero cieco stava cominciando a sbattere la testa contro un muro. Quando l'imperatore raggiunse le scale che lo avrebbero portato fuori dalla rocca, Pier delle Vigne era già morto.

MICHELE SCOTO, MAGUS

Parigi, 1215 d.C.

L'uomo aveva viaggiato da solo per tutta la notte, in compagnia di un cavallo nero che, come lui, non mostrava ancora alcun segno di affaticamento. L'uomo non amava il sole e quando viaggiava di giorno stava molto attento a coprirsi tutto il corpo, anche quando le temperature avrebbero consigliato altrimenti. Sudava copiosamente, ma continuava con ostinazione a tenere il cappuccio calato sulla fronte. Una sciarpa di lino gli copriva il resto del volto, lasciando che solo gli occhi fossero liberi per trovare la strada.

Il cavaliere incappucciato era piccolo di statura, esile di struttura, minuto di naso e orecchie e tanto magro da permettere alle sue ossa di segnare la pelle. L'ira che lo aveva accompagnato per tutto il viaggio non accennava a dileguarsi, e più si avvicinava a Parigi, più la rabbia montava fino a iniettagli gli occhi di sangue. I francesi avevano fatto carne di porco con i cittadini scozzesi, li avevano trattati come schiavi, come esseri inferiori. Li avevano maltrattati, vessati, spremuti come rape anche quando tutto il sangue e il sudore avevano già abbondantemente innaffiato la terra.

L'uomo incappucciato che cavalcava di notte si stava recando a Parigi per reclamare giustizia all'ambasciatore dei francesi in nome della Scozia, sicuro che sarebbe stato un compito arduo, se non impossibile. Ma il sangue scozzese che gli scorreva nelle vene gli impediva di essere pessimista. Gli scozzesi combattono le battaglie ma non le perdono, gli avevano insegnato da piccolo a Belwearie, uno sputo di villaggio nella contea di Tife dove era nato. Gli scozzesi non perdono le battaglie, semmai si ritirano per privare il nemico della soddisfazione della vittoria.

Quando arrivò a destinazione, il cavallo che lo aveva sopportato per tutto il viaggio nitrì e barcollò, ma non cadde. L'ambasciatore francese lo attendeva sui gradini del palazzo reale, allertato da un messo che aveva preceduto il viaggiatore dopo averlo incontrato alle porte di Parigi.

L'ambasciatore era grasso, opulento, riccamente vestito, sorridente. E distratto. Tutta la sua attenzione era riservata a tre damigelle che gli cinguettavano intorno con la scusa di mostrargli i loro nuovi vestiti. E quando l'uomo incappucciato si fermò davanti alla scalinata, lo degnò solo di una rapida, superficiale occhiata.

«Avreste potuto risparmiarvi il viaggio, messere», cominciò in un francese impostato, impreziosito apposta da parole leziose e arcaiche con il solo scopo di mettere in difficoltà l'interlocutore. Spiegò, senza dare sosta al flusso verbale, tutti i motivi per i quali l'uomo incappucciato non solo aveva perso del tempo, ma addirittura era sgradito.

L'uomo incappucciato non si scompose. Ascoltò in silenzio e poi prese la parola.

«Non vi farò perdere altro tempo. Sono venuto solo per reclamare giustizia per i miei concittadini, e non me ne andrò fino a quando non l'avrete concessa», disse in un francese se possibile ancora più elegante e impostato di quello del suo interlocutore. Fin da piccolo aveva studiato un grande numero di lingue diverse da quella parlata dai suoi padri. Questo gli aveva permesso di fare le cose che aveva desiderato dalla nascita: viaggiare, scoprire, imparare. Da quando aveva imparato a leggere e a scrivere, aveva affinato la dimestichezza con l'occultismo, l'alchimia, la filosofia e l'astrologia. Isolato dai gruppi dei coetanei e visto con sospetto dagli individui di sesso opposto, aveva passato l'adolescenza a studiare, sognare, riflettere. Fino a quando non aveva deciso che tutto quello non gli bastava, e allora aveva preso il primo cavallo che gli era capitato sotto mano, si era fatto accompagnare al porto più vicino ed era salito sulla prima nave che aveva visto salpare le ancore. Il resto della giovinezza lo aveva passato tra Oxford, Toledo e naturalmente Parigi, che ormai conosceva come le sue tasche.

L'ambasciatore francese rimase sorpreso da quella risposta così assennata nei contenuti e nella forma. Con un gesto stizzito della mano allontanò le api dal miele e si voltò verso l'uomo a cavallo.

«Come avete detto di chiamarvi, messere?»

«Michael Scot, signore. Per servirvi, ma fino a un certo punto», fu la ripicca del cavaliere incappucciato.

L'ambasciatore alzò gli occhi al cielo e si accarezzò al mento. «Mai sentito nominare», mentì, senza riuscire a credere nemmeno lui a quell'affermazione. «E ditemi, in quale ambasciata posso avervi fugacemente notato in passato? O forse siete stato ospite dei reali di Francia a qualche banchetto di gala? In tal caso, gli ospiti sono così tanti e la mia memoria ormai così affaticata che dovrete perdonare la mia incertezza». La tirata dell'ambasciatore era di un sarcasmo di almeno un'ottava superiore a quanto meritasse l'occasione, ma Scot non si scompose.

«È più probabile che mi abbiate incontrato in qualche università, qualora l'abbiate frequentata, o presso la Santa Sede nel caso in cui abbiate qualche parente che serve messa nella cappella delle suore che accudiscono Sua Santità. In caso contrario, è corretto affermare che non ci conosciamo affatto. Forse oggi stabiliremo anche di chi possa essere la fortuna di tale eventualità».

«Avete la lingua lunga, messer Scot, ma la mia risposta precede la vostra possibile arringa. Non me ne frega niente di ciò che mi direte. Non riuscirete a convincermi nemmeno mettendomi un coltello alla gola. Gli scozzesi hanno di gran lunga ciò che meritano».

«Non sarò io a convincervi, signor ambasciatore. Io sono un povero uomo di fede. Purtroppo a convincermi a intraprendere questo a vostro dire inutile viaggio, è stato il mio cavallo, e purtroppo è a lui che dovrete dare le spiegazioni del vostro diniego. Lui», aggiunse accarezzando la criniera lucida dell'animale, «è molto più scozzese di me, da almeno quattro generazioni, e dunque come potete immaginare, ha la capacità di ascoltare la parola altrui come farebbe un sordo ubriaco davanti a un confessore».

«Il vostro cavallo? Mi prendete in giro?», rispose l'ambasciatore passando da una risata divertita a un singhiozzo stizzito. «Sparite dalla mia vista, insolente. O vi farò prendere a frustate fino alla Senna».

«Non volete prima ascoltare il mio cavallo, signore?», disse Michael Scot calando finalmente il cappuccio. La luce del giorno illuminò una testa glabra, su cui spiccava una peluria incolta che poteva essere facilmente scambiata per una barba, se qualcuno avesse potuto vedere la ridicola ombreggiatura che offuscava appena il torace incassato di quell'uomo.

«Ho detto di andarvene, voi e tutti gli scozzesi che vi hanno mandato da queste parti».

«Come volete». Scot si inchinò fino a sfiorare con la faccia la testa del cavallo. «Come dici? Vuoi salutare comunque?», disse come se si rivolgesse al cavallo. «Ma certo, amico mio. È sempre buona educazione salutare».

Il cavallo nero batté lo zoccolo anteriore destro tre volte a terra. Come se volesse scavare.

In quel preciso momento le campane della cattedrale di Notre Dame cominciarono a suonare. Rintocchi potenti che invasero l'aria.

L'ambasciatore si lasciò distrarre da quel fenomeno. «Perché questi rintocchi? Non è l'ora del vespro». La sorpresa fu ancora più forte quando anche le campane di altre chiese presero a suonare. Una dopo l'altra, prima lontane e poi sempre più vicine.

«Se volete lo faccio smettere», disse Scot.

«Lo fate smettere? Ma chi?»

«Ma il mio cavallo, è ovvio. Se vi mostraste più gentile con lui ascoltando il suo cavaliere sono sicuro che smetterebbe».

L'ambasciatore scosse la testa infastidito. «Andate a Notre Dame e fatemi sapere il motivo di tanto rumore», disse a un servo. «E voi sparite», concluse invece rivolto a Scot.

Il cavallo di Michael Scot batté per la seconda volta lo zoccolo anteriore destro a terra. Sempre con tre scavetti in rapida sequenza.

Stavolta non suonò alcuna campana. Ma tremarono tre torri. Quelle del palazzo che si trovavano alle spalle dell'ambasciatore. Il fragore fu enorme. Seguito da grida, trambusto e un fuggi fuggi generale. L'unico a restare imperterrito fu l'uomo a cavallo.

L'animale nitrì. Mosse ancora la zampa destra.

«Non sono certo superstizioso, ma fermate quella bestia dell'inferno, per l'amor di Dio!», urlò allora l'ambasciatore francese.

Scot tirò le redini dell'animale che sbuffò e scrollò il muso. «Siete disposto a parlare dunque?».

L'altro si guardò intorno sperando che nessuno lo osservasse. E invece tutti gli occhi di chi era rimasto con lui lo fissavano. «Entrate», si arrese alla fine. «Ma scendete da quel maledetto cavallo».

Bologna, 1220 d.C.

«Ve lo sconsiglio vivamente, maestà». Il rettore dell'università fissò l'imperatore. Gli occhi quasi sgranati. Una insondabile paura nascosta nello sguardo.

«Posso saperne il motivo?», chiese Federico. L'imperatore stava perdendo la pazienza. Il viaggio che lo aveva portato all'ateneo bolognese era stato insolitamente disagevole, per colpa del tempo e di una serie di contrattempi tecnici. Avrebbe dovuto già essere a Bari, e quella sosta gli stava costando molto in termini di vettovagliamenti e fatica da parte dei suoi uomini, impegnati in una marcia forzata dal nord al sud della penisola italica. Ma voleva conoscere personalmente l'uomo che ormai stava sulla bocca di tutti. L'uomo che aveva inventato una polvere capace di imitare i tuoni e i lampi, che aveva scoperto il modo per far maturare l'uva d'inverno e che sapeva leggere il futuro nelle stelle.

Federico si era circondato di maghi, cartomanti e astrologi. Non era più un segreto per nessuno che la sua corte fosse ormai piena di questi personaggi, che non facevano altro che alimentare le dicerie con le quali il papa stava costruendo la narrazione di un sovrano schiavo del diavolo. Ma allo svevo tutto questo interessava davvero poco. La ricerca dell'ignoto lo aveva sempre affascinato, e ogni volta che gli capitava di scoprire qualche nuovo talento che potesse aiutarlo ad approfondire i misteri che spesso gli facevano passare notti insonni a guardare le stelle, non si tirava indietro.

Stavolta la questione era diversa. L'uomo che aveva chiesto di conoscere non era come gli altri, o almeno ciò che si raccontava ovunque sul suo conto contribuiva a rafforzare la sua convinzione.

«È pericoloso», si limitò a rispondere il rettore. «Non mi fate aggiungere altro», concluse guardandosi intorno con circospezione.

«Di cosa avete paura? È uno dei vostri insegnanti. Perché continuate a trattenerlo se temete…?»

«Non posso mandarlo via. Ne pagherei le conseguenze. Tutta l'università ne pagherebbe le conseguenze».

Nonostante la paura che poteva leggere negli occhi del suo interlocutore, la faccenda cominciava a divertirlo. Federico aveva dovuto assistere ad arringhe di questo tipo diverse volte. In ogni caso erano state il preludio di conoscenze che avevano arricchito la sua corte di nuovi luminari della scienza, della tecnica e della filosofia. I reietti di un mondo vecchio che erano andati a infoltire le fila di un esercito non belligerante, che avrebbe combattuto per lui alla costruzione di un mondo nuovo. «Lasciate che sia io a giudicare».

Il rettore dell'ateneo bolognese sospirò. «E va bene». Fece un inchino e si voltò.

«Ma che fate? Mi lasciate così? Non andate a chiamarlo?», esclamò irritato Federico.

Il rettore allora si voltò e fece un sorriso triste. «Non c'è bisogno che lo chiami. Lui sa già che siete qui. Immagino che presto si presenterà a voi. Ma dovete promettermi una cosa. Portatevelo via». E senza aggiungere altro si allontanò.

Federico restò da solo nel chiostro dell'università, accompagnato solo dal cinguettio dei passerotti che continuavano a giocare con gli zampilli della fontana che ne dominava il centro. A una certa distanza, le sue guardie personali osservavano il tutto in silenzio.

«Volete partecipare a uno dei miei celebri banchetti, maestà? Siete qui per questo, suppongo», fece una voce che gli giunse dall'altra parte del colonnato. «Come qualcuno vi avrà sicuramente detto, si tratta di eventi da non perdere, visto che grazie alle schiere di demoni che mi sono servi sono in grado di organizzare pranzi luculliani nel giro di poche ore. Un festino in cui le pietanze vengano servite da diavoli volanti non è cosa di tutti i giorni, ne converrete».

Un uomo di bassa statura e lievemente claudicante si stava avvicinando. Indossava una specie di saio e una strana calotta di ferro gli copriva la testa.

Federico socchiuse gli occhi mentre le sue guardie si facevano avanti istintivamente. L'imperatore fece loro un gesto e si fermarono.

Avrebbe potuto rispondere in qualunque modo oppure tacere, e invece Federico chiese: «Siete voi Michael Scot?»

«Sono colui che state aspettando», fece l'altro. Quando fu a non più di un paio di passi dal sovrano si inginocchiò e chinò il capo a terra. «Sapevo che prima o poi questo momento sarebbe arrivato».

«Alzatevi. Devo farvi delle domande».

Scot sollevò solo il capo, ma restò in ginocchio. «Sono a vostra completa disposizione, maestà. Ma prima permettetemi di consigliarvi di non sottoporvi al vostro consueto salasso domenicale. Non questa settimana, almeno».

«Non vi pare singolare che un uomo che ho appena conosciuto possa darmi un consiglio così particolare su abitudini personali?»

«La verità, maestà, è che gli astri non guardano al lignaggio degli uomini e le indicazioni che danno sono un dono che Dio ha fatto alla sua progenie. Non di rado disatteso».

Federico fece un passo indietro e l'altro finalmente si alzò. «Suscitate sempre questa curiosità nelle persone che incontrate?» «Di rado incontro persone. E quando lo faccio è solo perché sono certo che ne valga la pena. Come in questo caso».

L'imperatore sorrise. Qualunque signorotto di secondo piano, di fronte a tale insolenza, avrebbe reagito d'impeto, un sovrano avrebbe chiamato a raccolta le guardie, un pontefice avrebbe addirittura soppesato l'ipotesi di una scomunica. Ma Federico era diverso, e quello che comprese in quel momento fu che il suo interlocutore lo sapeva. La sua non era stata insolenza, ma la certificazione di avere di fronte qualcuno che potesse comprendere i parametri del suo mondo, oscuri a tutti gli altri.

«Perché dovrei evitare?», chiese allora, entrando già nell'ottica di chi lo fronteggiava.

Michael Scot sorrise. Quella domanda rappresentava una sorta di parola d'ordine che poteva aprire uno scrigno in cui a molti non era dato di scrutare. «Farsi togliere il sangue con la Luna nel segno dei Gemelli può essere azzardato. Il rischio è di essere punti due volte».

Federico annuì ma non rispose.

Così Scot riprese. «Ma è già successo, non è vero?»

«Mi sono sottoposto al salasso proprio ieri. Dunque, la vostra profezia è errata».

«E come è andata?».

L'imperatore mosse il piede sinistro. Istintivamente.

Scot abbassò lo sguardo sullo stivale che lo vestiva. «Immagino che sia stata necessaria una fasciatura».

«Un banale incidente. Al mio chirurgo è sfuggito il bisturi proprio mentre stava praticando l'operazione, e la lama è caduta sul mio piede. Una ferita lieve ma fastidiosa, che non mi ha dato tregua per tutto il viaggio».

«Mi dispiace di non avervi conosciuto in tempo. Ma a questo punto, c'è altro che posso fare per voi?».

L'imperatore svevo annuì vagamente. «Potreste aiutarmi a evitare che possa ripetersi?»

«Avete bisogno di un cerusico? In tal caso avete sbagliato persona, maestà».

«No, ho bisogno di qualcuno che risponda alle mie domande. Che non sono semplici».

«Nulla è semplice. Ma non dipende dalla domanda. Dipende da chi ascolta la risposta».

«Non tergiversate. Verrete con me, dunque?»

«Non sono avvezzo alle passeggiate. Le mie condizioni non me lo consentono».

«Non siate sciocco. Alla mia corte ho riservato un posto per voi. Abbandonate tutto e seguitemi».

«Abbandonate tutto e seguitemi», declamò Scot. «Questa frase l'ho sentita già sulla bocca di qualcuno più importante di voi».

«Dimostrate di conoscerlo bene, e di questo mi compiaccio. Perché alcune delle domande per cui cerco risposta riguardano proprio lui».

«Potrebbe essere divertente un'esperienza alla corte di un imperatore».

«Dunque accettate?»

«Le risposte che avrete da me alle vostre domande non saranno sempre quelle che sperereste di sentire, ne siete consapevole?»

«Ma non potete cominciare senza nemmeno rispondere».

Scot rise. «Un imperatore dotato di senso dell'umorismo. Merce rara. Credo che sarebbe davvero divertente».

«Dunque è un sì?».

Michael Scot chinò il capo in segno di assenso. La calotta che portava in testa raccolse i riflessi della luce che veniva dal chiostro e quasi abbagliò l'imperatore.

«Ditemi un'ultima cosa», fece Federico socchiudendo le palpebre mentre portava una mano al viso per riparare gli occhi. «Perché quella calotta?».

Scot osservò il suo interlocutore apparentemente per prendere tempo. «Non so se voglio rispondere a questa prima domanda».

«Vi faccio osservare che è il secondo quesito nel giro di qualche istante al quale non volete rispondere. Non è un buon inizio».

«Ho le mie ragioni, maestà. Ma vi prometto che un giorno risponderò».

«Non è mai buona cosa far attendere un sovrano. Potrebbe spazientirsi».

Florentium, Capitanata, Apulia Normanna, dicembre 1250 d.C.

Per l'uomo che leggeva, la voce dell'imperatore aveva cambiato timbro. Ormai il tempo l'aveva trasformata in quella di un vecchio.

«Avete udito quello che vi ho detto?».

Ahmed Addid distolse l'attenzione da ciò che stava leggendo e si voltò verso la porta. Sulla soglia stava un monaco piuttosto anziano, con il volto interamente coperto da una lunga barba bianca che avrebbe avuto bisogno di una severa sistemazione.

«Come dite?», fece la guardia dell'imperatore. Guardò attraverso l'inferriata da cui ormai non passava più luce. Per quanto era rimasto in quel posto a leggere? Aveva perso la cognizione del tempo.

«Ho detto che non è mai buona cosa far attendere un sovrano, perché potrebbe spazientirsi. E in effetti sua maestà vi attende oltre ogni limite di pazienza».

Addid soppesò tra le mani il manoscritto. «Avete ragione. Sarà furioso».

Spinse di lato il monaco e uscì dalla cantina a lunghi passi. Divorò le scale di pietra e si ritrovò a correre. Quando arrivò davanti alla porta della stanza dove riposava il sovrano, si fermò, roso dal dubbio. Doveva trovare una scusa per giustificare il ritardo? Doveva dire la verità? E cioè che quel documento lo aveva letteralmente rapito? Ma soprattutto, doveva bussare?

«Entra e basta». La voce dell'imperatore dall'altra parte della porta lo scosse.

Addid obbedì. Guardò verso il letto, ma il sovrano non c'era. Così mosse lo sguardo fino a quando non ritrovò l'uomo che lo aveva chiamato, seduto su una poltrona di cuoio. Non la sedia bucata sulla quale lo aveva accolto il primo giorno, ma una vera e propria poltrona, che meglio si confaceva al concetto di trono. O comunque, di seduta confortevole.

«Dunque ti senti meglio», fece il saraceno chiudendosi la porta alle spalle.

«A quanto pare», annuì Federico. «Ho perfino mangiato qualcosa di solido senza rivomitarlo. E questo è decisamente un passo avanti. Che le cure del mio medico comincino a fare effetto?»

«È quanto speriamo tutti». Poi mostrò il manoscritto che aveva portato. «Perdona il ritardo, ma...».

«Lo sapevo che ti saresti fermato a leggerlo e che non avresti smesso fino a quando non lo avessi finito», disse Federico con un ghigno sornione, «ma è proprio quello che volevo».

«Sono sbalordito. Non credevo che...».

«Non credevi che peldicarota, il piccolo re e poi il vecchio imperatore, avessero in comune una vita che non conoscevi?».

Addid fece un sospiro prolungato. «Già. E la cosa mi ha sorpreso solo in parte. In realtà mi ha turbato».

«Non si conoscono mai completamente le persone. C'è sempre un lato nascosto che è impossibile disvelare», rispose il sovrano.

Addid si guardò intorno, e la stanza cominciò lentamente a mostrare i suoi segreti. Un letto, due comodini, tre bracieri, cinque candelabri. Otto vele sul soffitto. Quattro quadrati disegnati sul marmo del pavimento. Il saraceno scrollò la testa, confuso. Potevano essere coincidenze. Oppure poteva essere un altro mondo, svelato dalla consapevolezza che il suo migliore amico non aveva voluto condividerlo con lui.

«Non sentirti tradito», lo precedette Federico quasi leggendogli nel pensiero. «Del resto, non ti ho mai fatto partecipe nemmeno dei miei amplessi amorosi e, a quanto pare, non me ne hai mai voluto».

«Sapevo dei tuoi interessi e sapevo che coloro che circolavano alla tua corte erano personaggi... particolari, ma non credevo che...».

«Che la realtà che ti ritrovavi a osservare non era quella che vedevo io?»

«Già».

«Come ti ripeto, non devi sentirti tradito. Considera la mia scelta come un gesto di cura nei tuoi confronti. Un modo per preservarti. Per non invischiarti in qualcosa che avrebbe potuto tirarti a fondo. Come molte volte ha fatto con me». Federico strinse i braccioli della poltrona. «Mi sono accorto che la conoscenza è un veleno. All'inizio ti attira, ne vuoi sempre di più. E non ti accorgi che sta lentamente minando il tuo corpo e la tua anima, consentendoti di morire in estasi».

«Ma tu non morirai. Almeno non oggi, a quanto vedo».

«Forse hai ragione. Anzi, sai una cosa?» Fece leva sulle braccia e con grande fatica riuscì a mettersi in piedi. «Voglio uscire». Restò in piedi barcollando lievemente.

Addid sgranò gli occhi. «Ma che dici? Vuoi morire davvero?»

«Stai tranquillo. Mi sento molto meglio, e ho voglia di uscire».

«Non so se…», il saraceno lanciò uno sguardo verso la porta, «…forse dovrei avvertire il tuo medico».

«Sei pazzo? Me lo impedirebbe. Invece, tu mi porterai fuori facendomi passare per uno dei frati che mi accudiscono. Mi basterà un mantello con cappuccio e una pelliccia. Il resto», disse mostrando il saio da cistercense che gli avevano fatto indossare, «ce l'ho già addosso».

«È un azzardo».

«Tutta la mia vita è stata un azzardo, Ahmed. Vuoi che finisca in modo diverso?»

«Ho paura che possa nuocerti alla…».

«Ti ordino di portarmi fuori a fare una passeggiata», disse con tono solenne Federico. Poi ricadde sulla poltrona. «Lo farei da solo, se solo ci riuscissi».

«Ti voglio troppo bene per…».

«E se accadesse di notte? Se ci provassi da solo e mi ritrovassero sulla neve mentre mi sto congelando? Potrebbero dartene la colpa. Se sopravvivessi, io te la darei», continuò ridacchiando.

«E va bene», sospirò il soldato saraceno. «Ma perché vuoi proprio farlo?»

«Perché a occhio e croce il tuo racconto è arrivato alla parte più bella. Quella della mia più grande vittoria. E voglio ascoltare quella storia guardando in faccia il sole. Come accadde quel giorno a Cortenuova. Ricordo che faceva freddo come oggi, ma come oggi il sole era alto, in quel maledetto cielo lombardo».

ATTO QUINTO
LA FOLGORE E LE TENEBRE

Pontevico, Marca lombarda, riva orientale del fiume Oglio, novembre 1237 d.C.

Stava ancora piovendo. Piccole gocce di acqua fredda tamburellavano fastidiosamente sulle armature infangate dei soldati imperiali. L'autunno stava per lasciare il passo all'inverno, ma con una riluttanza inconsueta, che non si rammentava da anni. Respirasti a pieni polmoni assaporando l'odore che trasudava dal terreno acquitrinoso. Alle tue spalle, gli stendardi della cavalleria imperiale e quelli della cavalleria teutonica garrivano timidamente al vento. Durante la marcia per ridiscendere le Alpi le fila del tuo esercito si erano infoltite, anche oltre le tue più rosee aspettative. Eri partito dalla Germania con soli duemila cavalieri, ma a Verona avevi ritrovato il tuo fraterno alleato Eccelino da Romano, che ti aveva offerto truppe che aveva raccolto da Padova, Treviso, Trento e Vicenza. Se ne dicevano molte sul conto di quell'uomo. Gli amici lo chiamavano "il terribile", mentre i nemici avevano trovato aggettivi ben più significativi. Ma a quanto pare non avevi mai avuto da ridire a proposito della sua fedeltà, testimoniata con i fatti a più riprese, e anche in quella occasione fu chiaro che la tua fiducia era ben riposta. Una fiducia che ti avrebbe spinto in seguito a dargli in sposa tua figlia Selvaggia. Ma questa è un'altra storia.

Eccelino non fu l'unico a presentarsi all'appello. Pochi giorni dopo fu la volta di Gaboardo di Arnstein, che ti portò qualche migliaio di volontari toscani, e ben presto lo seguirono le milizie ghibelline da Pavia, Modena, Cremona, Parma e Reggio Emilia. Alla fine ero arrivato anche io, alla testa di seimila soldati saraceni, tra fanti, cavalieri e arcieri. Quasi ventimila uomini, alla guida dei quali avevi fatto capitolare Mantova, avevi sottomesso Bergamo e, con le spalle così coperte, avevi attaccato i territori intorno a Brescia. Il valore dei difensori ti aveva impedito di arrivare prima dei lombardi alla città e così avevi deciso di piantare le tende a Pontevico, per vedere cos'altro avrebbero escogitato per sfuggirti.

Quei soldati pendevano dalle tue labbra, pregando tutti gli dèi a disposizione affinché non si ripetesse ciò che era accaduto qualche mese prima.

Sul finire della primavera dell'anno precedente avevi raggiunto Mantova e avevi schierato le truppe per affrontare finalmente la coalizione lombarda. Il momento migliore per dare battaglia: temperatura mite, niente piogge, terreno solido. Per l'ennesima volta il papa si era messo di mezzo, inviandoti una missiva in cui ti ricordava che avevi altri e più urgenti impegni e che la contesa con i ribelli del nord italico poteva attendere. C'era da difendere Gerusalemme dai nemici della Chiesa, e tu avevi promesso a più riprese che lo avresti fatto.

Eri assolutamente consapevole della debolezza di quella missiva. Al pontefice non interessava affatto la sorte della città santa in quel momento. Il messaggio celato astutamente tra le righe era un altro, e non certo quello di suggerirti una mossa alternativa alla battaglia. Egli voleva far passare l'eventuale tua decisione di combattere ugualmente come una scelta personale, che nulla aveva a che fare con gli interessi condivisi con la Chiesa. Una pura e semplice vendetta personale, della quale avresti dovuto prenderti tutta la responsabilità. Anche per le eventuali conseguenze.

Per questo decidesti di soprassedere. Ma un anno si era rivelato fin troppo tempo, e i lombardi ne stavano approfittando per riordinare le fila e rafforzare le alleanze. Non ti potevi permettere di attendere oltre. Perfino se questo fosse costato l'incrinarsi dei rapporti con un papa che già non ti vedeva di buon occhio.

Ma stava ancora piovendo. L'autunno poteva essere un nemico peggiore della spada per le pesanti armature che difendevano i tuoi soldati. E il tuo esercito non aspettava altro che ti pronunciassi. In caso di prolungamento della tregua se ne sarebbe andato un altro anno. La finestra per combattere si stava riducendo. Aspettare ancora poteva essere una pericolosa incognita, in uno scenario in cui gli equilibri minacciavano di saltare o mutare in ogni istante. Ti era già giunta la notizia che Pietro Tiepolo, figlio del doge di Venezia, si era attestato a Manerbo con seimila fanti e duemila cavalieri. Il nemico muoveva le sue pedine e complottava con l'inverno per bloccare la tua iniziativa. Erano ormai più di quindici giorni che i due eserciti si studiavano a distanza, attraverso spie, emissari, appostamenti. Ognuno aspettava la mossa dell'altro.

Per questo guardavi verso l'orizzonte senza fiatare. Ma aspettavi. Aspettavi che i tasselli del tuo piano andassero *de plano* al posto giusto. Anche se, in quel momento, forse solo tu pensavi che potesse ancora accadere.

«Non credi che sia il caso di desistere?», ti feci io. Cavalcavo sempre al tuo fianco in battaglia, per garantirti la copertura dei tuoi reparti scelti saraceni, gli unici tra i tuoi soldati per i quali combattere con il sole o con la pioggia non avrebbe fatto differenza. Le loro leggere armature ad anelli erano state pensate per resistere al sole del deserto, figuriamoci a una pioggerellina d'autunno.

«No», mi rispondesti tu. «Prima o poi dovranno tornare. Anche recando una cattiva risposta, ma dovranno tornare». Per l'occasione avevi indossato la tua armatura teutonica, e un lungo mantello bianco ricopriva la groppa di un cavallo nervoso che non si era ancora abituato al tuo peso. Il tuo cavallo preferito si era azzoppato durante la marcia affondando nel fango, e avevano dovuto abbatterlo. Senza preavviso, il terreno molle poteva cedere, rivelando voragini profonde anche una pertica dove le radici degli alberi non facevano massa. Era già accaduto un paio di volte, ed eri stato costretto a lasciarti alle spalle quasi un centinaio di soldati con le selle in mano.

Ce n'erano sparse ovunque, di quelle trappole, e bisognava fare attenzione più a esse che agli arcieri nemici. Per questo i lombardi avevano innalzato le tende, credendo che anche tu l'avessi fatto. Combattere in inverno era impossibile, ma combattere in autunno significava affrontare due nemici. Uno lo potevi fronteggiare, ma l'altro poteva circondarti all'improvviso, invisibile e letale.

Ma tu allora eri divenuto ancor più ostinato di quanto non lo fossi quando ci eravamo conosciuti nei bassifondi di Palermo. Da ragazzino impertinente e cocciuto, ti eri trasformato in un sovrano duro e irremovibile. E il fatto che mi lasciassi ancora parlare, quando chi osava farlo veniva immediatamente allontanato da corte, mi lasciava ogni volta sorpreso.

«I soldati sono stanchi e provati», osai ribattere.

«I soldati sono soldati. Devono essere stanchi e provati, altrimenti sarebbero donzelle di corte». Ti voltasti dalla mia parte, il volto mal rasato sporco di schizzi di fanghiglia. «Hai mai visto donzelle con le gambe pelose a corte?», domandasti, strappandomi un sorriso nervoso.

Stavo per ribattere quando qualcuno ti avvisò di un movimento lontano. Aguzzammo tutti la vista e finalmente li vedemmo.

Due cavalieri in armatura leggera, nessun simbolo sulle vesti che potesse dimostrare la loro appartenenza. All'apparenza due viandanti. Nella realtà, due emissari che avevi inviato dietro le linee nemiche con un compito preciso.

«Dunque?», chiedesti quando i due cavalli si piantarono scalpitando davanti al tuo. «Parlate!».

Uno dei due emissari si tolse l'elmo e raccolse una borraccia d'acqua, che nonostante il freddo si riversò completamente in testa per liberarsi dal fango che gli aveva annodato i capelli e annebbiato la vista. Sputò e tirò su con il naso. «Maestà, stanno levando le tende. Come avevate supposto».

«In che direzione?», lo incalzasti.

«Hanno cominciato a risalire il fiume sulla sponda sinistra. In direzione nord, fino a Soncino, dove molti collegati hanno lasciato la formazione principale per sparpagliarsi nelle campagne. Ma a Cortenuova si sono fermati per attraversare il fiume. Quando li abbiamo lasciati, stavano costruendo ponti di legno».

Tu ascoltasti senza fiatare. Poi annuisti. «Che ti dicevo? Ci sono cascati». Ti voltasti verso di me.

Vedevo nei tuoi occhi la scintilla del predatore che ha appena messo all'angolo la sua preda. Un leone che già sente tra le fauci il sapore del sangue del suo cibo ancora vivo. Il tuo piano strategico, pianificato da mesi, stava funzionando. Partendo da Verona, dopo aver atteso l'arrivo delle milizie inglesi, francesi e ungheresi, ti eri mosso verso Brescia, il tuo primo, vero obiettivo. Ma per impedire che qualcuno ti sorprendesse alle spalle, avevi prima fatto terra bruciata intorno a Mantova, conquistando l'occhio di una mezza dozzina di città fortificate. Poi eri sceso ancora a sud e finalmente si era aperto il sipario. Avevi fatto inscenare ai tuoi uomini una rumorosa partenza, spingendo il nemico a credere che volessi ritirarti nei quartieri invernali. Come ciliegina sulla torta, avevi anche fatto in modo che i lombardi catturassero *fortunosamente* i tuoi portaordini, nelle cui bisacce avevano trovato le mappe della ritirata con destinazione Cremona. Così, anche loro avevano pensato di smobilitare. Ma prima di attaccare volevi esserne certo.

«Che intendi fare?», chiesi allora io.

Tu mi guardasti, respirando nervosamente. Ti voltasti verso i tuoi soldati. Scrutasti gli stendardi più vicini, poi le zampe di tutti i cavalli in riga nella prima fila. Come se stessi cercando qualcosa capace di farti concentrare. Adesso capisco che non erano forme, ma numeri. I numeri che ormai da anni ti parlavano e ti suggerivano.

«Voglio un distaccamento di almeno ottomila uomini», dicesti alla fine.

«Vuoi attaccarli?», feci allora io, chinando il capo verso di te in modo che nessuno potesse udire quello che avevo ancora da dirti. «Il terreno è sfavorevole, pensaci bene».

«Non voglio attaccarli. Voglio impedire che entrino in Milano», sentenziasti tu. «Nel frattempo, voglio che i soldati bergamaschi arrivino a Ghisalba e ostentino in modo più palese possibile gli stendardi guelfi».

«Credi che i leghisti abboccheranno anche stavolta?», dissi io.

«Ne sono certo. E questo permetterà ai bergamaschi di seguire indisturbati tutta la manovra di attraversamento. Penseranno che si tratti di loro alleati. E quando l'ultimo dei loro soldati avrà attraversato il fiume, voglio segnali di fumo. Così ci muoveremo anche noi».

«Maestà, un'ultima cosa», fece ancora uno dei frumentari appena tornati.

«Parla», dissi io in vece tua.

«Ce l'hanno con loro. Il carro».

Tu socchiudesti gli occhi e portasti la mano al pomo della spada.

«Ne siete certi?»

«Certissimi».

«Bene. Motivo in più per agire. Subito».

Cortenuova, Marca lombarda, novembre 1237 d.C.

Quando arrivammo nei pressi di Cortenuova, trovammo un piccolo intoppo. Invece di seguire a distanza l'esercito lombardo e, possibilmente, accerchiarlo con il solo intento di impedirgli di intraprendere la strada per Milano, i tuoi uomini avevano ingaggiato battaglia. Ma non era accaduto per iniziativa del nemico, e nemmeno per volere del comandante del distaccamento che avevi selezionato. Il tutto era avvenuto casualmente, per colpa della pioggia fittissima che si era trasformata in nebbia. Un velo subdolo e impenetrabile che aveva fatto perdere a tutti i contendenti i punti di riferimento e l'orientamento. A un certo punto, i soldati imperiali si erano trovati a diretto contatto con le truppe lombarde, ma invece di disimpegnarsi avevano deciso, questo sì senza sentire l'imperatore, di ingaggiare battaglia.

I boschi che circondavano Cortenuova divampavano. I sentieri barcollanti segnati da scie di fiamma parevano, dall'alto della collina dove ti eri fermato, i tentacoli di un polipo in agonia circondato dagli arpioni.

I soldati lombardi sembravano formichine impazzite che cercavano riparo senza criterio. I tuoi reparti, anche se di entità modesta rispetto agli avversari, sembravano aver avuto la meglio e continuavano a bersagliare chi si ritirava in un fin troppo semplice tiro al piccione. Il fuoco delle frecce infiammate aveva disegnato una sorta di muraglia che aveva intrappolato i cavalli della Lega, incapaci al momento sia di avanzare che di arretrare.

Tuttavia, tu ti rendesti conto quasi subito che si trattava di una scaramuccia. Il grosso dell'esercito lombardo era riuscito a trarsi d'impaccio e si stava schierando intorno al suo simbolo più prezioso.

«Datemi l'Occhio di Falco», dicesti a un certo punto, saltando sulla sella per risistemare la seduta.

L'Occhio di Falco era uno strano apparecchio che avevo potuto vedere solo una volta a corte a Palermo, in occasione di una battuta di caccia. Era il frutto di un esperimento portato a termine da uno dei tuoi consiglieri, che io riconoscevo solo a causa della singolare calotta che portava sempre in testa. Ora, dopo aver letto i tuoi diari, capisco che si trattava di colui che, storpiandone il nome scozzese, chiamavamo tutti Michele Scoto. Il matto con la testa di ferro. Egli aveva creato un singolare marchingegno che permetteva di vedere ben oltre la vista di una persona. Bastava poggiare l'occhio sul vetro rotondo di una delle estremità di quella sorta di cilindro per riuscire a scrutare ciò che accadeva anche a diverse miglia di distanza. Come molti altri oggetti nati dalla follia dei tuoi consiglieri, cercavi sempre di tenerlo tra i bagagli della tua corte itinerante.

Qualcuno si avvicinò al galoppo e ti porse l'oggetto che avevi richiesto. Sollevasti il cilindro a due mani e ne portasti un'estremità a contatto con il sopracciglio destro. Scandagliasti l'orizzonte in silenzio per alcuni istanti.

«L'avanguardia lombarda è in rotta», ti scappò un sorriso. «Poco più di ottomila uomini sono riusciti a mettere in fuga almeno il doppio dei nemici. Se queste sono le premesse...».

«Molto bene. Così potremo accamparci per sferrare l'attacco decisivo domani», commentai io.

«Domani? Perché dovrei aspettare domani?», chiedesti tu infastidito. Eri particolarmente eccitato. Non ti avevo mai visto in quelle condizioni. Sembrava che lo sguardo che solo tu possedevi ti facesse vedere ciò che ai nostri era precluso: l'opportunità di una schiacciante vittoria. Che sovvertiva quanto avevi immaginato solo qualche ora prima. Se c'è una cosa che ti riconosco più di altre, è proprio questa capacità che hai sempre avuto di cambiare in corsa i tuoi piani. Anche da un momento all'altro. Cosa che i tuoi avversari non seppero mai fare.

«Vuoi attaccare adesso? Il sole sta per tramontare», ribattei io.

«Non farà in tempo. Io sarò più veloce di lui», rispondesti passandomi l'Occhio di Falco. «Guarda tu stesso».

Presi il cilindro di vetro e lo misi davanti agli occhi. Il grosso dell'esercito lombardo si stava ritirando lentamente. Aveva lasciato l'avanguardia che si era scontrata con i tuoi uomini alla mercé delle fiamme e della furia del nemico. Ma per un motivo preciso: per evitare almeno di perdere nei confronti del terzo nemico, il tempo. I lombardi non avevano alcuna intenzione di proseguire per Milano. Dopo aver assaggiato le picche del tuo distaccamento si erano resi conto che la fuga precipitosa li avrebbe esposti sui fianchi ai tuoi attacchi. Per questo stavano facendo quadrato, alla maniera delle legioni romane, attorno al loro tesoro più prezioso.

Lo chiamavano il Carroccio. Un carro tirato da tre coppie di buoi e carico di reliquie e stendardi consacrati, da cui la Lega Lombarda non si separava mai. Per motivi religiosi, scaramantici, politici o d'immagine. Chi poteva dirlo? Ma quel carro scricchiolante, che sembrava annaspare sui semiassi e che pareva portare il carico di un robivecchi, valeva per i tuoi nemici come un'aquila per una legione romana.

Lo potevo vedere distintamente in lontananza. Ancora distante dalle tue avanguardie, ma a poche ore di marcia dal punto in cui ci trovavamo. E quando abbassai l'Occhio di Falco e mi voltai dalla tua parte, mi resi conto che tu lo stavi ancora guardando. Nonostante la distanza che vi separava, io potevo sapere con assoluta certezza che avevi deciso che presto sarebbe stato tuo.

La preparazione per quel giorno era stata lunga e laboriosa. Si può dire che fosse cominciata un anno prima, e adesso era arrivato il momento di ritirare le reti gettate nel mare in tempesta della politica. Per due settimane il tuo esercito e quello dei comuni si erano guardati a vista, si erano seguiti e inseguiti, si erano nascosti reciprocamente sperando che l'avversario fraintendesse certe mosse e ne ignorasse altre. Adesso non era più il tempo dei sotterfugi.

L'esercito della Lega nei giorni precedenti aveva smobilitato l'accampamento e aveva attraversato il fiume Oglio in direzione Milano. I tuoi alleati bergamaschi, appostati nel bosco di Covello, dove stavi per raggiungerli, avevano seguito per filo e per segno tutte le loro mosse e quando i soldati leghisti erano arrivati nei pressi di Cortenuova avevano lanciato i segnali di fumo convenuti.

Il tuo esercito aveva cominciato ad avanzare. In sette blocchi distinti. Fanti italiani, *Allugarà* saraceni, berrovieri tedeschi e, naturalmente, la tua fedelissima cavalleria teutonica. Un vero e proprio esercito multietnico e multiculturale, a cui avevi deciso di impartire ordini in latino, sia per richiamare alla memoria i fasti dell'impero di cui eri erede, sia per trovare un codice comune che potesse permettere a tanti popoli diversi di comprendersi. Anche in battaglia, come nei tempi di pace, il tuo chiodo fisso.

Armature molto diverse tra loro marciavano fianco a fianco, diversi colori, diversi stendardi, diverse armi, diversi sguardi. Ma tutti rivolti a un solo obiettivo: vendicare la sconfitta di Legnano, subita da tuo nonno ma che ancora sentivi bruciarti nel sangue che ti scorreva nelle vene.

Dall'altra parte avresti trovato soldati italiani, armati di semplici asce, difesi da grossi e ingombranti palvesi e coperti da imbottiture di crine e cervelliere di ferro battuto. Quisquilie, di fronte alle piastre martellate dei teutonici e ai loro spadoni alti come un uomo di media statura, alle loriche *hamate* dei saraceni e ai loro archi compositi capaci di raggiungere un bersaglio a quasi un miglio di distanza e alla furia dei mercenari dalle bisacce già colme di monete imperiali.

Come antipasto avevi raso al suolo Montichiari, per lasciare il resto della vendetta ai tuoi alleati veneti, lombardi e toscani, ma adesso non c'era più tempo per le scaramucce e io sapevo che stava per venire il mio momento. E quella notte il presagio mi aveva tolto il sonno.

Attendesti il tempo necessario affinché i tuoi nemici dimenticassero il dolore delle ferite dello scontro precedente e poi desti ordine ai reparti di falconieri di avanzare e di attestarsi in vista dell'accampamento leghista. I soldati comunali stavano passando il tempo nei consueti allenamenti ai fantocci mentre alcuni si occupavano di affilare le lame delle armi bianche. Qualcuno stava già pensando di smobilitare le tende, con in testa un inverno in famiglia al riparo delle mura milanesi. L'assalto di qualche giorno prima che aveva provocato una precipitosa ritirata era ormai un ricordo ed era stato archiviato come un incidente di percorso. I frumentari avevano portato la notizia che anche tu stavi marciando verso Cremona in previsione dei quartieri d'inverno e dunque non era prevedibile alcun pericolo.

Con un semplice gesto impartisti l'ordine. I falconieri, disposti in tre file da dieci uomini, incappucciarono i falchi artigliati sulle loro braccia, e gli animali, fino a quel momento scalpitanti nonostante i geti di cuoio che li imprigionavano ai loro addestratori, cominciarono a calmarsi. Nell'aria si diffuse il sommesso tintinnio della nola di bronzo, la campanella stretta a una zampa di ogni falco. Ma poi tutto tacque.

In quel momento mi guardasti. «Buona fortuna, amico mio. Sai quello che devi fare».

Io annuii convinto e con uno strappo di redini discostai il mio cavallo dal tuo per poi raggiungere i miei soldati. Un reparto da tre gruppi di arcieri da dieci uomini ciascuno. Ognuno comandato dal suo nazir. Prima di partire rivolsi un saluto all'imperatore. Egli mi sorrise e pronunciò alcune parole senza parlare. Le stesse che ci scambiavamo nei vicoli di Palermo prima di assaltare qualche carro che osava attraversare i vicoli dei quartieri musulmani senza scorta.

Che Allah ti protegga.

Mossi le labbra allo stesso modo e impugnai anche io uno degli archi compositi che avevano i miei uomini. Sull'anima di corno potevo leggere incisa nella mia lingua la stessa frase.

Che Allah ti protegga in battaglia.

Ma non indugiai oltre e mi lanciai al galoppo, seguito dalla mia schiera di sagittari.

Sapevo che mi stavi seguendo con lo sguardo. Lo sentivo sulle mie spalle. Ma non incombente come una minaccia. Piuttosto, come una benevola protezione.

Quando arrivai nel punto stabilito feci il segnale convenuto ai miei soldati. Attraverso i fusti stretti degli alberi della boscaglia in cui ci eravamo rintanati, si potevano vedere le tende dell'accampamento nemico. A tiro d'arco.

Non mi restava che aspettare.

E l'attesa non durò a lungo.

Udii un fischio prolungato. Sapevo che in quel momento i falconieri stavano liberando i falconi dai cappucci e stavano sciogliendo i nodi dei legacci di cuoio. Non tardai a vederli.

In volo.

A decine.

Accompagnati dal grido di battaglia dei campanelli legati alle loro zampe.

Anche i lombardi udirono quello strano suono e alzarono le teste al cielo.

E noi scoccammo la prima salva di frecce, approfittando di quella distrazione costruita ad arte.

Così, quando i soldati leghisti riabbassarono le teste, molti di loro erano già morti.

La seconda salva di frecce fece meno vittime, perché i leghisti erano riusciti a fare quadrato dietro ai loro palvesi, ma la sorpresa per l'attacco improvviso e inaspettato non aveva ancora esaurito il suo effetto. Così feci l'altra mossa pianificata. Lanciai un ordine, ribattuto dai tre nazir al mio seguito, e tutti gli arcieri riposero gli archi ed estrassero le *Kalankur*, le spade ricurve su

297

cui ognuno aveva inciso il proprio nome e una preghiera a Dio. Se fossero morti in battaglia, Allah avrebbe riconosciuto subito ciascuno dei suoi eroi.

Estrassi anche io la spada, e caricai.

Trenta uomini leggeri come piume, difesi solo da piccoli scudi rotondi ma armati di fede e acciaio. Pronti a sacrificarsi per impedire al nemico di rinsaldare le fila.

Prima di giungere all'impatto scorsi sulla mia destra il Carroccio. Oltre un fossato, difeso da pochi volontari. I buoi che dovevano trascinarlo, accasciati a terra, brucavano ciò che cresceva loro intorno. Il carro brulicava di insegne cittadine e gonfaloni, e c'era perfino un rudimentale altare, dove mi avevano raccontato che i soldati guelfi amici del papa usavano celebrare messa prima di ogni battaglia.

Stavolta non avevano fatto in tempo.

Sogghignai soddisfatto. E mi ritrovai disarcionato.

Avevo dirottato tutta la mia attenzione su quel maledetto carro e non mi ero accorto che qualcuno mi aveva scagliato contro una picca. Il vento aveva impedito che la punta mi colpisse dritto per dritto, altrimenti avrebbe facilmente forzato la mia armatura ad anelli trapassandomi il torace da parte a parte. Invece mi arrivò addosso sbilenca, ma con la stessa forza di un bel cazzotto assestato alla base dello sterno.

Mi ritrovai a terra, con gli occhi rivolti al cielo bianco mentre vedevo sfilare gli stivali dei miei soldati. Ci misi poco tempo a realizzare che dovevo rialzarmi. Quando fui in ginocchio cercai l'elsa della mia sciabola ricurva e chiamai a raccolta tutte le mie forze per rimettermi in piedi.

I leghisti non avevano ancora smaltito la sorpresa per l'attacco inaspettato. Si stavano organizzando alla meglio per rispondere alla nostra offensiva, ma nel frattempo cadevano come mosche di fronte ai colpi di lama. I miei uomini si muovevano rapidi e letali, mentre dall'altra parte ragazzotti strappati ai campi dovevano fare i conti con leggeri usberghi e ridicoli elmi a forma di pentolaccia. Quel giorno avrebbero capito che croci e acqua santa non offrivano la stessa protezione delle armature a scaglie dei cavalieri teutonici. Probabilmente il Dio che guidava entrambe le fazioni era lo stesso, ma i tedeschi evidentemente avevano usato lusinghe migliori, forgiate nel ferro.

Cominciai a menare fendenti alla cieca, per scrollarmi di dosso i disordinati assalti di qualche sprovveduto che invece di fuggire aveva deciso di immolarsi in nome di un'idea. E proprio quando fui in vista dell'accampamento nemico, dove le tende già bruciavano, udii il rumore di zoccoli alle mie spalle. Prima un suono sordo e lontano, poi sempre più vicino e capace di trasformarsi rapidamente in un rombo di tuono. Il terreno sotto ai miei piedi cominciò a tremare ancor prima che riuscissi a voltarmi. E quando lo feci, ti vidi.

Alla testa della cavalleria alla carica non avevi lasciato i tuoi luogotenenti. C'eri tu in persona, l'armatura teutonica addosso, ma con qualche variante. La veste bianca era stata sostituita da una completamente rossa, mentre al posto dell'elmo alato avevi in testa un elmo coronato, sulla cui sommità spiccava il volo un'aquila nera. Avanzavi fiero e risoluto, i tuoi cavalieri compatti in tre file dietro al tuo cavallo.

Avrei dovuto scansarmi per evitare di venire travolto. E invece, in quel momento mi tornarono alla mente le immagini della nostra infanzia. Ti vidi, piccolo e indifeso, più basso di me di due spanne, in sella a quel cavallo enorme che stavi portando all'attacco. Al posto dell'elmo coronato, una cuffietta di tessuto dai pendenti ingioiellati, che ti portavi sempre dietro come se fosse un pupazzo feticcio. I capelli rossi a caschetto che sobbalzavano freneticamente mentre correvi a piedi nudi nella polvere dei sobborghi palermitani, nascosti stavolta dalla cotta di maglia.

Mi passasti accanto e per poco non mi ammazzasti. I cavalieri alle tue spalle mi evitarono anch'essi per un pelo. Io continuai a osservare muto la vostra carica. Come se un fiume in piena avesse rotto gli argini per riversarsi sulla terraferma. Travolgendo tutto quello che incontrava. E poi fu il silenzio.

Al tramonto, i cavalli scossi ostruivano tutti i sentieri del bosco, dove i rami avevano smesso di bruciare e i feriti di gridare aiuto.

Avevi prestato soccorso a vincitori e vinti, ma questi ultimi erano finiti subito in catene. Erano talmente tanti che ci avrei impiegato un'intera giornata a contarli.

La battaglia sembrava vinta in modo inequivocabile, ma io sapevo che a te mancava ancora qualcosa. La sete di vendetta che ti aveva spinto a scegliere di non fermarti per l'inverno, di avanzare privando i tuoi uomini di cibo, acqua e riposo era ancora viva, e lo sarebbe stata fino a quando non fossi entrato in possesso del simbolo dei tuoi nemici.

Al sopraggiungere della sera i tuoi esploratori si imbatterono nell'ultima resistenza leghista. Un nugolo eterogeneo di cavalieri arroccati intorno a un carro piegato dal peso di stendardi e gonfaloni, sul quale un prete temerario stava ostentando messa come estrema sfida al nemico.

Quando sopraggiunsi al galoppo, mi accorsi che dal bersaglio ti separava solo un solco acquitrinoso. Gli occhi dei superstiti nemici, ormai certi della capitolazione, ci sfidavano mentre dalle loro bocche uscivano preghiere latine. Oggi ancora rammento come possa essere pieno di orgoglio anche lo sguardo di uno sconfitto.

«Alcuni dei nostri sono riusciti ad attraversare il pantano», dicesti tu dopo esserti sfilato l'elmo. I capelli rossi a caschetto che avevo visto nella visione di poche ore prima erano spariti per lasciare il posto a una calvizie avanzata, disturbata solo a chiazze da peluria rossastra. «Avevano quasi raggiunto il timone del carro, ma poi è calata l'oscurità e si sono fermati. Abbiamo vinto, e non voglio perdere inutilmente altri uomini quando posso ottenere quello che voglio domani mattina».

Ancora un cambiamento in corsa. Ormai non mi meravigliava quasi più.

Alzai lo sguardo. Le figure distanti che avevo visto chiaramente solo fino a quale istante prima erano ora avvolte da una fitta nebbia notturna, che ne discioglieva i connotati facendoli assomigliare a spettri.

Impartisti l'ordine di fermare la contesa, e anche i tuoi reparti avanzati si ritirarono.

Che i leghisti finissero la loro funzione religiosa, se questo poteva renderli felici di fronte alle migliaia di morti che avevano sacrificato in nome del papa. Noi andammo a dormire.

Ma il mattino seguente ci attendeva una sorpresa. Il Carroccio lombardo era sempre lì, al di là del fiume. C'erano i carriaggi delle salmerie e i buoi che sonnecchiavano, accarezzati dalla luce dell'alba che aveva spazzato via la nebbia della notte. Ma i gonfaloni, gli stendardi, i simboli religiosi erano spariti. I leghisti avevano preferito fuggire con il favore delle tenebre e avevano portato via tutti i simboli per i quali avevano combattuto quella sanguinosa battaglia, per evitare che cadessero nelle mani dell'anticristo: nelle tue mani.

Mentre la tua cavalleria leggera inseguiva i fuggiaschi e i teutonici radunavano i prigionieri, ti vedevo riflettere con lo sguardo puntato all'infinito. Piegato su una pietra bagnata dalla rugiada, masticavi nervosamente un filo d'erba. Intorno a noi persisteva il lezzo dei numerosi morti, accompagnato dal mormorio del vento che mimava i lamenti dei moribondi che non erano stati ancora finiti.

«Voglio portare quel carro a Roma. Voglio che lo vedano tutti. Come facevano i generali romani al termine delle campagne militari vittoriose», ti sentii dire.

«Mi sembra un'ottima idea», feci io.

Calò il silenzio. Quello che di solito precedeva amare considerazioni.

«Ho fatto male ad aspettare la notte. Adesso mi toccherà ostentare un carro fatto di pezzi di legno strappati alle sedie da cucina e trainato da buoi da aratro, mentre avrei voluto sbattere in faccia al papa i simboli di coloro che ha scelto per farmi la guerra».

Non solo cambiavi idea repentinamente, ma sapevi anche riconoscere quando sbagliavi. E lo facevi praticamente davanti a tutti.

«Avrà lo stesso effetto, credimi», commentai io.

«Non sono così convinto. Un carro è un carro, mentre una croce è una croce».

Avevi ragione, ma non potevo dirtelo e pregavo Allah che intervenisse qualche evento che ci facesse interrompere quella imbarazzante conversazione. Il Profeta mi ascoltò.

«Maestà, che ne facciamo di lui?», chiese una voce alle nostre spalle.

Ci voltammo e scorgemmo la figura dimessa di un uomo incatenato tra due carcerieri. Era stato spogliato dell'armatura e degli stivali, e i suoi piedi nudi sguazzavano nel terreno melmoso che la pioggia notturna aveva falcidiato.

Pietro Tiepolo, figlio del doge di Venezia, sollevò lo sguardo per cercare il tuo, ma fosti tu a negarglielo. Guardando a terra, sputasti il filo d'erba che avevi ciancicato con i denti. «Legatelo sul carro. Porteremo anche lui in trionfo».

Florentium, Capitanata, Apulia Normanna, dicembre 1250 d.C.

«La mia più grande vittoria. Il mio più grande errore». Federico terminò la frase incespicando su un grumo di neve che il freddo aveva ghiacciato. Non nevicava ormai da un giorno e un sole caldo e luminoso si distendeva sul Tavoliere pugliese fin dove la vista poteva perdersi.

L'imperatore aveva convinto Ahmed Addid ad accompagnarlo fuori per una breve passeggiata. Avevano eluso la sorveglianza dei monaci e anche delle guardie, seguendo i corridoi che portavano alle cucine e poi uscendo dalle parti delle stalle. Nessuno avrebbe notato l'assenza del sovrano fino all'ora del pasto, ma la passeggiata non era stata breve e adesso il soldato saraceno cominciava a preoccuparsi. Tuttavia, quella parentesi di silenzio e di luce gli aveva permesso di riportare alla memoria dettagli passati che credeva di aver dimenticato. E rievocare i particolari di quella lontana battaglia gli aveva fatto venire gli occhi lucidi.

«Perché dici questo?», chiese contrariato il musulmano. «Fu una vittoria schiacciante. Riportammo con noi oltre cinquemila prigionieri. Per non parlare del Carroccio, che ostentasti praticamente a ogni occasione pubblica nei successivi due anni almeno».

Federico si strinse nella pelliccia di volpe che la sua guardia del corpo gli aveva fatto indossare. «Non avrei dovuto fermarmi. Avrei dovuto inseguirli e sterminarli tutti. Non avrebbero avuto modo di riorganizzarsi».

«Si sarebbero riorganizzati lo stesso. E poi, chi ti dice che avresti vinto ancora? Meglio fermarsi a una schiacciante vittoria che rischiare di perdere una seconda battaglia. I tuoi uomini erano raggianti, ma anche esausti. E i tuoi alleati non vedevano l'ora di tornare a casa per dividersi il bottino».

Federico annuì. Guardò lontano. Avevamo raggiunto un promontorio poco fuori dalle mura della fortezza di Castel Fiorito, da cui si riusciva perfino a intravedere il mare. Il vento aveva cessato di soffiare e il sole ci stava riscaldando piacevolmente.

«Forse hai ragione», disse l'imperatore. «Forse non avrebbe fatto altro che anticipare la caduta. Almeno mi sono goduto il trionfo per undici anni».

«Non c'è stata nessuna caduta», si affrettò a dire Addid. «Diciamo che nel corso degli ultimi anni si sono incrementate le fila dei tuoi avversari».

«Avversari. Nemici. Detrattori. Traditori». Federico sorrise. Un ghigno lattiginoso su un volto del colore della neve. «Se volessi fare il nome di ognuno di loro, ti ritroveresti a guardare il tramonto».

«Non c'è bisogno di fare troppi nomi. A me ne viene in mente uno solo».

«Una conclusione semplicistica».

«Affatto», rispose Addid voltandosi verso il suo imperatore. Lo abbracciava per non farlo cadere da quando erano scesi da cavallo. Non lo aveva mai abbandonato un istante, e adesso lo fissava negli occhi. «Io c'ero. Non ricordi? Mi ci mandasti tu».

«Già. Ma forse avrei fatto meglio a non farlo. Non sapere mi avrebbe giovato». Federico sospirò. «Probabilmente avrei preso decisioni meno impulsive».

«E invece facesti benissimo. Era ora che conoscessi il nome e il volto di chi ti voleva morto». Il saraceno scalciò un rialzo di neve che si trasformò in finissima polvere bianca. Federico sospirò. «Se solo penso che sono passati poco più di cinque anni da allora... ma non ti fermare, Ahmed. Continua il tuo racconto».

Lione, Alvernia, 1245 d.C.

Non era concesso agli uomini armati di entrare nella cattedrale. Per questo io e i cinquanta soldati saraceni che avevi scelto come scorta per la tua delegazione al Concilio fummo costretti a fermarci fuori dalla chiesa. A entrare, in tua rappresentanza, furono Taddeo da Suessa e Berardo da Palermo. Taddeo era allora uno dei tuoi più stretti collaboratori, uomo di una eloquenza disarmante e conoscitore puntiglioso delle questioni imperiali. Nessun altro avrebbe potuto perorare la tua causa in una situazione del genere meglio di lui. Anche se, ancor prima che partisse, eri già persuaso che ne sarebbe uscito da sconfitto.

Qualcuno disse una volta che la speranza è l'ultima a morire. Ma tu avevi sempre creduto che una speranza ben armata avrebbe venduto ben più cara la pelle, e avevi preparato quella situazione nei minimi particolari. La presenza di un alto prelato nella tua delegazione voleva essere un messaggio chiaro al papa. Tu non eri contro la fede cristiana, ma contro quelle storture che avevano peggiorato nel tempo la condizione della Chiesa, facendone uno spauracchio secolare che voleva togliere il lavoro ai sovrani, invece di occuparsi di anime.

Schierai i miei uomini a qualche centinaio di passi dalla cattedrale e con una scusa mi allontanai. Non mi sarei perso lo spettacolo per nessuna ragione al mondo. Dunque, trovai un sagrestano compiacente che mi fece accedere alla torre delle campane. Salii velocemente la scala a chiocciola scavata nella pietra e mi ritrovai nel punto più alto dell'edificio religioso. Attraverso alcune feritoie disposte sul cammino ascendente si riusciva a vedere benissimo cosa accadeva dentro la chiesa. Speravo che si potesse anche udire.

La cattedrale era stata addobbata per le grandi occasioni. Ceri accesi disseminati ovunque esaltavano i colori dei mosaici e degli affreschi murali. Le statue dei santi, proiettate in alto dalle ombre incombevano sulle figure umane, che come formiche si muovevano febbrilmente tra i banchi. Mi sarei aspettato una folla, ma la chiesa non era colma di gente. La mia presenza a corte al tuo fianco, anche nelle occasioni ufficiali, mi aveva insegnato a riconoscere volti e simboli. Così non ebbi difficoltà a individuare i rappresentanti italiani, francesi e spagnoli. Curiosamente non vedevo rappresentanti tedeschi, ungheresi e, appunto, siciliani, considerando che Berardo da Palermo non poteva essere conteggiato tra questi ultimi, visto che era presente in qualità di tuo negoziatore. Fin dalle prime battute, quel Concilio stava dando dei segnali chiari: poca partecipazione e molto imbarazzo. L'assenza di delegati tedeschi la diceva tutta sulla situazione difficile in cui l'evento aveva messo i tuoi vassalli.

Nonostante la presenza rassicurante di negoziatori come il conte di Tolosa e l'imperatore di Costantinopoli, la cattedrale di Lione appariva come l'arena del Colosseo, in cui un prigioniero indifeso e legato era circondato da belve feroci mentre la folla, stavolta composta da arcivescovi, vescovi e abati, incitava le fiere.

Ed eccolo lì, papa Innocenzo IV che dominava il coro, seduto sul più alto scranno, disposto sul più alto gradino dell'altare della navata centrale. Circondato dai fedelissimi: re Baldovino di Costantinopoli, i conti di Tolosa e Provenza, i patriarchi di Costantinopoli, Aquileia e Antiochia. Il pontefice, arrivato alla tiara per chissà quale singolare scherzo del destino, si compiaceva in silenzio dello spettacolo che si stava componendo lentamente davanti ai suoi occhi. Lo vedevo scrutare ogni volto, soffermarcisi come a volerlo classificare tra i nemici o tra gli amici e poi passare oltre, dopo aver dispensato un sorriso che certificava il suo giudizio. Quando contai, mi resi conto che non dovevano esserci più di centocinquanta persone quel giorno nella cattedrale francese. In una situazione normale il Concilio sarebbe stato dichiarato nullo per non aver raggiunto il numero minimo di delegati richiesti, ma quella volta non accadde. Quella volta sarebbe stata diversa da tutte le altre, quelle che l'avevano preceduta e quelle che sarebbero seguite.

Tutti si aspettavano che il papa prendesse la parola per primo, e difatti Innocenzo si preparò ad alzarsi, lisciandosi l'abito bianco rivestito da ricami dorati. Ma a un tratto qualcuno si alzò tra i banchi dei delegati e, muovendo il braccio destro, chiese di parlare. Mi sporsi dalla mia posizione per capire di chi si trattasse, ma i suoi tratti non mi dicevano niente. Solo quando cominciò a parlare capii che si trattava di un delegato russo. Parlò a lungo, ma visto che non si esprimeva nelle lingue riconosciute a livello diplomatico come il latino, il greco o perfino l'ebraico, molti non lo comprendevano. Il papa ebbe bisogno di un traduttore che gli sussurrasse il significato delle parole di quel prete in tempo reale. Io qualche parola di russo l'avevo imparata a corte, grazie ai tuoi continui consessi internazionali, e intuii in qualche modo che stava perorando la causa della Chiesa ortodossa nei confronti delle continue scorribande mongole, che rischiavano di mettere in pericolo i confini orientali dell'Occidente cristiano.

Il papa ascoltò in silenzio, quasi distrattamente. E già in quella occasione, vedendo la sua reazione, avrei dovuto comprendere che il suo giudizio sarebbe stato premeditato e quel concilio non rappresentava altro che un simbolico momento in cui il cerchio del suo piano contro di te finalmente poteva chiudersi.

Quando il prete russo tacque, Innocenzo IV si alzò dal suo scranno. Nella destra stringeva il bastone pastorale, nella sinistra un enorme rosario di grani di legno dipinti d'oro, più somigliante a uno di quegli strumenti di tortura ottomani che a un oggetto di preghiera.

«Guarda, o Signore, quanto siamo avviliti! Quanta pena appesantisce le nostre membra e spezza il nostro cuore!», esordì, rivolto a qualcosa di indefinito sopra la sua testa. Pensai che fosse un rituale consolidato quello di non cercare lo sguardo dei fedeli ma, col senno del poi, alla luce di ciò che avrebbe detto, capii che era la vergogna che muoveva le sue scelte, piuttosto che la ricerca della complicità del suo Dio.

«Sono cinque le lame che trafiggono il nostro cuore», continuò il pontefice. «La prima è senz'altro la minaccia che i mongoli stanno portando ai nostri fratelli d'oriente, e il delegato russo ha fatto bene a ricordarcelo. La seconda è la scelta dei nostri fratelli greci di tagliare inaspettatamente il cordone ombelicale che li legava da sempre alla Santa madre Chiesa di Roma. Il dilagare delle eresie, soprattutto nelle terre lombarde, ci toglie il sonno, così come la perdita di Gerusalemme, dopo i grandi sacrifici in preghiere».

Se mi fossi trovato di fronte a quell'uomo, in quel momento gli sarei saltato addosso a scimitarra sguainata. Gli avrei volentieri tagliato la lingua sull'altare dove parlava in nome e per conto di un Dio che sono convinto gli avrebbe fatto fare la fine degli abitanti di Sodoma. Nel citare la riconquista di Gerusalemme da parte dei miei fratelli musulmani aveva parlato di un sacrificio di preghiere, mentre io stesso avevo visto i corpi dei suoi crociati sporcare con il loro sangue le strade che portavano alla città santa. Per quell'uomo le preghiere e i simboli erano più importanti delle vite umane. Era questo che vi rendeva e vi rende ancora oggi così profondamente diversi.

Ma si era trattato solo di un preambolo, portato avanti con abile eloquio. Era ormai tutto pronto per l'affondo decisivo.

«Ma la ferita che più fa sanguinare il nostro cuore», ricordo che proseguì col dire, «è quella inferta da colui che ritenevo un figlio, il primo figlio di questa Chiesa che molto umilmente rappresentiamo. Primo perché *super partes* in ragione del suo rango. Un principe ostile, eretico, saccheggiatore di chiese, violatore di promesse e giuramenti».

Parlò di te per tutto il tempo del suo lunghissimo intervento. Ma non ti chiamò mai *sovrano* e men che meno *imperatore*. Quando pronunciò la parola *principe* ci si soffermò ad arte, allungando ogni lettera come se stesse accarezzando un serpente.

«L'uomo che oggi poniamo di fronte al vostro giudizio ha infranto ogni tipo possibile di patto dopo averlo sottoscritto, ha occupato le terre della Chiesa, ha perseguitato e massacrato fedeli innocenti che avevano la sola colpa di credere nella misericordia di Cristo e nella salvezza dell'anima. Mentre egli», continuò lanciando un'occhiata di fuoco all'uditorio, «egli vorrebbe sostituirsi a tale misericordia perché ritiene di essere superiore a Dio!», concluse brandendo il bastone pontificio.

Un mormorio di disapprovazione si levò tra i delegati riuniti nella cattedrale di Lione. Io sputai a terra mordendomi la lingua, mentre avrei voluto urlare tutto il mio sdegno per le menzogne che stavo ascoltando.

«Non siate sorpresi dalle nostre parole», continuò il papa, «poiché egli rinnega Dio ogni giorno con le sue azioni e i suoi pensieri. Non è più ormai un segreto per nessuno il fatto che la sua corte sia il rifugio di maghi, fattucchiere, stregoni di ogni sorta. Non è un segreto per nessuno il fatto che si circondi di lascive concubine saracene che condivide con i suoi fedelissimi, cortigiane pronte a varcare ogni confine della decenza e della pudicizia, laddove le nostre figlie in Cristo non oserebbero avventurarsi nemmeno sotto tortura».

L'atmosfera si stava facendo sempre più cupa man mano che le parole di Innocenzo si diffondevano tra le navate della chiesa, rimbalzate dall'eco. I volti degli astanti erano chini sulle mani giunte, sui rosari o semplicemente nascosti allo sguardo sferzante del pontefice. Molti dei preti presenti avevano condiviso le tue scelte, ti erano stati amici, ti avevano esortato anche per il bene della Chiesa a cambiare ciò che doveva essere cambiato. Ma adesso si trovavano in minoranza, e temevano per il giudizio che avrebbe potuto dare di loro il sovrano risorto di Roma.

Quindi fui molto sorpreso nel vedere qualcuno che si alzava lentamente dal suo scranno. Si trovava alla sinistra di Innocenzo, un paio di sedute più lontano, e solo quando fu in piedi la luce delle candele vicine riuscì a illuminare i suoi tratti, permettendomi di riconoscerlo.

«Santità», disse il patriarca di Aquileia, «in verità non vi sono prove che l'imperatore abbia commesso atti di eresia. A meno che non ci abbiate riuniti in questo luogo sacro per mostrarcele».

Ci fu un lungo momento di imbarazzante silenzio. Vidi il pugno destro del papa che si stringeva intorno al bastone pastorale fino a far impallidire le nocche. Fosse stato il collo di un pollo, avremmo avuto di che banchettare quella sera. «Mettete forse in dubbio la nostra parola?», urlò Innocenzo passando il bastone nella sinistra. Distese il braccio destro verso il patriarca e gli mostrò il simbolo che portava al dito. «Se ritenete che noi mentiamo, allora siate voi stesso a sfilare dalla nostra mano l'anello. Avanti!», strillò alzando ancora di più la voce che divenne un tuono nella chiesa. «Avanti! Fatelo!».

Il patriarca di Aquileia tremava. Accennò un breve inchino e si rimise a sedere. Lentamente. Come se temesse che una lama nascosta potesse trafiggergli le terga.

Il papa ne osservò i movimenti con un sorrisetto soddisfatto dipinto sulle labbra. Si voltò verso i delegati e fece per riprendere a parlare ma fu nuovamente interrotto. Stavolta a farlo fu l'unica persona in grado di difenderti. E io trassi finalmente un sospiro di sollievo.

Taddeo da Suessa era un oratore incredibile. Ricordo ancora adesso le interminabili gare che tenevi a corte e che egli immancabilmente vinceva, eliminando di volta in volta chiunque osasse sfidarlo. Usava la parola come io userei la scimitarra. E anche allora fece sfoggio di quella sua virtù.

«Le accuse mosse nei confronti dell'imperatore», esordì pronunciando per primo dall'inizio della seduta quella parola accostata alla tua figura, «mi lasciano sbalordito. Per la furia con la quale sono state lanciate, ma soprattutto per l'assenza pressoché totale di particolari, dettagli, informazioni. Mi sarei aspettato accuse, appunto, e invece abbiamo ascoltato solo invettive». L'avvocato dell'impero si allontanò dal suo posto e cominciò a passeggiare lentamente sotto allo scranno del papa, passando in rassegna uno a uno tutti coloro che sedevano al suo fianco in quella interminabile fila di accusatori. «Sua Santità ha affermato cose molto gravi, che comporterebbero per chiunque infamia imperitura, ma», e allora guardò per la prima volta negli occhi il papa, «dove sono le prove? Voi dite che l'imperatore è un eretico. Ma allora mostrateci le prove. Avete in mano sue dichiarazioni o gesti che in modo inequivocabile possano suffragare le vostre sante parole? Potete forse dimostrare che egli disprezzi le norme della Chiesa?». Poi affondò. «Mi rendo conto che la lotta strenua che egli conduce dal giorno della sua incoronazione nei confronti dell'usura possa procurarvi un qualche imbarazzo, poiché tutti siamo assai dispiaciuti del fatto che la Curia patisca da tempo di tale morbo, che pare essersi infiltrato a tutti i livelli nei meccanismi quotidiani del rapporto tra i vostri preti e i nostri cittadini». Vostri e nostri. Taddeo scandì in tal modo le differenze, le distanze, i ruoli. Da una parte il compito della Chiesa di curare le anime, dall'altra quello dell'Impero di preoccuparsi dei corpi. Né il papa e né l'imperatore dovevano o potevano oltrepassare il limite che la consuetudine aveva loro indicato.

A quelle parole il papa si lasciò cadere sul suo scranno. Il volto paonazzo. I lineamenti tirati. Ma non osò ribattere. In quel momento sarebbe stato inutile, e perfino troppo imbarazzante.

«Quanto alle dicerie sulle donne saracene…», riprese Taddeo, «sappiamo tutti come stanno le cose», proseguì ridacchiando. «Credete forse che un uomo come il nostro imperatore abbia bisogno di schiave per le sue voglie? Fuori dalla reggia di Palermo abbiamo la fila di nobildonne disposte a sacrificare i loro matrimoni, la loro verginità e la loro reputazione pur di passare una notte con l'aquila di Svevia. Ma il nostro imperatore è un devoto credente e un uomo sposato».

«Più volte», fece una voce in mezzo ai delegati. Il commento fu seguito da una generale risata.

Taddeo si voltò dalla parte da cui era arrivata la voce con sguardo sprezzante. «Forse per sua colpa? O per causa del fato che ha voluto togliergli dalle braccia l'amore giurato di fronte ai simboli che ci circondano?». Taddeo scosse il capo. Portò le mani dietro la schiena. «L'imperatore non ha bisogno di piatire ciò che il destino gli ha concesso naturalmente. Per cui statene certi: non ci sono prostitute saracene a corte».

L'utilizzo di quel termine in una chiesa fece sobbalzare dalla sedia gran parte dei delegati. Taddeo annuì e se ne compiacque. «Sì, avete capito bene. A quello stavate pensando e a quello pensava sua santità durante il suo intervento, e dunque è giusto chiamare le cose con il loro nome, così ci capiamo meglio». L'avvocato dell'impero diede le spalle al papa. Volutamente. E si rivolse ai delegati. «L'imperatore ha concesso ai suoi fedeli soldati saraceni una intera città e alle loro donne l'accesso alle sue corti per insegnare alle nostre donne la loro abilità artigianale. Il resto sono solo chiacchiere senza elementi di fondamento. Quanto alle sue amicizie con miscredenti e infedeli, non sono forse state utili a risolvere una contesa che durava da tempo immemore? Ricordo a tutti che grazie all'amicizia con il sultano d'Egitto, nata da reciproca stima, l'imperatore ha riottenuto la città di Gerusalemme e l'accesso a tutti i luoghi sacri della cristianità per ben dieci anni e senza lo spreco di una sola goccia di sangue. Quel sangue che domani sarete costretti a versare di nuovo per riaverla, dopo averla nuovamente persa, se non vi affiderete ancora a lui».

Stavolta il papa non sostenne l'invettiva e batté il bastone pastorale a terra facendo rimbombare tutta la chiesa.

«Adiratevi quanto volete, santità», lo incalzò Taddeo, «ma di certo non potete addebitare all'imperatore la perdita di Gerusalemme. Egli, invero, sarebbe perfino pronto a riconquistarla di nuovo, con i suoi metodi, e perfino a porre fine allo scisma della Chiesa d'Oriente, se gli fosse concesso. Se venisse considerato da voi e da tutti per quello che è: il difensore del regno e della fede».

Il papa scosse il capo e trasse dalla manica della veste pontificia un fazzoletto di lino bianco con il quale si deterse il sudore dalla fronte. «La vostra è una difesa assolutamente priva di argomentazioni e...».

«Perdonatemi, Santità», lo interruppe allora Taddeo, «ma io non ho nemmeno iniziato». Il tuo difensore aspettò qualche istante per mettere Innocenzo con le spalle al muro. «Invero, con il vostro consenso, vorrei andare al punto».

Il papa strinse nel pugno il fazzoletto umido e lo nascose di nuovo tra le pieghe della veste. Poi, solo dopo una impercettibile esitazione, annuì. Un gesto che agli occhi di Taddeo voleva dire molto e agli occhi di tutti gli altri anche qualcosa di più. Il papa, concedendo di nuovo la parola al tuo difensore, lo poneva sul suo stesso piano di interlocuzione. Da quel momento non si trattava più solo di una riunione per accusarti, ma di una discussione che permetteva di difenderti.

Taddeo fece un inchino. Lentamente, in modo che nessuno tra coloro che si trovavano nella cattedrale potessero perderselo.

«Santità», riprese allora con il solito tono suadente, «l'imperatore non è affatto la persona che si sta cercando di dipingere in questa sede. Si tratta invece di un sovrano da sempre aperto al dialogo, alla riflessione e pronto a riconoscere, qualora se ne presenti occasione e modo, tutti i suoi possibili per quanto improbabili errori. Le accuse che gli vengono mosse sono basate su dicerie, su pettegolezzi, ma non vedo fatti, non vedo prove». L'avvocato dell'impero riprese a camminare. «Le accuse che gli vengono mosse a dire il vero, lo so per certo, rappresentano profonde ferite quotidiane all'orgoglio di chi ha giurato nelle mani di Dio di difendere il suo popolo e la sua fede. Che ciò sia avvenuto e avvenga in modo diverso da quanto pensiate o desideriate voi è un dato di fatto, ma guardiamo all'obiettivo. Voi sostenete che la contiguità dell'imperatore con la comunità musulmana è un affronto alla fede comune, ma non è forse vero che egli conduca in battaglia per la difesa della fede proprio i suoi soldati musulmani? Voi vi lamentate che troppo sangue cristiano viene versato in Terrasanta, ma il fatto di servirsi di soldati non cristiani non risparmia forse ai vostri occhi questo sacrificio? Quando il sangue musulmano si è trasformato ai vostri occhi da risorsa a veleno?»

«Un conto è promettere e un conto mantenere! Federico è un bugiardo!», si levò una voce tra i prelati in ascolto.

Il papa sollevò un braccio e tornò il silenzio. Taddeo accolse quel gesto di soccorso con un cenno del capo. «Santità, anche se le vostre accuse avessero un briciolo di fondamento e, badate bene, in questo momento io non sto affatto ammettendo che ne abbiano, sarebbero di una tale gravità che nemmeno il migliore avvocato del mondo potrebbe parlare in sua vece per discolparlo. Sono infatti convinto che egli possa e debba farlo di persona. Da parte mia posso solo assicurarvi che egli è pronto a prendere le armi per difendere la cristianità dal pericolo mongolo, per riconquistare Gerusalemme e per riportare all'ovile in ogni modo e con ogni mezzo gli scismatici che in queste ore stanno procurando così tanto nocumento al vostro sonno. Ma vorrei che fosse lui stesso a dirvelo, e non un suo modesto emissario qual sono io», concluse con l'ennesimo inchino.

«Federico ha già promesso abbastanza. Lo ha fatto ai nostri predecessori e lo ha fatto a noi», disse allora Innocenzo. «Ma ha ragione chi», continuò guardando verso il punto da cui poco prima si era levata la protesta nei tuoi confronti, «sostiene che è un uomo più di promesse che di fatti».

«Vi propongo allora di convocare l'imperatore qui, in questa sede, e chiamo i sovrani di Francia e Inghilterra a fare da garanti per le sue promesse». Taddeo si guardò intorno. Gli sguardi dell'imperatore di Costantinopoli, seduto vicino al papa, e quelli di molti degli ambasciatori degli Stati cristiani in Medio Oriente si erano rabboniti e rilassati a quelle ultime parole. «Dunque», concluse davvero stavolta, «chiedo che a tale scopo la seduta di questo concilio venga aggiornata e nessuna decisione sia presa oggi». Infine tacque, e spostò lentamente gli occhi su quelli del papa.

Spettava a Innocenzo la mossa successiva.

Taddeo sapeva che il pontefice aveva a disposizione due possibilità per uscirne. La prima era quella di negare l'aggiornamento del concilio, ma in tal modo avrebbe certificato la posizione di supremazia dall'alto della quale intendeva giudicare l'imperatore, e vincere barando non avrebbe rappresentato proprio il modo migliore per levarti di mezzo. La seconda era quella di aggiornare davvero il concilio. Questo poteva avvenire in due modi: attraverso una votazione, che però avrebbe determinato il numero dei suoi detrattori o, se preferisci, dei tuoi sostenitori, oppure facendo pesare il suo ruolo.

Il papa chinò il capo per riflettere. Poi lo rialzò e guardò verso il fondo della cattedrale. «Il concilio è aggiornato a un mese da oggi», fu la sua lapidaria dichiarazione.

Un brusio si levò tra i delegati. Un misto di sollievo, riprovazione, sconcerto. Tutte le voci e i pensieri delle due fazioni in lotta si mescolarono in un unico, roboante suono indistinto.

Taddeo da Sessa si lasciò sfuggire un sorriso e poi, inaspettatamente, alzò lo sguardo verso la feritoia da cui io stavo osservando la scena. Come se mi avesse visto. Come se sapesse dall'inizio che io ero lì. Poi, a passo veloce, fu il primo ad abbandonare la chiesa di Lione.

Florentium, Capitanata, Apulia Normanna, dicembre 1250 d.C.

«Bastardo, mentitore, figlio di puttana». Federico tentò di digrignare i denti per sostenere quegli insulti rivolti al papa, ma le forze gli consentirono a malapena di pronunciarle.

Aveva cominciato a tirare un leggero vento, ma non c'era indizio che potesse far prevedere una nuova nevicata. Il sole si era ammantato di nubi bianche e il calore che arrivava dove i due uomini stavano fermi a guardare l'orizzonte era qualcosa di molto simile a quello che emana una brace spenta da qualche ora. Tuttavia, l'imperatore non pareva particolarmente a disagio in quella situazione e aveva ascoltato il racconto della sua guardia del corpo con attenzione.

«Innocenzo non attese lo scoccare del trentesimo giorno, e nemmeno che io arrivassi a Lione come concordato», proseguì l'imperatore. «Ricordo che la notizia che aveva emesso la sentenza mi giunse quando ero accampato nei pressi di Torino, mentre ero in viaggio proprio per Lione. Rammento che me la portasti tu, evitando che lo facesse qualcuno che potesse leggere sul mio volto la smorfia di disappunto che in effetti feci».

«Me lo aspettavo. Per questo volli essere io il messaggero», rispose Addid. «Ma io mi aspettavo anche che il papa non avrebbe atteso. A essere sinceri, Taddeo mi confessò che lo temeva anche lui, ma che non aveva il coraggio di dirtelo. La sua arringa magnifica aveva solo ritardato ciò che era scritto».

Federico si liberò con un gesto gentile della stretta dell'amico musulmano e fece un passo in avanti. Addid esitò a lasciarlo, ma poi si rese conto che l'altro riusciva a stare in equilibrio e lo lasciò fare. L'imperatore prese una profonda boccata d'aria. «Il freddo che entra nei polmoni è corroborante. Per questo amo svegliarmi all'alba ogni giorno. Mi aiuta a pensare». Parlava come se fosse una giornata qualunque. Come se si trovasse in una delle sue regge sparse nel sud dell'Italia, e non in convalescenza in una sperduta rocca del Tavoliere. Si voltò verso Addid e la sua espressione cambiò improvvisamente. «Lo sai cosa significa destituire un imperatore?»

«Posso rendermene conto», rispose il saraceno, senza aggiungere altro e badando a non dare alle sue parole alcuna inflessione particolare.

«Sono passati solo cinque anni da allora, eppure mi sembra che sia trascorsa una vita». Federico tornò indietro per cercare l'appoggio di Addid. «Molti ci avevano provato prima, ma nessuno aveva osato. E invece quel maledetto figlio di puttana lo ha fatto davvero. A tradimento. Mentre stavo arrivando per trattare. E poi sarei io, quello che non mantiene le promesse e che non rispetta i patti». Si fermò e abbassò la testa a terra. «E questo mi portò a commettere un altro errore. Non è così?».

Addid restò in silenzio per un bel po'. «Probabilmente avrei reagito così anche io. Forse peggio», lo rincuorò.

«Ricordo che stavo nella mia tenda quando arrivasti con la notizia. Scattai in piedi e aprii a calci un forziere che conteneva il tesoro di guerra. Afferrai una moneta che ritraeva il mio profilo, uscii dalla tenda e la scagliai verso il cielo come se volessi colpire Dio. Mi sentivo offeso, umiliato, tradito. Ma non sconfitto. Ti ricordi quello che dissi?»

«"Non ho ancora perduto la mia corona, e nessuno me la porterà via senza una guerra sanguinosa"», recitò Addid a bassa voce. «Te lo avevo sentito dire anche una volta a Palermo, quando una delle nostre bande rivali voleva impossessarsi di quella ridicola cuffietta ricamata che ci avevi fatto vedere il primo giorno che ti avevo conosciuto».

«Quella ridicola cuffietta, come la chiami tu, era la corona di re di Sicilia».

«Sì, ma sempre ridicola era. Una corona è di ferro, di bronzo, d'argento o d'oro. Ma a te avevano rifilato una cuffietta da notte a cui avevano appiccicato sopra un po' di pietre colorate». L'intento del saraceno era quello di spezzare la tensione, ma quando ebbe finito la frase temette di non esserci riuscito, perché l'imperatore non reagì subito. Ma poi Federico ridacchiò e gli batté una mano sulla spalla. In altri tempi il saraceno avrebbe sentito il colpo vigoroso dell'amico, ma stavolta non se ne accorse neppure.

«E adesso vai avanti. Il racconto non è ancora finito».

«A me pare di sì, invece», provò a mentire Addid.

«No», sentenziò Federico. «C'è ancora l'ultima battaglia».

«Sei sicuro?»

«Ma certo. Fuggire dalla realtà non è mai la cosa migliore. Ti ascolto».

Così Ahmed Addid si preparò a raccontare l'ultima storia. Quella che aveva segnato la strada della rapida discesa in cui Federico stava ancora scivolando. La sconfitta che aveva segnato il destino di un sovrano e aveva illuminato temporaneamente quello di uno sciancato.

Parma, Marca lombarda, 18 febbraio 1248 d.C.

A Parma tutti lo chiamavano Cortopasso, per via delle sue gambe storte e per colpa di quell'andatura dinoccolata e incerta per cui non si sapeva mai se potesse cadere o restare in piedi. Da giovane faceva il calzolaio, ma con l'età e la propensione al bere, di quel mestiere aveva mantenuto solo un buco di dieci passi per dieci dove si andava a rifugiare dopo una sbronza. Ogni tanto qualcuno gli commissionava qualche lavoretto, ma era cosa assai rara e succedeva solo quando il giovane ciabattino della città si ammalava o partiva per andare a comprare scorte di cuoio per la bottega.

Quella mattina Cortopasso era insolitamente sobrio. A farlo stare così lucido non era certo il lavoro, ma piuttosto la paura. Tutti dobbiamo morire prima o poi, e Cortopasso lo sapeva, ma quella mattina il ciabattino zoppo era convinto che a lui sarebbe toccato assai presto.

Parma era sotto assedio. Tu avevi schierato gran parte delle tue truppe intorno alla cinta muraria, e nel frattempo avevi costruito a poche miglia di distanza una nuova città che avrebbe dovuto sostituire quella che volevi radere al suolo, al colmo della tua ira per il voltafaccia che i parmensi avevano fatto nei tuoi confronti rischierandosi con i guelfi del papa. Non avevi mandato giù la scomunica, non avevi mandato giù la simbolica destituzione del Concilio di Lione e non avevi mandato giù le successive defezioni tra le tue fila, che ti avevano privato di alcuni contingenti molto utili per tenere a bada i bollori dei leghisti lombardi. La rivolta di Parma era stata la goccia che aveva fatto traboccare il vaso.

Il vecchio ciabattino non sapeva leggere e non sapeva scrivere, ma come tutte le persone ignoranti ma di cultura, sapeva ascoltare e sapeva imparare. Quel giorno di febbraio si era alzato poco dopo l'alba con l'intento di far leva sulla sua zoppia per raggranellare qualche moneta, e si era messo a vagare per i vicoli di Parma che delimitavano i confini dei quartieri alti, dove abitava la gente imbottita di denaro. Ma nessuno gli aveva dato retta. Aveva visto sulla faccia dei cittadini che aveva incontrato una strana espressione di terrore, tristezza e incertezza. Nelle bettole dove aveva sonnecchiato fino al calar della notte si diceva che l'imperatore spodestato, tale Federico di Swabia o qualcosa di simile, si era stufato di assediare Parma. La resistenza inaspettata della sua gente lo aveva indispettito e presto, forse di lì a qualche giorno, avrebbe riversato nelle strade barili di pece infuocata per bruciare strade e palazzi, e con essi tutta la gente che ci abitava.

A prescindere dalla ricchezza e dalla cultura. Dunque, anche Cortopasso si sentiva in pericolo.

Si immaginava a vagare per le strade infuocate con quel suo andamento sbilenco. Mentre la gente intorno si metteva in salvo sfuggendo di corsa alle fiamme, egli le avrebbe dovute sicuramente inseguire. Di fronte alla necessità di scappare da qualcosa, Cortopasso si sentiva spacciato.

Per questo gli venne un'idea. L'unico modo di sfuggire alle fiamme doveva essere quello di non farsi trovare al momento in cui avessero aggredito la città. Così decise che doveva scappare. Per tempo.

Cortopasso non aveva bagagli da tirarsi dietro e nemmeno mogli o figli di cui essere responsabile. Doveva solo darsela a gambe, se questa espressione poteva essere adatta a uno come lui, che di gambe ne aveva forse una e mezza a essere ottimisti.

Al termine della lunga elucubrazione, Cortopasso smise di mendicare e si guardò intorno. Si rese conto quasi improvvisamente che la gente non camminava ma correva. C'era chi cercava rifugio in qualche cantina, chi si trascinava dietro pesanti sacchi con improbabili tesori da salvare e chi, semplicemente, guardava al cielo sperando che un Dio misericordioso gli calasse una corda per ascendere al paradiso.

Cortopasso, dall'alto della sua esperienza di sciancato, sapeva che quelle erano tutte fandonie e che l'unico modo per salvare la pelle era quello di preoccuparsene in prima persona. Così, senza dare troppo nell'occhio, si avvicinò alle mura di cinta della città. I camminamenti erano pieni di soldati che scrutavano lontano. I sergenti passavano in rassegna gli arcieri e le catapulte, pronte a lanciare olio bollente qualora il nemico avesse deciso di assalire le mura. Gli alabardieri ingrassavano le armature, mentre i carpentieri si davano da fare per rinforzare le placche degli elmi. Insomma, un viavai concitato di militi che tutto avevano in mente fuorché di badare a un vecchio storpio che bighellonava in giro.

Cortopasso non doveva fare altro che aspettare il momento opportuno. E quel momento arrivò poco dopo mezzogiorno. Il ciabattino zoppo si era fatto il giro delle mura orientali, sicuro che quelle principali, che si affacciavano sull'esercito del nemico schierato, sarebbero state troppo presidiate per i suoi scopi. Ogni tanto gli assediati mandavano fuori qualche volontario per recuperare le frecce e le pietre scagliate negli assalti precedenti. Le scorte stavano lentamente scemando, e quello era l'unico modo per impedire al tempo di allearsi con l'avversario.

La porta orientale si aprì e una dozzina di soldati in armatura leggera uscirono, armati di sacchi e spade corte. Prima che i battenti si richiudessero alle loro spalle, anche Cortopasso era riuscito a sgattaiolare fuori, grazie all'aiuto di un cavallo particolarmente nervoso che aveva attirato l'attenzione delle guardie.

Vidi per la prima volta Cortopasso in mezzo alla boscaglia che circondava Parma, ma non ci feci caso e mi ricordai di averlo già incontrato solo quando accadde la seconda volta. E solo allora mi resi conto di come avessi terribilmente sottovalutato quell'incontro inaspettato.

Avevamo lasciato Victoria con il grosso delle truppe al seguito per una battuta di caccia. Da quando avevi cominciato a scrivere quel trattato sulla falconeria era diventato un tuo chiodo fisso. Non c'era occasione, ricorrenza, trasferta o viaggio in cui non trovassi un momento per andare a caccia. Del resto, avevi passato le ultime settimane a costruire una vera e propria città, e tutto sommato te lo meritavi.

Eri sicuro che prima o poi Parma avrebbe capitolato, con le buone o con le cattive, e avevi fatto erigere a poche miglia di distanza la sua sostituta, che avevi voluto chiamare in modo benaugurante. All'inizio doveva essere un accampamento d'assedio, ma con il passare dei giorni si era trasformato in qualcosa di molto diverso e più ambizioso.

Avevi fatto innalzare una tendopoli circondata da fossati, ma poi avevi cambiato idea. Avevi fatto togliere le tende e al loro posto avevi fatto costruire case di legno e strade con canali di scolo, e attorno avevi fatto innalzare alte mura, il cui perimetro era segnato da ben otto torrioni. Vicino alle case, nel giro di qualche settimana, erano cresciuti negozi, chiese, mercati al coperto, palazzi amministrativi. E avevi voluto trasferire in quella nuova dimora molte delle cose più importanti della tua corte. La cancelleria, parte del tesoro dell'impero, il conio per battere moneta, gli alloggi imperiali e perfino un giardino a cui avevi dato un nome che ai più non diceva nulla, ma che per noi aveva un grande significato: Terra d'Ombra. Il nome di un colore per tutti gli altri, quello di un vecchio amico per me e per te. Per far contento il papa avevi fatto trasferire a Victoria anche un contingente di danzatrici saracene, che la sera facevi ballare al ritmo di strumenti chiassosissimi, in modo che la melodia arrivasse anche alle orecchie degli assediati e le loro menti potessero vagare in incubi e tentazioni.

Un'opera imponente. Col senno del poi azzardata ed esagerata, ma che era stata preceduta da segni beneauguranti a cui avevi dato, come sempre facevi, tanto, troppo retta. I tuoi astrologi avevano calcolato le date della fondazione individuando la favorevole posizione di Marte, gli auguri avevano seguito il volo delle aquile e l'aratro aveva fatto il suo dovere. Se dovessi basarmi sul risultato ingegneristico finale, direi che i tuoi consiglieri avevano avuto ragione. Ma avresti dovuto consultare anche qualche veggente, perché avrebbe visto oltre. Invece ti limitasti a osservare ciò che i tuoi occhi potevano osservare. Come feci io.

La valle di Taro sembrava il luogo più adatto a una battuta di caccia. Sufficientemente umido e acquitrinoso, ma non troppo caldo da stancare cavalli e cacciatori. Mentre eravamo all'inseguimento di una preda particolarmente furba e veloce, una figura tozza e sgraziata ci tagliò la strada. Tu tirasti le redini fin quasi a far strozzare il cavallo per non travolgerla, e quando la nuvola di polvere sollevata dagli zoccoli si diradò ce lo trovammo davanti. Rannicchiato a terra con la testa tra le mani, le gambe storte intrecciate a formare una sommaria croce.

Cortopasso ci mise un bel po' per alzare la testa. Tremava tutto mentre ci passava in rassegna fino a fermarsi su di te. Restò a fissare il tuo elmo sormontato dall'aquila nera per lunghi momenti.

«Chi sei? Perché sei qui?», feci io con tono fermo.

«Cor… Cortopasso, mi chiamano», rispose lo storpio fischiando un po' le parole per colpa di una dentatura altalenante. «Sto… sto scappando».

Era stato sincero. Ma solo quella volta. Per questo gli credemmo. Uno storpio che fugge da una città sotto assedio. Beato lui. E poi, che pericolo avrebbe potuto rappresentare per il più potente esercito occidentale un uomo incapace di restare ritto sulle gambe fino a contar le decine? Non valeva nemmeno la pena di farlo prigioniero e rovinare la battuta di caccia. O forse sì.

Lo lasciammo andare.

Ma Cortopasso non scappò.

Ti aveva riconosciuto.

E tornò indietro.

Nella città che lo aveva sempre preso a calci nelle palle per la sua condizione, che lo aveva bullizzato, che lo aveva ridotto in povertà.

Nonostante ciò, Cortopasso tornò indietro.

La seconda volta che vidi Cortopasso fu a poche miglia di distanza da Victoria. Stringeva in mano la tua corona imperiale e saltellava come un coniglio ferito. Ma non lo fermai, perché non mi accorsi che si trattava della tua corona. In verità, ero troppo sconvolto per quello che era accaduto.

Quel maledetto storpio, invece di continuare a scappare, era tornato a Parma e aveva raccontato agli assediati di aver visto l'imperatore e gran parte delle sue truppe lontano dalla città che avevi edificato.

La fame e la disperazione fanno prendere decisioni impensabili. Anche quelle che possano fare a pugni con i numeri. Così gli ultimi assediati di Parma, stanchi e affamati, decisero di compiere una sortita, e mentre tu eri a caccia attaccarono Victoria, trovandola pressoché priva di difese. Prima di sferrare il colpo decisivo avevano però visto bene di impegnare il corpo di guardia a est con una seconda sortita, necessaria per attirare l'attenzione anche degli ultimi rimasti.

La furia distruttiva dei parmensi era stata inarrestabile. Victoria fu messa a ferro e fuoco, i palazzi distrutti, le case bruciate, le poche centinaia di guardie imperiali restate a presidiare la città in nostra assenza furono torturate e massacrate. E fu in quei frangenti che morì anche l'uomo che più avevo stimato tra i tuoi collaboratori. L'uomo che avevo accompagnato a Lione, che aveva saputo tenere testa all'arringa di un papa e che era uscito a testa alta da una cattedrale gremita di nemici.

Lo trovai impalato e decapitato proprio all'inizio della via pretoria di Victoria. Come un dono di benvenuto tra le fiamme.

Molti ti avevano abbandonato, ma Taddeo era morto per non farlo.

Qualche settimana più tardi, nel tentativo di recuperare ciò che era stato saccheggiato a Victoria venni a sapere che Cortopasso aveva venduto a un mercante di passaggio tutto quello che aveva trovato tra le macerie. Inclusa la tua corona. Per sole venti monete. Fu impossibile ritrovare quel mercante, e anche se ci fossi riuscito, sono convinto che non avrei potuto ritrovare la corona. In pochi giorni probabilmente era passata di mano cento volte e adesso chissà in quanti resti era stata smembrata. O magari si trovava in una teca, nell'abitazione di un barone lombardo pronto a ostentarla davanti ai suoi amici e alle sue puttane.

Fu quella la tua ultima battaglia da imperatore.

Fu quella...

ATTO SESTO
VENTO DI SOAVE... ULTIMA POSSANZA

Florentium, Capitanata, Apulia Normanna, dicembre 1250 d.C.

«La mia ultima battaglia». Federico accompagnò quella frase con un breve tremito. «Ma conoscere il nome di chi mi ha sconfitto mi ha fatto bene. Alla fine, dove non sono riusciti tutti gli altri, ce l'ha fatta uno storpio ubriacone».

Stava ricominciando a nevicare. Appena qualche fiocco, ma poteva essere l'avvisaglia di qualcosa di più intenso che era meglio affrontare al chiuso.

Addid rinsaldò la presa sollevando appena l'amico in modo da potergli passare tutto il braccio attorno alle spalle. Il sovrano era un peso leggero. Tremendamente leggero.

«Andiamo. Torniamo indietro», esortò il saraceno.

«Aspetta. Voglio prima farti vedere una cosa», rispose Federico, resistendo al tentativo dell'amico di riportarlo sul sentiero che avevano disegnato nella neve con le loro impronte.

«È inverno e il sole calerà presto. Sta anche ricominciando a nevicare, e fra non molto farà di nuovo molto freddo», insisté Addid. «E poi avranno già scoperto che non ti trovi nei tuoi alloggi e ti staranno cercando dappertutto».

«Ti prego. Solo un attimo», insistette Federico guidando la guardia saracena verso un risicato boschetto di alberi bassi dai rami appesantiti di bianco.

Mentre si avvicinavano Addid si guardava intorno con una certa preoccupazione. Non voleva continuare ad allontanare il sovrano dal conforto di un giaciglio e di una brace rovente. Aveva azzardato già molto. Ma Federico si fermò dopo qualche passo.

Il sovrano indicò qualcosa con la mano sinistra. «Guarda. È qui».

Addid cercò con gli occhi in mezzo ai cespugli, e finalmente individuò un rigonfiamento del terreno. In cima era stata conficcata un'asta, che sorreggeva una placca su cui erano state incise parole illeggibili da quella distanza. Per questo il saraceno avrebbe dovuto avanzare, ma non se la sentiva di lasciare solo l'amico malato.

«Vai, tranquillo», disse allora Federico. «Io mi siedo qui e ti aspetto», aggiunse dopo aver trovato nei pressi una pietra dalla forma levigata. Facendosi aiutare la usò come seduta e poi incrociò le braccia in grembo.

Ahmed Addid passò lo sguardo più volte dal rigonfiamento all'imperatore, indeciso su cosa fare.

«Forza. Sono tre passi al massimo», lo esortò Federico, «se dovessi sentirmi male farai in tempo a soccorrermi».

Il soldato saraceno annuì e si avvicinò all'asta. Sulla placca lesse una sola parola.

Ombra.

Si voltò di scatto. «Credevo che lo avessi fatto seppellire a Palermo o a Foggia. Perché qui?»

«Perché voglio averlo vicino, quando succederà».

«Quando succederà? Cosa?»

«Quando morirò. Voglio che il cerchio si chiuda».

«Federico, tu non morirai. O almeno, non morirai qui».

«Oh, sì invece. Io morirò, e morirò proprio qui».

Addid lanciò un'ultima occhiata alla tomba del leone. Si abbassò per poter sfiorare con una carezza il cumulo di terra. «Frequenti troppi saraceni. Stai diventando cocciuto come loro».

Federico fece una breve risata. Evidentemente il movimento dei muscoli della faccia e del torace gli provocò una fitta di dolore, perché il sorriso terminò con una smorfia che fece accorrere subito la sua guardia del corpo.

Il sovrano sollevò la testa mentre l'altro lo prendeva per le braccia. «Ti ho mai raccontato perché Michael Scot andava sempre in giro con una calotta di ferro in testa?»

«No», rispose il saraceno facendo rimettere in piedi l'imperatore. «E non mi sembra nemmeno questo il momento per farlo. Piuttosto andiamo a riprenderci i cavalli e torniamo nella fortezza».

Federico strinse il polso del soldato. «E invece è il momento più adatto. Credimi».

Ci sono momenti nella vita in cui la cortina che ci consente di ignorare verità che possano farci male si dissolve. Avviene sporadicamente, per fortuna, e l'effetto dura solo qualche istante. In quel momento, davanti alla tomba del leone, il soldato saraceno si rese conto di sorreggere un uomo che aveva mantenuto solo la parvenza di un sovrano. Un uomo fragile, malato, che conservava l'aura del sovrano nel ricordo alimentato da chi gli restava ancora fedele. Eppure, c'era ancora una cosa che né il papa e né i suoi nemici leghisti avrebbero mai potuto cancellare. Ciò che Federico aveva rappresentato per chi, come Addid, lo aveva amato. E non come re, ma come un amico d'infanzia, un compagno di giochi e scorribande, una guida, un punto di riferimento, un sovrano illuminato che gli aveva insegnato le vie della riflessione, della ricerca, della curiosità per l'inconoscibile e tutto ciò che poteva apparire ostile perché diverso. Addid si sentiva convinto che quell'uomo, ormai un relitto per la politica, avrebbe continuato a brillare di luce propria per tutti coloro che, nelle generazioni a venire, fossero stati disposti a vedere il mondo con sguardo nuovo. Qualcosa di diverso e di lontano dal corpo che egli sorreggeva in quel momento. Qualcosa di più vicino al mito che aveva avuto il privilegio di accompagnare in vita.

«Va bene, Federico», disse Addid mentre gli occhi gli si velavano. «Racconta tu, stavolta».

Palermo, Regno di Sicilia, Reggia Imperiale, 1230 d.C.

Non c'era giorno della mia permanenza a Palermo in cui non usassi recarmi presso il laboratorio di Michael Scot. Come sai, era di origini scozzesi, ma una volta adottato dalla corte siciliana finimmo tutti per chiamarlo Michele Scoto. Più che un laboratorio, il suo era un palazzo. Per arrivarci ci voleva un'ora di cavallo al trotto. Per questo ci passavo qualche volta al termine della mia quotidiana battuta di caccia, facendo una piccola deviazione. Mi lasciavo alle spalle i falconieri, la scorta e la cacciagione e mi addentravo nella boscaglia.

Scoto non amava la vita di corte. Si faceva vedere di rado a palazzo reale. Spesso ero costretto a convocarlo, altrimenti se ne sarebbe rimasto nascosto nel suo rifugio per intere settimane. Mi dicevano che la servitù spesso ritirava i vassoi con i suoi pasti ancora pieni. Era una delle persone più colte e intelligenti che avessi mai conosciuto, ma proprio per questo, anche una delle più strane.

Quel giorno pioveva. Lasciai il cavallo fuori dal palazzo, legato a un albero a poche decine di passi dal cancello principale. Attraversai il sentiero a lunghe falcate, lasciandomi cullare dalle domande che avevo formulato la settimana precedente e che ancora non avevano ricevuto risposta. Era strano, poiché Scoto non si faceva mai attendere. Poteva saltare un pasto, ma non una risposta a un quesito del suo imperatore.

Il palazzo, come lo chiamavo io, era una sorta di capanno sviluppato su tre piani, sorretto da architravi di legno e provvisto di un sotterraneo al quale si poteva accedere solo tramite una scaletta a chiocciola tanto ripida quanto scomoda. Non c'era un tetto, e l'ultimo piano era coperto solo da una volta di vetro dalla trama in ferro, ai cui lati erano stati prodotti fori circolari per il passaggio di enormi tubuli muniti di lenti, attraverso i quali Scoto passava le ore a guardare i movimenti degli astri.

E fu proprio nel suo osservatorio che lo trovai.

Quasi non si accorse del mio arrivo, tanto era preso da una serie di calcoli disegnati su un tavolo inclinato di ardesia, che ritoccava con rapidità febbrile ogni qualvolta staccava l'occhio da uno dei suoi tubuli.

Fui costretto a tossire.

«Maestà, è un onore avervi in visita alla mia modesta bottega», disse senza voltarsi. Come faceva ogni volta che venivo a trovarlo. Usando sempre la medesima frase di convenevoli.

A un certo punto della nostra amicizia, perché di questo si trattava piuttosto che di un rapporto tra sovrano e suddito, mi convinsi che delle mie visite non gli importasse nulla. O che addirittura le trovasse fastidiose. Avrei dovuto diradarle, per occuparmi di faccende più importanti per l'impero. Ma tu sai più di chiunque altro che la mia curiosità supera qualunque incombenza e le domande che i miei servi gli recapitavano praticamente a ritmo giornaliero meritavano risposte.

Ogni volta che sentivo quella frase, non rispondevo. Aspettavo che fosse lui a fare la mossa successiva. Mi limitavo a passare lo sguardo sulla miriade di strani aggeggi che facevano bella mostra di sé, sparsi apparentemente alla rinfusa sugli enormi tavoli di legno che perimetravano l'osservatorio come basse mura fortilizie.

Passarono lunghi istanti di silenzio, come sempre imbarazzanti. Poi, finalmente, Scoto mi prestò attenzione. Quando si voltò definitivamente dalla mia parte, la calotta di ferro che teneva in testa scintillò della luce riflessa delle numerose candele che aveva sparso tutte intorno. Non amava i bracieri, diceva che erano troppo ingombranti, difficili da curare e altrettanto difficili da spostare. Le candele erano più semplici e comode nella loro banale funzione di diffondere luce e calore. Io sono ancora convinto che fosse per colpa di quella sua coppa di ferro. La luce troppo intensa ne rivelava la forma e la grandezza, e trasformava il suo cranio in una sorta di gigantesco uovo.

«Sono sempre più convinto che Dio abbia creato i pianeti e le stelle per dare messaggi agli uomini», disse infine sollevandomi dall'imbarazzo.

«Lo credete davvero?», feci per assecondarlo. Non andavo quasi mai subito al sodo. Sapevo che poteva irritarlo.

«Ma certo», proseguì Scoto. «E vi dirò di più. Sono assai sicuro che gli astri possano darci, se osservati nel modo più corretto, perfino precise indicazioni sullo svolgersi degli avvenimenti futuri e non solo».

«Che intendete dire, messer Scoto? Forse che le stelle possano un giorno sostituire auguri e aruspici per lasciare tutto in mano degli astronomi?»

«Non me la sento di essere così netto», rispose Scoto, cominciando a pulire la lente del tubulo che aveva appena finito di consultare. «Ma invero posso affermare che dagli astri si possa eccepire la natura di un certo avvenimento, l'energia che esso può sviluppare su tutti coloro che ne siano coinvolti, e perfino i tempi entro i quali si possa realizzare». L'astronomo di corte si avvicinò a me e mi osservò come fa un maestro con il suo piccolo allievo. «Credetemi, maestà, quando vi dico che i corpi celesti non sono la causa degli avvenimenti, ma il loro alfabeto. Quello che leggiamo dal movimento degli astri non influenza l'avvenimento, ma lo racconta per come si svilupperà».

«Interessante».

«Interessante? Ma vi rendete conto che questo può cambiare completamente la prospettiva? Basta con tutti quei ciarlatani che cercano di convincerci che il Sole ci aiuterà ad avere un buon raccolto. O che la Luna ci darà buona pesca. Il Sole e la Luna ci indicano quando seminare e quando navigare al largo. Sono indicatori, non precursori».

Io annuii senza aggiungere altro. Un azzardo avrebbe potuto scatenare la sua logorrea. Scoto se ne rese conto e sorrise.

«Ho le risposte alle vostre ultime domande», disse chiudendo il monologo. «Ma prima ditemi, avete trovato di vostro gradimento l'astrolabio che richiesi al sultano d'Egitto?».

Quell'astrolabio non era stato di mio gradimento, ma semplicemente il regalo più prezioso che avessi mai ricevuto nella mia vita oltre alla nascita di mio figlio Manfredi, che tu sai amo come me stesso. Il sultano, su imbeccata di Scoto, me lo aveva fatto recapitare insieme a un prezioso volume, che però non era mai giunto tra le mie mani e che il mio astrologo aveva visto bene di requisire come percentuale per il lavoro portato a termine. Si intitolava *Il Libro dei Nove Giudici* e a quanto pare doveva aver fatto a Scoto lo stesso effetto che a me aveva fatto l'astrolabio.

Lo aveva letto avidamente in arabo e poi lo aveva fatto tradurre in latino, per poi custodire entrambe le copie sotto chiave in un nascondiglio nel sotterraneo del suo palazzo. A nessuno era concesso di poterlo consultare. Perfino io ero stato inibito. Come se al suo interno fossero incisi i segreti dell'universo.

«Sapete quanto tenga ormai a quell'oggetto», dissi allora per riassumere tutto il mio pensiero.

«E fate bene. È qualcosa di davvero prezioso», concluse senza accennare di proposito al resto del dono che aveva requisito.

Fui io a farlo. «La lettura di quel libro vi aiuterà a rendere ancora più precisi gli oroscopi che mi riguardano?»

«Può darsi», fece lui cominciando a vagare per il laboratorio con quel suo modo di fare tipico di quando voleva cambiare discorso. Si fermò davanti a un tavolaccio. Lo spazzò via senza riguardo, seminando per terra tavolette di cera, rotoli di pergamena e pigmenti per la scrittura, fino a lasciarvi solo una tavola su cui aveva inciso appunti in modo disordinato. Appunti che, in modo altrettanto disordinato, si affrettò a leggere. «Dunque, vediamo. Ah, sì. L'argento vivo, o come taluno si azzarda a chiamarlo mercurio, effettivamente è un veleno da non sottovalutare. Fate in modo che nessuno della vostra servitù ne maneggi o ne usi. In un mio recente esperimento con delle scimmie ho potuto constatare che, se inoculato nei padiglioni uditivi, porta alla completa sordità. Immaginate il volerlo ingerire». Sollevò l'indice della mano destra. «Il sette. La risposta è il sette. Questo è il numero che io ritengo più importante nella decina. Usate il sette in ogni vostra scelta e non sbaglierete mai. Il sette governa le regole del mondo, maestà. I pianeti del nostro sistema solare sono sette, sette i giorni della settimana, sette le note musicali, sette le arti, i colori primari. Insomma...».

«Il Fibonacci non sarebbe d'accordo», osai commentare, facendomi scudo con la mia regalità. Chiunque altro avesse osato contraddire Scoto in quel modo, non sarebbe uscito vivo dal suo laboratorio.

«Il Fibonacci», ripeté Scoto con tono di scherno nel pronunciare quel nome, «è un giovanotto ardito, armato di buoni propositi, ma il suo sapere si ferma alla matematica, mentre il mio...», concluse puntando un dito al cielo.

Intervenne di nuovo il silenzio.

«Cosa c'è?», chiese il mio astrologo. «Non vi soddisfano le mie risposte?»

«Mi soddisfano. Come sempre. Ma le domande stavolta erano tre».

Scoto lanciò uno sguardo al tavolaccio, dove aveva fatto piazza pulita di tutto, ormai. «Non mi sovviene altro», bofonchiò grattandosi il mento.

Io mi portai la mano alla testa. «Il vostro copricapo, messere».

«Cosa c'entra il mio copricapo?»

«Vi ho chiesto anche perché indossate sempre quella calotta di ferro. Non ve ne liberate nemmeno per andare a coricarvi».

«Davvero vi interessa una cosa così insignificante che ha a che fare con la mia modesta persona?»

«Sì».

«Chiedetemi qualunque altra cosa e vi risponderò».

«Insisto».

Scoto si passò una mano sulla coppa di ferro che gli copriva il capo. Se non fosse stato per il continuo scintillio, da lontano poteva farlo sembrare glabro.

«Per via di un vaticinio», disse improvvisamente.

«Non incuriositemi oltremodo».

«Non posso considerarla una domanda alla stregua delle altre, maestà». Scoto aveva cambiato improvvisamente umore. Pareva infastidito, quasi irato.

«Lasciate che sia io a giudicare il tono delle domande. Voi limitatevi alle risposte».

«Vi prego di esentarmi dal...».

«Ve lo ordino, messer Scoto», dissi lapidario.

Il mio astrologo di corte fu sul punto di replicare, ma anche una personalità forte e decisa come la sua sapeva di non avere gioco di fronte a me.

«Ebbene, se proprio lo desiderate...». Si guardò intorno, forse per trovare uno sgabello, ma alla fine si sedette sull'orlo di uno dei suoi tavolacci. Sollevò la testa e i nostri sguardi si incontrarono. Solo più tardi avrei compreso il profondo significato di quell'occhiata. La sua reticenza non voleva preservare lui, ma me.

«Un giorno ebbi la malaugurata idea di provare sulla mia persona le mie capacità di prevedere il futuro», cominciò.

«Nulla di così strano. Lo farei anche io, se ne avessi la facoltà. Poter prevedere il futuro sarebbe una dote preziosa per chiunque».

Scoto ascoltò le mie parole e annuì. In tono quasi remissivo. «Già. È quello che pensai anche io prima di commettere quell'errore. Insomma», proseguì muovendo la mano davanti agli occhi come se volesse scacciare una mosca, «per farla breve fui talmente bravo da riuscire a predire anche la mia morte».

Io rimasi muto per un po', poi feci una breve risata. «Ma avete fallito, a quanto pare. Se siete ancora qui per raccontarmelo».

«Ho predetto come morirò, ma non quando. Accade sempre così. I vaticini sono eventuali, non temporali».

Incrociai le braccia. Mi accorsi solo in quel momento che ero rimasto in piedi di fronte a un mio suddito che invece si era seduto. «E dunque? Come morirete?»

«Un sasso in testa».

«Un sasso in testa? Tutto qui?»

«Tutto dipende dalle dimensioni del sasso e dall'altezza da cui cade. Evidentemente non avete seguito con troppa attenzione gli studi di Archimede, che pure alla vostra corte sono il tema quotidiano di molti dibattiti tra gli esperti che voi stesso avete richiamato a...».

«Il vostro peggior difetto è la logorrea, seguito dalla saccenza».

«Avete ragione. Perdonatemi». Scoto si toccò per l'ennesima volta la calotta. Lo faceva molto spesso. Quasi un gesto automatico, come a volersi sincerare in ogni momento di avere tra la testa e la morte quella ridicola protezione. «Bene», disse poi, «adesso che ho risposto anche alla vostra terza domanda, possiamo parlare d'altro?»

«Sembrate molto preoccupato di cambiare argomento», dissi io guardando verso il soffitto dell'osservatorio, «non mi pare che ci sia possibilità di pioggia di sassi in questo posto. Tuttalpiù schegge di vetro», conclusi con quella che doveva essere una battuta. Ma non ebbe l'effetto sperato.

Scoto chinò il capo ma poi lo sollevò di nuovo e mi guardò di sottecchi.

Fu in quel momento che compresi. Una intuizione. Fugace.

«È stata la prima volta?»

«Sì».

«Ma non l'unica».

«No».

«E di chi avete predetto la morte, oltre a voi?».

Scoto deglutì. Non ebbe bisogno di rispondermi.

«E sentiamo. Come morirò?», chiesi, dissimulando un certo nervosismo. Doveva essere tutto uno scherzo. Avevo sentito parlare di veggenti e chiromanti, ma mai di gente in grado di guardare con tanta precisione al futuro di qualcuno. Eppure, nel fare quella domanda un brivido mi passò lungo la schiena.

«Non è necessario, maestà».

«Andiamo, messer Scoto. Non vorrete fermarvi proprio sul più bello?»

«Lo avete detto voi stesso. Posso sbagliarmi. Magari non ne sono capace. Del resto ho predetto la mia morte ma sono ancora vivo. Dunque...».

«Parlate, maledizione! Sembriamo due ragazzini!», esclamai infuriato.

Michele Scoto si portò le mani alla testa e sfilò lentamente la calotta. La posò delicatamente sul tavolaccio come se si trattasse di una santa reliquia. Era la prima volta che lo vedevo a cranio scoperto. Un cranio sormontato da radi cespugli di corti capelli ispidi, del colore del pelo di castoro.

«Non so quando morirete, ma accadrà nei pressi di una porta di ferro, in un luogo che porta il nome di un fiore», sentenziò.

Ci fu silenzio.

«Tutto qui?», dissi alfine. «Vorrà dire che mi guarderò bene dal visitare Firenze. Avete fatto bene a dirmelo», tagliai corto. «E comunque non siete stato forse voi a dirmi una volta che, nella gerarchia del paradiso, gli imperatori sono secondi solo ai filosofi, per gli angeli che accolgono le anime pure nell'aldilà?».

Scoto annuì.

«Dunque voi e io non dovremmo avere problemi, a quanto pare». Feci una scrollata di spalle e mi voltai.

Una fitta di dolore. Ricordo che quell'incontro fu interrotto da una terribile fitta di dolore al basso ventre. Una delle solite. Di quelle che mi capitavano sempre più spesso e nei momenti più impensati.

Florentium, Capitanata, Apulia Normanna, 13 dicembre 1250 d.C.

Una terribile fitta di dolore interruppe anche quel ricordo. Ma a sentirla stavolta fu Ahmed Addid. Tutto tornava. La fortezza di Castel Fiorentino che richiamava il termine di un fiore, la stanza da letto di Federico alle cui spalle era stata murata una porta di ferro che conduceva all'esterno. Il baule accanto al letto con la sua prima corona. E quella segreta, in cui l'imperatore aveva raccolto perfino gli abiti del piccolo Manfredi. Aveva voluto portare in quel castello tutti i ricordi più importanti della sua vita. Lo aveva fatto col tempo, con discrezione. Affinché gli fossero accanto nel momento più importante. Artigli invisibili parvero ghermire il soldato saraceno, togliendogli il fiato. Un turbine di ricordi affilati come lame di rasoio cominciò a incidere la sua carne, facendogli sanguinare i pensieri. Al punto da estraniarlo dalla realtà nel momento fatale.

Federico smise di parlare e si afflosciò tra le sue braccia come un mantello abbandonato dal vento. Ahmed Addid distolse l'attenzione dalla tomba di Ombra e si rivolse al suo sovrano nel tentativo di sorreggerlo. Ma la presa gli sfuggì, e l'imperatore non poté fare a meno di cadere nella neve.

«Federico, che ti succede?», disse il saraceno prodigandosi per farlo rimettere in piedi. Solo in quel momento si accorse della macchia rossa nel bianco tra gli stivali dell'amico. Anche le brache erano macchiate di scuro. «Allah sia benedetto, perché non me lo hai detto?», imprecò a bassa voce.

«Non... non volevo interrompere la nostra ultima passeggiata», balbettò Federico aggrappandosi alle vesti dell'amico. Impiegò un tempo infinito per tornare in piedi. Quando ci riuscì, incontrò lo sguardo dell'altro. Uno sguardo vacuo, torbido, rivolto altrove. Fece appena in tempo ad accennare un sorriso, poi svenne. Secondo il mio stile è il sorriso che svenne.

Addid lo abbracciò fin quasi a stritolargli le vertebre per impedire che cadesse di nuovo. Sibilò una bestemmia. «Dobbiamo tornare indietro, maledizione. Ho fatto male a farmi convincere...».

Rumore di cavalli al galoppo. Zoccoli che affondavano nella neve mimando una tempesta di sassi nell'acqua. Le croci nere, l'unico segno che distingueva quelle masse bianche dalla coltre distesa per miglia sul terreno.

I cavalieri tedeschi si fermarono con stridore di maglie e nitriti affannati davanti a un soldato inginocchiato che sorreggeva un sovrano esanime.

«Siete un pazzo!», urlò un sergente. «Come avete potuto costringere il sovrano a seguirvi fin qui! La pagherete cara!», concluse facendo un cenno ai suoi uomini. Si avvicinarono in tre. Scesero da cavallo e strapparono dalle mani del soldato saraceno l'uomo svenuto.

Federico ebbe un breve momento di lucidità prima di ricadere nell'oblio. «Non... non fategli del male. È stato un mio ordine. Lui... lui non avrebbe voluto...».

«Fate attenzione!», disse Addid seguendo con le braccia distese il sovrano che gli veniva strappato dalle mani.

«Non c'è tempo per una barella», riprese il sergente facendo caricare Federico sul dorso di un cavallo. «Non vedete le condizioni in cui lo avete ridotto, con la vostra bravata? E dire che siete il capo delle sue guardie personali. L'uomo di cui si fidava più di ogni altro. Avreste dovuto opporvi a costo della vita!», aggiunse sollevando la visiera dell'elmo per sputare ai piedi di Addid. «Mai fidarsi di un saraceno»,, sentenziò prima di voltare l'animale che montava e spingere gli altri al galoppo verso la residenza imperiale.

Ahmed Addid rimase in ginocchio, con la tomba di Ombra alle spalle. Seguì con lo sguardo la sagoma di Federico che sobbalzava sulla sella di uno dei cavalli teutonici. Sorretto dal cavaliere che lo aveva raccolto, per uno strano gioco ottico, sembrava egli stesso guidare l'animale. Poi la truppa tedesca si perse nella nebbia bianca prodotta dalla corsa furiosa degli zoccoli, e il saraceno restò da solo.

Rimase in quella posizione fino a quando non si accorse che il gelo gli stava paralizzando le gambe. Faticò a rimettersi in piedi e guardò verso il mare, dove il sole si stava già nascondendo tra i flutti, sprigionando una anemica luce purpurea che riusciva a distribuire anche sulla neve che lo circondava. Raggiunse il suo cavallo e si mise in cammino in direzione di Castel Fiorentino, tirandosi dietro anche quello scosso che aveva accompagnato il sovrano.

Addid arrivò alla residenza imperiale quando l'oscurità aveva ormai preso il posto delle ultime luci del giorno. Trovò i cancelli della fortezza insolitamente spalancati e appena un paio di soldati a guardia dell'entrata. Non gli chiesero nulla. Si limitarono a osservarlo introdursi all'interno.

La cittadella si era ritirata nei suoi alloggi. Mercati, botteghe, tutto inghiottito nel buio della sera. In un silenzio irreale.

Quando Addid raggiunse il palazzo, si accorse che i capannelli di astrologi, che di solito trascorrevano il loro tempo intorno alle mura per vaticinare i rapporti che il sovrano aveva preteso quotidianamente anche durante il suo ricovero, erano scomparsi. Ma c'era una lunga fila di monaci che usciva dalla porta principale del castello e serpeggiava a ritroso lungo il sentiero che aveva appena imboccato.

Un'insolita angoscia lo assalì d'improvviso, così spronò il

cavallo. Passò accanto ai monaci senza che nessuno di loro sollevasse il capo, anche solo per capire chi stesse spegnendo con lo spostamento d'aria le loro candele. Pregavano. A bassa voce. In latino.

Addid scese da cavallo mentre l'animale era ancora in movimento. Non si curò di legare le briglie ed entrò nel castello, spintonando i malcapitati monaci che si trovarono sul suo percorso. All'interno c'era molta gente. Alcuni frati, qualche monaca, molte guardie. Ma nessuno sembrava stare al suo posto. I soldati avevano abbandonato le picche in terra, un frate stava consolando un armigero che si era sciolto in singhiozzi sulla sua spalla. Due monache stavano piangendo abbracciate. Le torce tutt'intorno illuminavano il buio di una luce sinistra e sanguigna.

Addid non smise di correre. Schivando spettri silenziosi e ombre singhiozzanti, raggiunse la scala che portava ai piani superiori. Il tempo che impiegò per attraversare il lungo corridoio che portava alla stanza da letto dell'imperatore gli parve interminabile. Come in un incubo, quella porta lontana sembrava diventare sempre più piccola man mano che si avvicinava.

E poi vide che c'era una luce al posto della porta. Perché la porta era aperta. E tutti quelli che si trovavano fuori sembrava non volessero entrare. Perfino Giovanni da Procida attendeva dietro l'uscio, mentre avrebbe dovuto essere dentro a sostenere l'infermo.

Credette di trovare l'imperatore in piedi, ma si rese conto che quello sguardo così familiare era quello di Manfredi, il figlio prediletto, giunto da chissà dove, richiamato come era stato lui dall'allarme lanciato dai medici dell'imperatore.

Gli occhi dei due uomini si incontrarono. Il più giovane tentò un sorriso ma gli riuscì una smorfia contratta. «Ahmed, ho cavalcato giorno e notte. Ma ero così lontano che non ho fatto in tempo. Non sono riuscito a parlargli per l'ultima volta».

Il soldato saraceno gli passò istintivamente una mano sulla guancia. Per farlo smettere di piangere. L'ultima volta che aveva consolato il figlio dell'imperatore in quel modo era stato nei giardini della reggia di Palermo, e quell'uomo aveva poco più di dieci anni. «E invece lo hai fatto, e io c'ero. E ti posso assicurare che è stato bellissimo».

Sul volto di Manfredi si disegnò un'espressione interrogativa. Ma Addid non si fermò a dare spiegazioni e a raccogliere ricordi. Il soldato saraceno entrò invece d'impeto. Come se si tuffasse in un pozzo.

E finalmente vide Federico.

Si piegò sulle ginocchia per riprendere fiato.

Nello stesso tempo, provò a trovare le parole per chiedere scusa all'amico. Dopo tutto era stato lui a portarlo fuori nella neve, anche se era stato un ordine del suo imperatore a volerlo. Ma sapeva che non sarebbe stato possibile.

Non più.

Federico indossava i suoi abiti più belli. Una veste blu di velluto, coperta da un giustacuore di bronzo su cui era scolpita in basso-rilievo la sagoma di un'aquila. Alcuni cuscini permettevano alla sua testa di stare sollevata rispetto al resto del corpo, in modo da poter calzare perfettamente la corona a forma di cuffia che Addid conosceva bene. Le mani congiunte in grembo stringevano tra le dita cianotiche un rosario di grani d'oro. Ai polsi si intravedevano i lembi della veste cistercense che l'imperatore non aveva voluto abbandonare neanche...

Gli occhi di Federico erano chiusi, il volto incavato dalle ultime sofferenze, ma stranamente disteso, come il soldato saraceno non lo aveva veduto da giorni.

Forse dormiva. Forse...

Ahmed Addid si lasciò andare.

Cadde.

Pianse.

Chiese in silenzio che la morte venisse a prendere anche lui, ma l'antica mietitrice non lo accontentò.

Qualcuno lo prese per le spalle ed egli si divincolò come se fosse attaccato da un nemico.

Si rialzò da solo. Due passi per avvicinarsi al letto del sovrano. Il tempo di sfiorargli una delle mani. Di stringere i denti. Di sentire gli occhi che gli si iniettavano di sangue per la rabbia.

Il destino degli uomini non aveva voluto risparmiare nemmeno il migliore di loro.

L'imperatore Federico era morto.

E lui non era stato lì al suo fianco quando era accaduto.

Venendo meno al suo giuramento.

Me lo prometti Ahmed? Mi prometti che sarai sempre al mio fianco?

Certo che te lo prometto. Saremo amici per sempre.

Il soldato saraceno sciolse la cintola che reggeva il fodero della scimitarra e lasciò che la lama cadesse a terra con fragore.

Poi si voltò e uscì furente dalla stanza.

Si rese conto di ritrovarsi nella neve solo quando il freddo gli morse il collo. Non ricordava nulla da quando aveva lasciato la residenza imperiale di Castel Fiorentino. Non ricordava come avesse fatto a uscirne e in che modo. Nemmeno di aver afferrato da qualche parte quella bottiglia di liquore ormai vuota che stringeva in pugno.

Si voltò e guardò verso l'alto.

La profezia di Michele Scoto si era avverata. L'imperatore era morto *sub flore*, a Castel Fiorentino. Federico lo sapeva. Fin dal giorno in cui era stato portato d'urgenza in quella residenza sperduta nel Tavoliere. Per questo lo aveva fatto chiamare. Per questo aveva voluto passare gli ultimi momenti della sua vita con lui.

Addid avanzò stentando. Le lacrime gli appannavano la vista, e ogni passo era un azzardo.

Vagò per tutta la notte al buio, nel freddo e nella neve, fino a quando non ce la fece più e lasciò che i singhiozzi prendessero il sopravvento sul carattere del soldato. E poi i tremiti della paura e le urla della disperazione.

Non era stato mai così solo da quando era piccolo. Una solitudine che credeva di aver scacciato per sempre il giorno in cui aveva conosciuto quel ragazzino dai capelli rossi che vagava per Palermo con una corona da re in mano.

E se morissi anche io? Forse lui vorrebbe che lo accompagnassi anche nell'ultimo viaggio...

Addid era ubriaco. Se avesse deciso di suicidarsi per seguire l'amico, Allah gliene avrebbe sicuramente chiesto conto immediatamente, e i suoi propositi di scortare Federico nell'aldilà sarebbero sfumati sul nascere.

Ma che sto dicendo? Farnetico...

Il saraceno trovò un tronco d'albero morto che la neve aveva deciso di risparmiare e vi si appoggiò con le spalle. Poi si lasciò scivolare lentamente a terra. Gettò lontano la bottiglia vuota e fissò il buio davanti a lui.

Il ragazzino comparve all'improvviso. Nonostante il freddo che faceva battere i denti, indossava una semplice veste bucata, di quelle che si fanno mettere ai garzoni di bottega, ai figli dei servi di cui non si ha cura.

La veste che indossava Federico ogni volta che scappava per le vie di Palermo, che faceva risaltare il rosso dei suoi capelli tagliati con la pentolaccia.

«Peldicarota...», sussurrò Addid. «Tu dovresti essere...».

«Ho fatto tante domande al mondo, ma il mondo non ha mai risposto a quella più importante», disse il ragazzino, sorprendendo il soldato. Era a piedi scalzi ma non sembrava affatto a disagio. «Mi sono circondato di filosofi, astronomi, matematici... i più bravi... eppure nessuno ha saputo rispondere. E lo sai perché?»

«Perché?». Addid stava parlando con una visione, con uno spettro generato dal suo dolore. Se ne rendeva conto, eppure rivedere ancora una volta l'amico per come lo aveva conosciuto da bambino lo riempiva di quel calore che il liquore che aveva ingurgitato fino all'ultima goccia non gli aveva saputo dare. Per questo decise di stare al gioco della sua follia.

«Perché a quella domanda potevi rispondere solo tu».

«Quale domanda?»

«Cos'è l'amicizia, Ahmed? Bada bene, il quesito può sembrare banale, e a dirla tutta perfino un giullare di corte potrebbe dare la risposta che tutti vorremmo sentire. Ma non è così». Il piccolo

Federico scalciò il nulla, come faceva quando prendeva a calci qualche sassolino di strada di fronte alla banda a cui voleva illustrare il prossimo colpo al mercato. Alzò la testa di scatto e Addid si ritirò d'istinto, sbattendo la nuca contro il legno antico alle sue spalle. «L'amicizia tra due persone così diverse come lo siamo state noi. Un cristiano e un musulmano, una persona di nobile lignaggio e una arrivata a Palermo con chissà quale mezzo di fortuna. Cosa potevano avere in comune due persone così, se non il desiderio di farsi la guerra?»

«Io non ho mai pensato di farti la guerra. Sei mio amico. Il mio migliore amico».

«Appunto. E la domanda è proprio questa. Come è potuto accadere? Come siamo arrivati a questo punto se tutto ciò che ci circondava, tutti coloro che avevamo intorno mi spiegavano e ci spiegavano che sarebbe accaduto il contrario? Cosa abbiamo fatto noi per impedirlo? Io... non ricordo».

«Nemmeno io. Ma credo... forse non abbiamo fatto proprio niente. Quando ci siamo incontrati la prima volta non ci ho nemmeno pensato, a dire il vero. Ti ho visto stordito e sperduto, rifiutato dalla tua stessa gente, e questo mi ha fatto capire che potevamo avere tante cose in comune».

«È dunque questa la risposta?»

«La risposta?»

«L'amicizia, la vera amicizia nasce dalla condivisione delle difficoltà?»

«Non saprei. Tutti possiamo trovarci in difficoltà. Anzi, nella vita accade più spesso di quanto possiamo immaginare. Basta aspettare».

«Dunque, per diventare amici basta immaginare che un giorno le sofferenze degli altri potrebbero diventare le nostre... che i sogni degli altri potrebbero diventare i nostri?».

Addid chinò il capo. Era ancora buio. Non riusciva a vedersi la punta degli stivali, ma quel ragazzino lontano brillava di luce propria davanti al suo sguardo ubriaco. «Non saprei. Non credo. Forse che... non occorre aspettare. Basterebbe rendersi conto che tutti noi, al di là del luogo da cui proveniamo, del Dio in cui crediamo, del sangue che ci scorre nelle vene e della pelle che ricopre il nostro corpo, possiamo gioire e soffrire allo stesso modo. Del resto, non è stato questo il senso di tutte le tue scelte? Quelle che ti hanno fatto diventare nemico praticamente di tutti?».

Quando il soldato saraceno finì di parlare si rese conto di dove lo spettro dell'imperatore voleva portarlo. Era quello il ricordo che avrebbe dovuto tramandare ai posteri dell'uomo che aveva ormai perduto. Avrebbe potuto versare fiumi di pigmento per sintetizzare quel pensiero, quando le cose erano molto più semplici di quanto potesse immaginare. Federico era stato un uomo che non si era mai fermato di fronte alle apparenze. E tutte le sue decisioni, politiche, militari, sentimentali, avevano camminato su quel ponte tra la realtà che il mondo voleva imporgli e quello che egli voleva raggiungere... o costruire.

Addid cercò lo sguardo del bambino. Ma questi era scomparso. Come parte della sua sbronza. Il soldato saraceno sorrise e scosse il capo. Fece leva sulle braccia e si rimise in piedi.

Ricominciò a camminare. Verso Castel Fiorentino. Sperando che l'istinto gli consentisse di ritrovare la strada.

E mentre avanzava senza fretta, una voce cominciò a sussurrargli nella testa una cantilena. La parte finale dell'ultimo racconto di Federico. Si rese conto che ciò che l'udito non aveva ascoltato glielo stava ripetendo la memoria.

Messer Michele Scoto, voi siete un insigne filosofo ed è per questo che ci onoriamo di avervi alla nostra corte. Parlateci dunque della Terra...

Addid riprese a piangere. Sommessamente. Ma stavolta le lacrime non gli dettero tristezza. Lo cullavano, lentamente, come l'abbraccio di una madre.

...delle sue acque, dei suoi venti e di quel fuoco che sovente prorompe dalle sue viscere senza apparente spiegazione...

Il dolore che si faceva calore nel ricordo dell'affetto. Indelebile, al di là del tempo.

Parlateci dell'inferno, del purgatorio e della sfavillante luce del paradiso… del trono celeste e degli angeli e i santi che gli fanno da corona, nella pace eterna…

Ahmed Addid sapeva che avrebbe portato con sé quella sensazione fino al giorno della sua morte. Perché il giorno del dolore straziante della separazione è il conto che si deve pagare per aver ricevuto e dato immenso amore.

Parlateci di tutto questo, messer Scoto, e infine di quella immensa moltitudine di anime che ci hanno preceduto nel regno dei cieli…

«Dove anche noi andremo un giorno, se ne saremo davvero degni», recitò ad alta voce il soldato saraceno precedendo le parole suggerite dai ricordi. Lo fece alzando la testa per la prima volta dopo una lunga marcia. La notte aveva lasciato il posto alla luce dell'alba, e le mura dell'ultima dimora dell'imperatore Federico si stagliavano davanti alla sua vista. Il paradiso che gli avevano raccontato da piccolo era molto diverso da quello che avevano narrato a Federico. Probabilmente, quello vero era diverso da entrambi. Ma Addid era certo che, se mai ci fosse stato qualcosa oltre la morte, allora Costantino *peldicarota*, detto Federico, era arrivato già lì e un giorno lui lo avrebbe raggiunto. Perché una grande amicizia non si ferma di fronte alla fine della vita. Figurarsi di fronte a vecchie credenze e astruse convenzioni. La richiesta che Federico gli aveva fatto poco prima di morire, quella di raccontargli la sua vita, aveva un altro scopo. Il saraceno lo stava comprendendo solo ora. Era un regalo. L'ultimo regalo. Federico gli aveva donato la capacità di strappare il velo. Quello che copre la distanza tra gli uomini. Così pesante ma così sottile. Tanto che il suo dissolversi, se solo ci si credeva fino in fondo, avrebbe potuto stupire il mondo. Come aveva fatto il più grande uomo che avesse mai conosciuto.

FINE

BIBLIOGRAFIA

AA.VV., *Tabulae 32*, Centro Studi Federiciani, Jesi 2004.

DAVID ABULAFIA, *Federico II, un imperatore medievale*, Einaudi, Torino 1990.

EBERHARD HORST, *Federico II di Svevia, l'imperatore filosofo e poeta*, Rizzoli, Milano 1981.

JOSEPH-FRANCOIS MICHAUD, *Storia delle Crociate*, Rizzoli, Milano 1999.

MORENA POLTRONIERI - ERNESTO FAZIOLI, *Federico II, l'impero della Magia*, Hermatena Edizioni, Bologna 2002.

RENATO RUSSO, *Federico II, cronologia della vita*, Editrice Rotas, Barletta 2000.

ID., *Federico II e le donne*, Editrice Rotas, Barletta 1997.

TERENCE WISE - GERALD EMBLETON, *Medieval European Armies*, Osprey, Londra 1975.

NOTE E RINGRAZIAMENTI

Il progetto di un romanzo su Federico di Svevia risale a molti anni fa. Ce l'avevo in mente da molto tempo prima di cominciare il mio sodalizio con la Newton Compton, ma ho sempre pensato che sarebbe stato inutile e inopportuno aggiungere all'elenco sterminato di titoli presenti in libreria l'ennesima biografia romanzata dello *stupor mundi*. Per questo, quando Raffaello Avanzini – che non finirò mai di ringraziare – mi ha dato l'opportunità di realizzare l'antico progetto, ho deciso di affrontare questo personaggio storico dalla statura immensa e ancora oggi ineguagliata, guardandolo da un punto di vista diverso: gli occhi del suo migliore amico. Ahmed Addid, amico d'infanzia di Federico, suo fedele soldato e guardia del corpo, nasce con la graphic novel che scrissi tanto tempo fa per i disegni del maestro Sergio Toppi, ma l'ho trovato così efficace per quello che avevo intenzione di dire che l'ho ripreso volentieri, approfondendone il profilo e la storia. Il confronto tra due culture così diverse tra loro ma così vicine nel credo di Federico mi ha permesso di rendermi conto, alla fine del romanzo, che in realtà dai tempi dello svevo a oggi poco è cambiato se non i costumi, e sono sicuro che abbiate trovato le riflessioni dell'imperatore nel confronto con il suo più fedele dei sudditi di particolare attualità.

Non ho voluto usare toni aulici perché ciò che per noi oggi è antico è solo figlio del suo tempo. Fra due o trecento anni i nostri posteri troveranno aulico e pomposo il nostro modo di discorrere quotidiano, come noi lo facciamo per chi ha vissuto molto prima di noi. Per questo ho voluto che Federico e Ahmed, nel limite dei vocaboli contemporanei, parlassero come noi.

Naturalmente molto del romanzo è storia, ma qualcosa è mia interpretazione. È difficile cercare di capire davvero cosa ci sia dietro alle decisioni di personaggi così distanti da noi nel tempo, quali i pensieri che li hanno spinti a determinati comportamenti. I documenti aiutano, ma non basta. Nelle lacune della Storia, ha agito la mia fantasia.

Questo romanzo è stato scritto nel periodo più acuto della pandemia, uno dei più difficili della nostra storia moderna. Per questo voglio dedicarlo a tutti i miei lettori che, per colpa del virus, hanno perso una persona cara.

INDICE

Roberto Genovesi
I Guardiani di Roma

Volume di 384 pagine

Un patto per la vita. È quello che stringono tre ragazzi in una bettola di Apollonia, dove Giulio Cesare li ha spediti per studiare la diplomazia e la guerra: vuole fare di loro dei valenti generali o degli abili politici. Obnubilati dal vino e dalla musica, Gaio Ottavio Turino, Gaio Cilnio Mecenate e Marco Vipsanio Agrippa si giurano fedeltà, senza sapere che il destino sta viaggiando per mare con la notizia dell'assassinio del loro mentore. La strada che porterà i tre amici alla gloria sarà costellata di ostacoli, eserciti, traditori e sicari. Cesare lo aveva previsto e, ancor prima che l'astrologo Teogene scorgesse la scintilla dell'imperium negli occhi di Ottavio, aveva incaricato il suo soldato più fedele di vegliare a qualunque costo sulla vita dell'erede designato: un prefetto muto, in grado di ascoltare le voci dei suoi simili e di raccoglierli attorno al vessillo della legione più temuta di tutto l'esercito romano. I soldati della Legio Occulta diventeranno il braccio armato di Augusto e saranno l'arma più letale contro cui i nemici dell'Urbe si siano mai confrontati. La leggenda li ricorderà per sempre come i Guardiani di Roma.

NEWTON COMPTON EDITORI